Berlin Noir

A German Requiem
1991

Berlin Noir
A german requiem

Philip Kerr

베를린 누아르

독일 장송곡

필립 커 지음 | 박진세 옮김

오렌지디

제인에게, 그리고 아버지를 추억하며

차
례

그것은 그들이 지은 것이 아니다. 그들이 때려 부순 것이다.

그것은 집들이 아니다. 집들 사이의 공간이다.

그것은 존재하는 거리가 아니다. 더 이상 존재하는 거리가 아니다.

그것은 당신을 괴롭히는 기억이 아니다.

그것은 당신이 기록해 왔던 것이 아니다.

그것은 당신이 잊은 것이고, 당신이 잊어야 할 것이다.

당신이 평생 잊고 살아야 할 것이다.

—제임스 펜턴의 《독일 장송곡》에서

1부

1947년 베를린

오늘날, 당신이 독일인이라면 당신은 산 채로 연옥에서 사는 것과 같다. 조국이 저지른 잘못을 처벌받지 않은 죄와 뉘우치지 않은 죄를 이 땅에서 받고 있는 것이다. 연합국의, 아니 정확히는 그중 셋[1]의 기도의 힘을 빌려 독일이 마침내 정화되는 그날까지는.

당장 우리는 공포 속에서 살고 있다. 주된 공포는 소련군에 대한 공포로, 그에 필적하는 것은 유행처럼 번진 성병에 대한 공포뿐이다. 어쨌든 그 두 가지 공포는 똑같다고 해도 좋다.

---

1. 2차 세계대전 직후, 독일은 연합국 가운데 미국, 소련, 영국, 프랑스 4개국에 의해 분할 점령당한다. 여기서는 점령 과정에 기여도가 낮은 프랑스를 제외한 영·미·소 3개국을 말한다.

1

불을 피워 놓고 개를 긁어 주기에 적절할 것 같은 춥고 아름다운 날이었다. 그렇다고는 해도 나에게는 불을 피울 땔감도 없었고, 개를 좋아해 본 적도 없었다. 하지만 다리를 감싼 담요 덕분에 다리는 따뜻했다. 집—사무실 두 배 크기인 거실—에서 일할 수 있는 것을 자축하려는데 현관문을 두드리는 소리가 들렸다.

나는 욕설을 내뱉고 소파에서 일어났다.

"돌아가지 말고," 나는 나무 문을 향해 소리쳤다. "잠시만 기다려요." 나는 열쇠로 자물쇠를 열고 큼직한 놋쇠 손잡이를 잡아당겼다. "그쪽에서 문을 밀어 봐요." 나는 다시 소리쳤다. 층계참에 신발이 긁히는 소리가 들리더니 문 반대쪽에서 미는 기색이 느껴졌다. 마침내 문이 부르르 떨리며 열렸다.

예순쯤 된 키가 큰 사람이었다. 높은 광대뼈, 짧고 날카로운 콧날, 예스러운 구레나룻, 화난 표정의 그는 개코원숭이 무리의 늙은 우두머리를 떠올리게 했다.

"뭔가 걸린 것 같군." 그가 어깨를 문지르며 투덜거렸다.

"미안합니다." 그가 들어오도록 옆으로 비켜서며 내가 말했다. "건

독일 장송곡
–
13

물이 많이 내려앉아서 말입니다. 문을 다시 달아야 할 것 같지만 연장이 없어서요." 나는 그를 거실로 안내했다. "그래도 여긴 그렇게까지 곤란한 상황은 아닙니다. 유리창도 멀쩡하고 지붕도 비를 피할 만은 합니다. 앉으십시오." 나는 유일하게 남은 안락의자를 가리키고 소파의 내 자리로 돌아갔다.

남자는 서류 가방을 내려놓고 중절모를 벗은 다음 지쳤다는 듯이 한숨을 내쉬며 자리에 앉았다. 그는 회색 오버코트의 단추조차 풀지 않았는데 나는 그것을 탓하지 않았다.

"쿠르퓌어슈텐담 길거리 벽에 붙은 당신의 작은 광고를 봤소." 그가 설명했다.

"그럴 것 같았습니다." 몇 주 전 작은 정사각형 카드에 적었던 광고 문구를 떠올리며 모호하게 말했다. 키르슈텐의 아이디어였다. 베를린의 버려진 건물 벽을 도배하다시피 한 구혼 광고 사이에서 아무도 애써 그 광고를 볼 것이라고는 생각하지 않았었다. 하지만 결국 그녀가 옳았다.

"나는 노박이라고 하오." 그가 말했다. "닥터 노박. 엔지니어요. 베르니게로데에 있는 공장의 금속공학자요. 내 일은 비철금속의 생산, 추출과 관계가 있소."

"베르니게로데라. 하르츠 산 아래쪽 아닙니까? 동부 점령지인?"

그가 끄덕였다. "난 대학에 강의가 연이어 있어서 베를린에 왔소. 오늘 아침 내가 묵고 있는 호텔로 전보가 왔더군. 미트로파 호텔이라고……."

나는 미간을 찌푸리고 그런 이름의 호텔을 생각해 내려고 애썼다.

"벙커 같은 호텔들 중 하나요." 노박이 말했다. 그는 잠시 그 호텔에 관해 말하려는 것 같더니 마음을 바꾼 듯했다. "일정을 중단하고 집으로 오라는 아내의 전보였소."

"특별한 이유라도 있습니까?"

그가 내게 전보를 건넸다. "어머니의 건강이 좋지 않다는 내용이오."

나는 전보를 펼쳐 타이핑된 메시지를 훑어보고 정말로 그의 어머니가 위독하다는 내용이라는 것을 확인했다.

"안됐군요."

노박 박사가 머리를 저었다.

"아내분 말을 믿지 않으십니까?"

"나는 아내가 이걸 보냈다고 믿지 않소. 연세가 많긴 하지만 어머니는 놀랄 만큼 정정한 분이오. 불과 이틀 전에도 장작을 패셨소. 이건 러시아인들이 꾸민 짓 같소. 될 수 있는 한 날 빨리 돌아오게 하려고 말이오."

"왜죠?"

"소련에는 과학자들이 태부족이오. 아마 그자들이 날 데려가 자기네 나라 공장에서 일을 시킬 모양이오."

나는 어깨를 으쓱했다. "그렇다면 애초에 그들은 왜 당신이 베를린으로 여행을 가도록 허락했을까요?"

"소련군에는 효율이라는 게 없소. 내 생각엔 나를 강제 이송하라는 명령이 모스크바에서 막 떨어졌고, 소련군은 최대한 빨리 나를 데려오길 바라고 있는 것 같소."

독일 장송곡
—
15

"아내분에게 전보를 보내셨습니까? 사실 확인을 위해?"

"보냈소. 아내는 즉시 돌아와야 한다는 말뿐이었소."

"그래서 박사님은 러시아인들이 아내분을 억류하고 있는 게 아닌지 알고 싶으신 거군요."

"나는 이곳 베를린 헌병대에도 찾아갔었소. 하지만……,"

그의 깊은 한숨이 성과가 어땠는지 말해 주었다.

"그렇습니다. 그들은 어떤 도움도 안 될 겁니다." 내가 말했다. "이곳에 오길 잘하셨습니다."

"도와주시겠소, 퀸터 씨?"

"그건 그곳에 가 봐야 한다는 의미군요." 나는 어떤 설득이 필요하다는 듯 반쯤은 내 자신에게 말했다. 실제로 그런 설득이 필요했다. "포츠담으로요. 독일에 주둔한 그곳 소련군 본부 내에 매수 가능한 사람이 있습니다. 돈이 많이 들 겁니다. 초콜릿 한두 개로는 어림도 없다는 뜻이죠."

그가 진지한 표정을 지으며 고개를 끄덕였다.

"수중에 달러를 갖고 계시진 않겠지요, 노박 박사님?"

그가 머리를 저었다.

"게다가 제 수수료도 있습니다."

"그래서, 당신 제안이 뭐요?"

나는 그의 서류 가방을 힐끗 보았다. "그 안에 뭐가 들었습니까?"

"유감이지만 서류뿐이오."

"뭐라도 가진 게 있으셔야 할 것 같군요. 생각 좀 해 보십시오. 호텔에는 뭔가 있겠죠."

그는 머리를 숙이고 뭐라도 가치가 있을 만한 소유물을 떠올리려고 애쓰는 듯하더니 또다시 한숨을 뱉어 냈다.

"저, 박사님, 러시아인들에게 억류된 아내분을 되찾기 위해 박사님이 무슨 일을 해야 할지는 자문해 보셨습니까?"

"그렇소." 그가 잠시 눈을 게슴츠레하게 뜨고 우울하게 말했다.

그 모습으로 충분한 설명이 되었다. 노박 부인이 좋아할 만한 일은 아닐 것이었다.

"잠깐," 그가 코트 안주머니에 손을 넣더니 금으로 된 만년필을 꺼내며 말했다. "이게 있었군."

그가 내게 그 만년필을 건넸다.

"파커요. 18금이라오."

나는 잽싸게 그 가치를 평가해 보았다. "암시장에서 천사백 달러쯤 쳐주겠군요. 좋습니다. 그거면 러시아 놈들에게 먹힐 겁니다. 그들은 시계만큼이나 만년필을 좋아하니까요." 내가 넌지시 눈썹을 치켜세웠다.

"미안하지만 시계는 안 되오." 노박이 말했다. "이건 선물받은 거라오. 아내에게." 그가 그 아이러니를 감지한 듯이 희미한 미소를 지었다.

나는 공감한다는 의미로 고개를 끄덕이고 죄책감이 그를 좀먹기 전에 화제를 바꾸기로 마음먹었다.

"이제 제 수수료에 관해 얘기해 보죠. 박사님은 금속공학자라고 하셨습니다. 실험실 접근이 가능하시겠죠?"

"그렇소."

독일 장송곡
—
17

"제련소에도요?"

그가 심사숙고하듯 고개를 끄덕이다가 무언가 이해했다는 듯 활기차게 말했다. "혹시 석탄이 필요하오?"

"구할 수 있습니까?"

"얼마나 원하시오?"

"오십 킬로그램이면 적당하겠군요."

"좋소."

"이십사 시간 후에 이곳으로 오십시오. 그때쯤이면 어떤 정보라도 얻을 수 있을 겁니다."

삼십 분 후 나는 아내에게 메모를 남기고 아파트에서 나와 기차역으로 향했다.

1947년 말인데도 베를린은 칠만오천 톤의 고성능 폭탄의 힘과 전쟁이 남긴 상흔으로 반쯤 무너진 거대한 아크로폴리스 같았다. 위용이 넘치던 건물은 어마어마하게 큰 거석에 지나지 않게 되었다. 비교 불가한 대대적인 파괴가 히틀러의 야망을 상징하던 수도를 말살했다. 막대한 규모의 파괴로 니벨룽의 반지는 제자리를 찾게 되었다. 마침내 세상은 멸망한 것이다.

도시의 많은 지역의 거리 지도는 창문 닦이의 무릎 보호대만큼이나 쓸모가 없었다. 간선도로는 높이 쌓인 쓰레기 더미를 돌아가는 강줄기처럼 구불구불했다. 잡석들이 산처럼 쌓인 탓에 소로小路들은 급격히 형태가 변했고 때때로 날씨가 따뜻한 날에는 발밑에 가구가 아닌 다른 무언가가 파묻혀 있다는 것을 확실히 알 정도로 그 냄새가 피어올랐다.

모든 것이 폐허가 되었기 때문에 버려진 영화 세트장처럼 불안정하게 서 있는 가게와 호텔 들이 늘어선 거리에서 길을 찾으려면 많은 신경을 써야 했다. 그리고 여전히 사람들이 살고 있는 눅눅한 지하실이 딸린 건물들이나 인형의 집처럼 벽이 아예 사라져 모든 방이 노출된 채 불안정하게 서 있는 아파트 건물을 알아보려면 좋은 기억력이 필요했다. 아파트 위층에도 위험을 감수하며 사는 몇몇 가구가 있었다. 적어도 덜 손상된 지붕이 있는 덕분이었지만 계단은 매우 위험한 상태였다.

폐허가 된 독일에서의 삶은 전쟁 말기에 그랬던 것처럼 늘 불안했다. 여기저기서 벽이 붕괴되었고 불발탄을 맞닥뜨렸다. 삶은 여전히 도박 같았다.

나는 기차역에서 행운을 바라며 복권을 샀다.

2

그날 밤 포츠담에서 베를린으로 돌아가는 마지막 기차의 객실에 앉아 있는 사람은 나뿐이었다. 경계를 게을리하지 말았어야 했지만 박사의 의뢰를 성공적으로 마쳤기 때문에 기분이 좋았다. 게다가 이 건에 낮 시간 모두와 저녁 시간 대부분을 할애하는 바람에 피곤하기도 했다.

대부분의 시간을 여행으로 허비했다. 지금은 전쟁 전보다 두세 배로 시간이 더 걸렸다. 전에는 포츠담까지 가는 데 삼십 분이었지만 이제는 거의 두 시간이 걸렸다. 기차가 천천히 출발하기 시작했을 때 나는 잠깐 눈을 붙이기 위해 눈을 감았는데 갑자기 기차가 요동을 치며 정차했다.

몇 분이 경과하고 나서 기차 문이 열리고 지독한 냄새를 풍기는 덩치 큰 러시아 군인이 탑승했다. 내게 인사말을 웅얼거리는 그에게 나는 정중하게 고개를 끄덕였다. 하지만 그가 모신나강 소총을 어깨에서 내려 큼직한 발 위에 올려놓고 노리쇠를 조작했을 때는 즉각 마음을 다잡았다. 그는 내게 총을 겨누는 대신 몸을 돌려 열린 창 밖으로 방아쇠를 당겼다. 기관사에게 신호를 보낸 것임을 깨달은 후에야 나는 멈췄던 숨을 내쉬었다.

기차가 다시 출발하자 그 러시아인은 자리에 털썩 앉아 트림을 한 뒤 더러운 손등을 양가죽 모자에 문지르고 의자에 등을 기댄 다음 눈을 감았다.

나는 코트 주머니에서 영국인이 발행하는 신문《텔레그래프》를 꺼냈다. 한쪽 눈을 러시아인에게 고정하고 신문을 읽는 척했다. 기사의 대부분은 범죄에 관한 것이었다. 동부 점령지에서의 강간과 강탈은 싸구려 보드카만큼이나 흔한 범죄였고, 보통은 싸구려 보드카가 그런 범죄를 야기했다. 때때로 독일은 여전히 30년 전쟁의 피의 지배에서 벗어나지 못한 게 아닌가 하는 생각이 들었다.

러시아인에게 강간을 당하거나 성추행을 당하지 않은 여자들은 거의 없었다. 전쟁 신경증을 앓고 있는 몇몇 군인의 성적 환상 탓이라고 백 번 양보할지라도 성범죄의 발생 건수는 상상을 초월했다. 아내는 아주 최근 러시아 혁명 30주년 기념의 밤에 성추행을 당한 여자 몇명을 알고 있었다. 그중 한 명은 랑스도르프에 있는 어느 경찰서에서 무려 다섯 명의 붉은 군대 군인들에게 강간을 당해 매독에 걸렸다. 그녀는 그 군인들을 형사 고발하려고 했지만 강제로 의료 검진을 받은 후 오히려 매춘 행위로 기소되었다. 하지만 독일 여자들이 영국군이나 미군에게라면 기꺼이 몸을 파는 데 반해, 러시아군은 강간을 하는 것뿐이라는 일부 시각도 있었다.

붉은 군대 군인들이 저지른 약탈에 관해서도 피해자들이 소비에트 군사령부에 고소장을 제출했지만 마찬가지로 헛일이었다. '독일 국민의 모든 소유물은 소련 동지들이 준 선물'이라는 말을 듣는 게 고작이었다. 이 말이 그들로서는 점령지 내에서 무차별적으로 횡행하는 약탈에 대한 충분한 제재였고, 이런 문제를 신고했다가 살아남은 것만으로도 때로는 행운이었다. 붉은 군대의 약탈과 붉은 군대의 탈영병들 탓에 점령지 내에서의 이동은 힌덴부르크 비행선을 타는 것만큼 위험했다.[2] 베를린과 마그데부르크 구간을 이동하는 기차에 타고 있던 사람들은 발가벗겨진 다음 기차 밖으로 던져졌다. 게다가 베를린에서 라이프치히로 통하는 길은 종종 교통량이 증가했기 때문에 매우 위험했다. 《텔레그래프》는 라이프치히로 시합을 하러 가던 권투 선수 넷이 강도를 당한 기사를 실었는데, 그들은 겨우 목숨만 건지고 모든 것을 강탈당했다. 그 밖에도 베를린과 미헨도르프 구간에서 활동한 푸른 리무진 갱단이 저지른 일흔다섯 건의 강도 사건이 가장 악명 높았다. 소련 통제하에 있는 포츠담 경찰서의 부서장이 그들의 우두머리였다.

동부 점령지를 방문하려는 사람들에게 나는 '가지 말라'고 말한다. 그래도 가겠다면 나는 '러시아 놈들이 눈독을 들이는 손목시계는 차지 말 것이며, 낡은 외투와 구두 이외에 러시아 놈들이 좋아할 만한 것은 아무것도 몸에 두르지 말 것이며, 러시아 놈들은 쏘는 걸 주저하지 않으므로 그들과 논쟁을 하거나 말대꾸를 해서는 안 되며, 만약 그

---

2. 1937년, 힌덴부르크 비행선은 미국 뉴저지 주 허스트에 착륙하며 폭발한다. 폭발의 원인으로는 헬륨 대신 넣은 수소 용기가 파열하며 발생하였다는 가설이 가장 유력하다. 당시 전쟁을 앞두고 헬륨의 최대 생산국이었던 미국이 독일에게 헬륨을 공급하지 않았기 때문에 훨씬 폭발하기 쉬운 성질의 수소를 쓴 것이다. 이 사고로 승객과 승무원, 지상요원까지 서른여섯 명이 사망한다.

들과 말해야 한다면 미국 극우파들을 큰 소리로 욕하고, 그자들이 발행하는 《테글리헤 룬트샤우》 이외에는 어떤 신문도 읽지 말라'고 한다.

이것들은 모두 훌륭한 조언이었고, 그 조언을 내게도 적용했더라면 좋았으리라. 갑자기 벌떡 일어난 러시아 놈이 비칠비칠 서서 나를 노려보았다.

"비 비호디테(내립니까)?" 내가 그에게 물었다.

러시아 놈은 과음 때문에 게슴츠레한 눈에 적의를 담아 나와 내 신문을 노려보더니 내 손에서 신문을 잡아챘다.

그는 산악 부족민 같은 타입으로 아몬드 모양의 검은 눈, 스텝 지대만큼이나 넓적하고 우락부락한 턱, 교회 종을 거꾸로 세워 놓은 듯한 가슴의, 덩치 크고 멍청한 체첸인이었다. 러시아 놈들에 관해 우리가 하는 농담이 있다. 그들은 화장실이라는 걸 모를뿐더러 변기를 냉장고로 알고 거기에 음식을 저장한다는 것이다(이 농담은 농담만이 아니었다).

"르지(거짓말)." 그가 잡아챈 신문을 휘두르며 보도의 갓돌만큼이나 거대한 누런 이를 드러내고 침을 튀기면서 으르렁댔다. 그리고 내 옆자리에 부츠를 올려놓고 내게 몸을 바짝 기울였다. "르가뇨(거짓말)." 그가 좀 전보다 낮은 목소리로 다시 입을 열었을 때, 소시지와 맥주 냄새가 섞인 그의 숨결이 속절없이 내 콧구멍으로 흘러들었다. 그는 내가 역겨워한다는 것을 알아차린 듯했고, 사탕처럼 딱딱한 반백의 머리를 굴리는 것 같았다. 《텔레그래프》를 바닥에 떨어뜨리고 거친 손을 내밀었다.

독일 장송곡
—
23

"야 호추 포다로크," 그가 그렇게 말하더니 천천히 독일어로 다시 말했다. "……선물을 받고 싶군."

나는 바보처럼 머리를 끄덕이며 씩 웃어 보였다. 그러고 나서 그를 죽이든지 자살을 해야 한다는 사실을 깨달았다. "포다로크라." 내가 그의 말을 반복했다. "포다로크."

나는 여전히 미소를 짓고 고개를 끄덕이면서 자리에서 천천히 일어나 왼팔의 소매를 걷어 올려 빈 손목을 드러냈다. 이제 러시아 놈도 웃음을 짓고 있었다. 놈은 뭔가 좋은 게 얻어걸렸다고 생각하는 듯했다. 나는 어깨를 으쓱했다.

"우 메냐 네트 차소프." 나는 줄 시계가 없다는 것을 설명했다.

"치토 우 바스 에스티(가진 게 뭐야)?"

"니치토." 나는 머리를 저으며 그에게 코트 주머니를 뒤져 보게 했다. "아무것도 없어."

"치토 우 바스 에스티?" 그가 이번에는 더 큰 소리로 말했다.

가련한 노박 박사와 이야기를 나누던 나를 보는 것 같았다. 알아본 바에 따르면 그의 아내는 역시 MVD[3]에 억류되어 있었다. 나는 놈과 거래가 될 만한 것을 생각해 내려고 애썼다.

"니치토." 내가 재차 말했다.

미소가 러시아 놈의 얼굴에서 사라졌다. 그가 객실 바닥에 침을 뱉었다.

"브룬(거짓말)." 그가 을러대며 내 팔을 밀쳤다.

---

3. 소련 내무성으로 비밀경찰을 말하며 KGB의 전신이다.

나는 머리를 저으며 거짓말이 아니라고 말했다.

그의 손이 다시 내게 뻗쳐 왔지만 이번에는 잡아챌 듯한 손놀림은 아니었고, 더러운 검지와 엄지로 소매를 잡았다. "도로가(비싼 옷이군)." 그가 옷의 재질을 감정하듯이 살피며 말했다.

나는 머리를 저었지만 코트는 검은색 캐시미어—동부 점령지에서 입어서는 안 될 종류의 코트—였고, 그것은 논쟁의 여지가 없었다. 러시아 놈은 이미 벨트를 풀고 있었다.

"야 호추 바시 코트(코트 내놔)." 그가 누덕누덕 기운 군인용 외투를 벗으며 그렇게 말했다. 그러더니 차량 반대편으로 걸어가 문을 열어젖히고 코트를 건네든지 기차에서 뛰어내리라고 말했다. 내가 놈에게 코트를 주든 말든 놈은 나를 집어던질 게 분명했다. 이번엔 내가 침을 뱉을 차례였다.

"누, 넬리쟈(꿈도 꾸지 마). 이 코트를 원하나? 와서 가져가 보시지, 이 빌어먹을 멍청한 스비니아(돼지)야. 이 역겨운 바보 크레스티야닌(촌놈아). 어서. 와서 가져가 봐. 주정뱅이 개자식아."

러시아 놈이 화가 나 으르렁거리며 의자에 뒀던 소총을 집어 들었다. 그것이 놈의 첫 번째 실수였다. 놈은 기관사에게 신호를 보내기 위해 창밖으로 총을 쏘았었고, 나는 약실에 총알이 들어 있지 않다는 것을 알고 있었다. 그가 내게 잠시 등을 돌리고 두 번째 노리쇠를 조작하는 동안 나는 그의 사타구니에 부츠의 코를 파묻었다.

그 순간 소총이 바닥에 떨어졌고 러시아 놈은 고통에 겨워 몸을 구부리며 한 손을 다리 사이에 갖다 대고 다른 손을 채찍처럼 휘둘렀다. 허벅지에 맞은 그 일격에 다리가 마비될 듯 고통스러웠다.

독일 장송곡
—
25

그가 몸을 일으킨 순간 나는 오른 주먹을 놈에게 날렸지만 내 주먹은 놈의 큼직한 손안에서 옴짝달싹 못한 채 잡히고 말았다. 그가 내 목을 움켜잡자 나는 놈의 얼굴을 머리로 들이받았다. 그러자 녀석은 반사적으로 내 주먹을 놓고 순무 크기의 코를 감싸 쥐었다. 내가 다시 주먹을 날리자 녀석은 몸을 숙이며 이번에는 내 코트 깃을 움켜쥐었다. 그것이 녀석의 두 번째 실수였다. 하지만 잠시, 나는 그게 왜 두 번째 실수인지 혼란스러웠다. 갑자기 놈은 소리를 지르며 뒷걸음질을 쳤고, 수술에 들어가기 위해 손을 씻은 외과의처럼 허공으로 들어 올린 손에서는 피를 뿜어내고 있었다. 그제야 몇 달 전, 만일의 경우를 대비해 코트 깃에 면도칼을 넣고 바느질을 했던 일이 기억났다.

내가 몸을 날려 놈을 걸어차자 바닥에 거세게 내동댕이쳐진 놈의 상체가 빠르게 주행중인 기차의 열린 문 밖으로 밀려났다. 발버둥 치는 놈의 다리를 잡고 온 힘을 다해 러시아 놈이 다시 객실 안으로 들어오려는 것을 막으려고 했다. 피로 끈끈해진 놈의 두 손이 내 얼굴을 할퀸 다음 결사적으로 내 목을 졸랐다. 놈의 손아귀 힘은 강했고, 내 목에서 공기가 빠져나가는 소리가 에스프레소 머신이 내는 소리처럼 들렸다.

놈의 턱밑에 여러 차례 강펀치를 날리고 손바닥 끝으로 녀석의 턱을 밀며 밤공기가 쏜살같이 흐르는 기차 밖으로 놈을 밀어내려고 했다. 공기를 갈망할수록 내 이마의 피부가 팽팽하게 당겨졌다.

얼굴 앞에서 수류탄이라도 터진 것처럼 끔찍한 포효가 내 귀를 울리는가 싶더니 놈의 손아귀가 헐거워진 듯했다. 손을 앞으로 내밀자 아무것도 만져지지 않았다. 머리가 깨끗하게 잘려 나간 채 척추에서 피를 뿜고 있었다. 나무 혹은 전봇대가 그를 깨끗하게 두 동강 냈다.

토끼를 가득 담은 자루처럼 심장이 요동치며 객실 안으로 무너지 듯 주저앉은 나는 구토가 치밀어 올랐지만 토할 힘이 없다는 걸 알게 되었다. 그러나 몇 초 후 갑작스럽게 위가 수축되며 참을 겨를도 없 이 러시아 군인의 시체 위에다 먹은 것을 몽땅 게워 냈다.

몇 분 뒤 기운을 차리고 기차 밖으로 시체를 내던진 다음 잽싸게 소총도 내던졌다. 밖으로 내던지려고 좌석에 놓인 러시아 녀석의 악 취 나는 군인용 외투도 집어 들었다가 그 무게에 잠시 머뭇거렸다. 주머니를 뒤지자 체코슬로바키아제 38구경 자동 권총과 손목시계 여 러 개―아마도 모두 훔친 듯한―와 러시아 보드카 모스코스카야 반 병이 나왔다. 총과 시계들은 챙기기로 하고 보드카의 마개를 따 병 주둥이를 닦은 다음 꽁꽁 언 밤하늘을 향해 병을 들어 올렸다.

"알라 라지 보 순(명복을)." 그렇게 말하고 입이 미어지게 한 모금 을 삼켰다. 그러고 나서 병과 외투를 내던지고 문을 닫았다.

역에 도착하자 보풀같이 흩날리는 눈발이 기차역 벽과 도로 사이 에 작은 스키 슬로프처럼 쌓여 있었다. 이번 주 들어 가장 추운 날이 었고, 하늘은 무언가 나쁜 일을 예고하듯 무거워 보였다. 풀 먹인 하 얀 테이블보처럼 눈이 내린 거리에 담배 연기 같은 안개가 내려앉았 다. 가까이에 있는 가로등 불빛은 희미했지만 양손에 맥주 몇 병을 들고 비틀거리며 숙소로 돌아가는 영국 병사가 내 얼굴을 보기에 충 분할 만큼은 밝았다. 술에 취해 어리벙벙한 미소를 띠고 있던 그가 나를 보자 좀 더 신중한 표정을 짓더니 놀랐다는 듯이 욕설을 내뱉었 다.

독일 장송곡
—
27

절뚝거리며 재빨리 그를 지나치자 그의 초조한 손가락 사이에서 미끄러진 맥주병이 길바닥에 떨어져 깨지는 소리가 들렸다. 그제야 내 얼굴과 손이, 내 피는 말할 것도 없이, 그 러시아 놈의 피로 칠갑을 하고 있다는 사실이 떠올랐다. 내 차림이 율리우스 카이사르의 마지막 토가[4]처럼 보일 게 틀림없었다.

가까운 골목으로 들어가 눈으로 피를 닦아 냈다. 차가운 눈이 닿자 피뿐 아니라 피부까지 벗겨지는 것 같았고, 얼굴은 닦아 내기 전과 똑같이 빨갛게 됐을 터였다. 얼음 화장을 마친 나는 최대한 걸음을 빨리하여 별다른 위험 없이 집에 닿았다. 나가기보다 오히려 들어가기가 더 쉬운 현관문을 어깨로 밀고 들어갔을 때는 이미 한밤중이었다. 아내가 자고 있을 거라고 생각했기 때문에 아파트가 어둠에 잠겨 있는 것을 보고도 놀라지 않았지만 침실에서 그녀의 모습을 찾을 수는 없었다.

나는 주머니를 비우고 침대에 들 준비를 했다.

화장대 위에 러시아 놈이 갖고 있던 시계들—롤렉스 하나, 미키마우스 그림이 있는 시계 하나, 파텍 금장 시계와 독사Doxa 시계 하나씩—을 놓았다. 시계는 모두 잘 작동했으나 일이 분 정도의 오차가 있었다. 정밀한 시간을 새기는 시계를 보고 있자니 키르슈텐의 늦은 귀가가 강조되는 것 같았다. 그녀가 염려되는 한편 어디서 무엇을 하고 있는지 의심스러웠지만, 실은 쓸데없는 생각을 하며 시간을 보냈다.

피로로 손이 떨렸다. 고기 망치로 두들겨 맞은 듯 머리가 아팠다.

---

4. 로마인들이 몸에 둘렀던 긴 옷.

아무 생각 없이 사람들에게서 벗어나 풀을 뜯는 소가 된 것처럼 침대
에 파고들었다.

3

멀리서 들리는 폭발음에 잠에서 깼다. 붕괴 위험이 있는 건물들을 다이너마이트로 폭파하는 것이다. 늑대가 울부짖는 것 같은 소리를 내며 바람이 창문을 때렸다. 나는 키르슈텐의 따뜻한 몸에 내 몸을 밀착했다. 그녀의 목에서 풍기는 살 내음과 머리에 들러붙은 담배 냄새를 맡으며 의심의 어두운 미로 속으로 나를 몰아간 수수께끼의 단서를 천천히 생각했다.

나는 그녀가 침대에 드는 기척을 느끼지 못했다.

점차 오른쪽 다리와 머리에서 고통의 이중주가 울려 퍼졌다. 다시 눈을 감고 신음 소리와 함께 천천히 몸을 일으키자 전날 밤에 있었던 끔찍한 일이 생각났다. 한 사내를 죽였다. 하필이면 러시아 군인을. 정당방위였지만 소련이 지정한 법정에서 그런 주장은 전혀 통하지 않을 것임을 알고 있었다. 붉은 군대 군인을 살해한 사람에 대한 처벌은 오직 한 가지뿐이었다.

이제 남미의 인간 사냥꾼처럼 피 칠갑을 한 얼굴과 손으로 포츠다머 역에서 걸어 나오는 나를 본 사람이 얼마나 될지 자문해 보았다. 적어도 몇 달간은 동부 점령지에 발을 들여놓지 않는 편이 좋으리라.

하지만 폭격으로 손상을 입은 침실 천장을 바라보자 점령 지역이 내가 있는 쪽을 집어삼킬지도 모른다는 생각이 들었다. 지금 베를린은 티 하나 없이 깨끗한 회반죽 천장 한가운데에 뻥 뚫린 구멍 같았고, 침실 한구석에는 언젠가 그 구멍을 메우기 위해 암시장에서 사 온 석고 한 자루가 있었다. 나를 포함한 많은 사람들은 스탈린이 베를린이라는 자유의 작은 구멍을 나와 같은 마음으로 메우려 한다는 것을 의심하지 않았다.

나는 침대에서 일어나 물병 단지에 있는 물로 대충 세수를 하고 옷을 입은 다음 아침 식사가 될 만한 것을 찾으러 주방으로 갔다.

식탁 위에는 어젯밤에는 없었던 식료품 몇 가지가 있었다. 커피, 버터, 연유 캔 그리고 초콜릿 두어 개. 모두 주둔 미군만 살 수 있는 가게인 PX에서 사 온 것이었다. 배급제가 시행되고 있다는 것은 독일 가게에 물건이 들어오는 즉시 사라져 버린다는 것을 뜻했다.

어떤 음식이라도 환영이었다. 배급 카드로는 키르슈텐과 둘이 합쳐 삼천오백 칼로리도 섭취하지 못했기 때문에 우리는 자주 굶주렸다. 나는 종전 후 몸무게가 십오 킬로그램이나 줄었다. 그럼에도 나는 키르슈텐이 이 여분의 식량을 어떻게 구하는지 의심스러웠다. 하지만 잠시 이런 의심을 접어 두고 맛을 내기 위해 대용 커피 가루를 뿌린 감자를 몇 개 구웠다.

감자를 굽는 냄새에 잠에서 깬 키르슈텐이 주방 문가에 모습을 드러냈다.

"두 사람 몫으로 충분해요?" 그녀가 물었다.

"물론." 그녀 앞에 접시를 놓으며 내가 말했다.

이제야 그녀는 내 얼굴에 난 멍을 눈치챘다. "맙소사, 베르니, 무슨 일 있었어요?"

"어젯밤에 러시아 놈과 언쟁이 있었어." 나는 그녀가 내 얼굴을 만지게 놔두고 아침 식사를 위해 자리에 앉기 전에 잠시 그녀에게 있었던 일을 설명했다. "그 개자식이 나한테 강도짓을 하려고 하더군. 한동안 서로 주먹다짐을 한 끝에 놈이 기차 밖으로 떨어졌지. 아마 놈은 바쁜 저녁을 보냈을 거야. 놈이 시계 몇 개를 남겼어." 나는 그가 죽었다는 사실을 말하지 않을 작정이었다. 아내까지 불안에 떨 이유는 없었다.

"봤어요. 멋진 시계더군요. 못해도 이천 달러는 나가겠던데요."

"아침에 독일 의사당이 있던 자리에 가서 저것들을 살 러시아인이 있는지 알아볼 생각이야."

"그 사람이 당신을 찾으러 그곳에 올지 모르니까 조심해요."

"걱정 마. 괜찮을 거야." 나는 감자 몇 개를 포크로 찍어 입으로 가져간 다음 미국 커피 깡통을 들고 무표정한 얼굴로 그것을 응시했다. "어젯밤에는 좀 늦은 것 같던데?"

"집에 오니까 당신이 아기처럼 잠들어 있더군요." 키르슈텐이 손바닥으로 머리를 매만지며 덧붙였다. "어제는 정신없이 바빴어요. 어떤 양키가 자신의 생일 파티를 한다고 그곳을 통째로 빌렸거든요."

"그랬군."

아내는 학교 선생이었지만 미군만 출입할 수 있는 젤렌도르프의 미국인 바에서 웨이트리스로 일했다. 아파트가 추웠기 때문에 그녀는 코트를 입고 있었는데, 코트 안에는 이미 빨간 친츠[5] 드레스와 작은 주름 장식이 달린 앞치마를 입고 있었다. 그것이 유니폼이었다.

나는 손에 커피 캔을 들고 저울질해 봤다. "이만큼이나 훔친 거야?"

아내가 내 눈을 피하며 고개를 끄덕였다.

"어떻게 들고 나왔는지 모르겠군. 몸수색을 하지 않나 보지? 창고에 물건이 비는 걸 눈치채지 않겠어?"

그녀가 웃었다. "그곳에 음식이 얼마나 많은지 당신은 모를 거예요. 양키들은 하루에 사천 칼로리 이상 섭취한다고요. 어떤 미군은 당신의 한 달 치 고기 배급량을 하룻밤에 해치우고도 아이스크림까지 먹는다니까요." 그녀는 아침 식사를 마치고 코트 주머니에서 럭키 스트라이크 한 갑을 꺼냈다. "하나 줘요?"

"그것도 훔친 거야?" 그렇게 말했지만 어쨌든 한 개비를 뽑아 들고 그녀가 켠 성냥불에 고개를 숙였다.

"누가 탐정 아니랄까 봐." 그녀가 투덜거리듯 말하더니 짜증 난다는 듯이 덧붙였다. "실은 어떤 양키가 준 선물이에요. 개중에는 누가 봐도 소년 같은 사람들이 있어요. 당신도 알겠지만. 그들은 아주 친절해요."

"그들이야 그럴 수 있겠지." 나도 모르게 으르렁대는 소리를 냈다.

"그들은 대화를 나누고 싶어 할 뿐이에요."

"당신의 영어 실력은 나날이 늘겠군." 나는 내 목소리에 밴 빈정거림을 누그러뜨리려고 활짝 웃었다. 빈정거릴 때가 아니었다. 어쨌든 아직은. 나는 최근 아내가 자신의 서랍에 숨겨 둔 샤넬 향수를 발

---

5. 커튼, 가구 커버 등으로 쓰이는 광택이 나는 면직물.

견했고, 그것에 관해 무슨 말이라도 꺼낼지 궁금했다. 하지만 아내는 아무 말도 하지 않았다.

키르슈텐이 스낵바로 출근한 지 한참 뒤 문을 두드리는 소리가 들렸다. 러시아인의 죽음으로 여전히 불안했기 때문에 나는 대답을 하러 가기 전에 재킷 주머니에 그자의 자동 권총을 넣었다.

"누구십니까?"

"노박 박사요."

일은 신속히 결말지어졌다. 나는 소비에트 군사령부에 있는 내 정보원이 마그데부르크 소재 경찰서에 전화해 노박 부인이 정말 MVD에 의해 점령지에서 가장 가까운 도시인 베르니게로데에 억류되어 있다는 것을 확인했다고 설명했다. 노박이 집으로 돌아가면 그와 아내는 '소비에트 사회주의 공화국 연방 인민들의 이익을 위한 필수적인 업무'를 위해 즉시 우크라이나의 하리코프로 이송되기로 되어 있었다.

노박이 무거운 표정으로 끄덕였다. "그렇게 될 줄 알았지." 그가 한숨을 쉬었다. "그들의 금속공학 연구 중심지가 그곳이오."

"이제 어떻게 하실 겁니까?" 내가 물었다.

낙담한 얼굴로 고개를 젓는 그를 보니 마음이 좋지 않았다. 하지만 노박 부인에게 드는 감정만큼은 아니었다. 그녀는 억류중이었다.

"제 도움이 더 필요하시게 되면 저를 어디서 찾아야 할지 아시겠죠."

노박이 조금 전 내가 그를 도와 택시에서 날라 온 석탄 자루를 보며 고개를 끄덕이고 말했다. "당신 표정을 보니 이 석탄이 보수가 된 것 같군."

"저걸 한 번에 다 태운다고 해도 이 방의 반도 따뜻해지지 않을 겁니다." 나는 잠시 말을 끊었다. "제가 상관할 바는 아니지만, 노박 박사님, 돌아가실 겁니까?"

"당신 말이 맞소. 당신과는 상관없는 일이지."

어쨌든 나는 그의 행운을 빌었고, 그가 떠나고 난 후 집이 다시 따뜻해진다는 기대감에 들떠 한 삽 분량의 석탄을 거실로 날라 조심스럽게 스토브에 불을 지폈다.

소파에 누워 즐거운 아침 시간을 보냈고, 하루 종일 집에 눌어붙어 있을 작정이었다. 하지만 오후에 벽장 안에서 지팡이를 찾아내 쿠르퓌어슈텐담까지 절룩이며 걸어가 적어도 반 시간 동안 줄을 서서 기다린 끝에 동쪽으로 향하는 전차를 잡아탔다.

"암시장 앞입니다." 예전에 폐허가 된 의사당이 시야에 들어오자 안내원이 그렇게 외쳤다. 사람들이 모두 내린 전차는 텅텅 비었다.

아무리 점잖은 사람이라도 가끔이나마 암시장 거래에 신세를 지지 않은 독일인은 없었다. 노동자 평균 주급이 이백 마르크—담배 한 갑 살 정도—였기 때문에 합법적인 회사에서도 고용인에게 지불할 돈 대신 암시장 물건에 의존하는 경우가 많았다. 사람들은 사실상 휴지 조각이나 다름없는 라이히스마르크를 집세를 내거나 비참한 수준의 배급 음식을 사는 데에만 사용했다. 베를린은 고전 경제학을 공부하는 학생들에게 탐욕과 필요에 의해 결정되는 경기 순환의 완벽한 모델이었다.

까맣게 탄 의사당 앞의 축구장만 한 부지에서 뜻을 같이한, 무려 수천 명의 사람들이 북적이는 국경에서 제시되는 여권처럼 자신들이 갖고 나온 물건들을 들고 서 있었다. 사카린 꾸러미, 담배, 재봉틀 바늘, 커피, 배급 쿠폰(대개 위조 쿠폰), 초콜릿 그리고 콘돔. 사람들은 나온 매물들을 힐끗거리며 그것을 의도적으로 무시하면서 배회했고, 사려고 마음먹은 것이 무엇이든 간에 탐색을 멈추지 않았다. 이곳에서는 돈만 주면 뭐든 살 수 있었다. 폭격으로 파괴된 부동산 권리증에서 소지자가 나치즘에 감염되지 않았다는 것을 증명하는 비非나치화化 증명서까지. 그 증명서만 있으면 연합국 독일 관리 이사회[6]의 고용 대상 자격을 얻어 오케스트라 지휘자도 거리 청소부도 될 수 있었다.

암시장에 오는 사람은 독일인뿐이 아니었다. 아니고말고. 고향 여자친구에게 줄 보석을 사러 오는 프랑스인, 바닷가에서의 휴가를 위해 카메라를 사러 오는 영국인. 미국인들은 사비니 광장 근처에 있는 많은 공방 중 한 군데에서 전문적으로 만든 가짜 골동품을 산다. 그리고 러시아인들은 몇 달 치 월급을 모아 시계를 사러 온다. 그러길 바랐다.

나는 목발을 짚은 남자 옆에 자리를 잡았다. 그는 양철 의족이 삐죽이 튀어나온 배낭을 메고 있었다. 나는 줄로 엮은 시계를 들고 섰다. 잠시 후에 나는 내 외다리 이웃에게 호의를 담아 고개를 끄덕였다. 그는 내보일 물건이 아무것도 없는 듯해서 뭘 팔고 있었는지 물었다.

---

6. 독일의 분할 통치를 위해 설치한 최고사령관의 자문 기관.

그는 뒤통수로 메고 있는 배낭을 가리키며 태연하게 말했다. "내 다리요."

"유감이군요."

그의 얼굴에는 체념의 표정이 떠올라 있었다. 이내 내가 가지고 온 시계를 보았다. "멋지군. 십오 분쯤 전에 괜찮은 시계를 찾는 러시아 인이 이 근처에 있었소. 내가 그 사람을 찾아 오면 구전으로 십 퍼센 트를 주시오."

나는 시계가 팔리기까지 이 추운 데서 얼마나 오래 서 있어야 할지 가늠해 보았다. "오 퍼센트." 나도 모르게 그렇게 말했다. "그 사람이 살 경우."

목발을 짚은 남자는 크롤 오페라하우스 쪽으로 휘청이는 걸음을 옮겼다. 십 분 후 그는 숨을 몰아쉬며 한 명이 아닌 두 명의 러시아 군 인을 데리고 돌아왔다. 두 군인은 오랜 흥정 끝에 미키마우스 그림이 있는 시계와 파텍 금장 시계를 천칠백 달러에 샀다.

러시아인들이 가고 난 다음 나는 그들이 준 기름때에 전 돈 뭉치에 서 아홉 장을 떼어 그에게 건넸다.

"이젠 다리를 지킬 수도 있겠군."

"어쩌면." 그는 돈에 코를 킁킁대며 그렇게 말했지만 조금 후 나는 그가 윈스턴 다섯 갑에 의족을 파는 모습을 보았다.

오후에는 더 이상 행운이 따르지 않았다. 나는 남은 두 시계를 허 리에 묶고 집으로 갈 준비를 했다. 하지만 벽돌로 막은 창문과 곧 무 너질 것 같은 골조만 남은, 유령 같은 의사당을 지나칠 때 거기에 쓰 인 어떤 낙서를 보고 마음이 불안해진 나머지 마음을 바꿨다. '우리의

여자들이 하는 일은 독일인을 눈물로 적시고, 미군의 팬티를 적신다.'

젤렌도르프행 기차를 타고 베를린의 미군 지구에서 내렸다. 키르슈텐이 일하는 조니의 미국인 바는 크론프린츠 가로수 길 남쪽에 위치해 있었다. 미군 본부에서 채 일 킬로미터도 떨어지지 않은 곳이다.

날이 어둑할 무렵 불이 훤하고, 시끄럽고, 창문에 김이 서린 조니 바를 발견했다. 가게 앞에는 지프 몇 대가 서 있었다. 천박해 보이는 입구 위에 걸린 간판에는 '상위 3계급 전용'이라고 쓰여 있었지만 그게 뭘 의미하는지는 알 수 없었다. 문밖에는 이글루처럼 몸을 웅크린 늙은 남자가 있었다. 담배꽁초를 주워 생계를 유지하는 도시의 수많은 넝마주이 가운데 하나였다. 넝마주이 역시 매춘부들처럼 자신들의 구역이 있었다. 모두가 탐내는 자리는 미군 바와 클럽이 늘어선 도로였다. 운이 좋은 날에는 하루에 백 개 이상의 꽁초를 주울 수 있다. 피우지 않은 담배도 열 내지 열다섯 개비는 주울 수 있는데 그것은 오 달러 정도의 값어치가 있었다.

"이봐요, 아저씨." 내가 넝마주이에게 말했다. "윈스턴 네 개비 벌지 않겠소?' 나는 의사당 앞에서 산 담뱃갑을 꺼내 손바닥 위에 두드려 네 개비를 빼냈다. 남자의 물기 어린 갈망의 눈이 담배에서 내 얼굴로 옮겨 갔다.

"내가 할 일이 뭐요?'

"지금 두 개비, 이 숙녀가 여기서 나왔을 때 나에게 알려 주면 두 개비." 나는 그에게 지갑에 넣어 두었던 키르슈텐의 사진을 주었다.

"아주 매력적인 여자군." 그가 음흉한 눈초리로 말했다.

"그건 신경 끄시지." 나는 미군 본부가 있는 크론프린츠 가로수 길 저편 더러워 보이는 카페를 엄지손가락으로 가리켰다. "저 카페 보이 쇼?" 그가 끄덕였다. "거기서 기다리겠소."

넝마주이가 두 손가락으로 거수경례를 하고 잽싸게 사진과 윈스턴 두 개비를 받아 들더니 다시 길 위를 훑기 위해 몸을 돌려 발걸음을 옮기려 했다. 나는 다박나룻이 가득한 그의 목에 감긴 더러운 손수건을 잡고 그를 멈춰 세웠다. "잊어버리지 마시오. 알겠소?" 내가 그렇게 말하며 손수건을 바짝 비틀었다. "이곳은 좋은 구역 같군. 그러니까 당신이 나한테 와서 말해 주는 걸 까먹는다면 내가 어디로 당신을 찾으러 갈지 알 거요. 알겠소?"

노인은 내 불안을 감지한 것 같았다. 그가 끔찍한 미소를 지었다. "여자분은 선생을 잊어버렸을지 몰라도 난 잊어버릴 일 없을 테니 안심하쇼." 번들거리는 부분과 기름때가 묻은 부분이 섞여, 마치 차고 바닥 같은 얼굴이 내가 손수건을 쥔 잠깐 동안 빨갛게 되었다.

"잊지 마시오." 나는 그를 너무 거칠게 다룬 것에 어느 정도 죄책감을 느끼며 놓아주었다. 그에 대한 보상으로 담배 한 개비를 더 건넸고, 내가 좋은 사람이라는 그의 호들갑스러운 인사를 무시하며 나는 꾀죄죄한 카페를 향해 발걸음을 옮겼다.

오랜 시간 머문 것 같았는데 두 시간도 지나지 않았다. 나는 싸구려 브랜디 큰 병을 시키고 조용히 앉아 담배를 몇 개비 피우며 주위에서 들려오는 목소리에 귀를 기울이고 있었다. 넝마주이가 나를 보러 왔을 때, 그는 타락한 얼굴에 의기양양한 웃음을 띠고 있었다. 나는 그를 쫓아 밖으로 나와 그 거리로 돌아갔다.

독일 장송곡

39

"그 숙녀분 말이오, 선생." 그가 기차역 쪽을 향해 다급하게 손가락질하며 말했다. "저쪽으로 갔소." 내가 그에게 남은 보상을 하는 동안 그는 잠시 말을 멈췄다가 덧붙였다. "애인이랑. 대위 같소. 어쨌든 그가 누구든 잘생긴 젊은 친구요."

나는 더 이상 듣지 않고 그가 가리킨 방향으로 최대한 빨리 걸었다.

곧 키르슈텐과 동행한 미국 장교의 모습이 시야에 들어왔다. 그의 팔이 그녀의 어깨를 감싸고 있었다. 거리를 두고 그들의 뒤를 쫓았다. 보름달 덕분에 두 사람의 느긋한 진행 방향을 명확히 볼 수 있었다. 그들은 폭탄으로 붕괴된 육 층짜리 아파트 블록으로 향했다. 이윽고 그 아파트 안으로 들어갔다. 두 사람을 따라 들어가야 할까? 나는 자문했다. 모든 걸 볼 필요가 있을까?

간에서 분비된 쓰디쓴 담즙이 배 속에 내려앉은 지방질 많은 의심을 자극했다. 마치 모기처럼, 두 사람이 보이기도 전에 말소리부터 들렸다. 그들의 영어는 내가 이해할 수 있는 수준을 뛰어넘었지만 아내는 그에게 이틀 연속 밤늦게 들어가면 안 된다고 설명하는 듯했다. 구름이 달을 가려 주위가 어두워지자 나는 더 잘 보일 것 같은 곳을 향해 엄청나게 쌓여 있는 자갈 더미 뒤쪽으로 살금살금 움직였다. 구름이 달에서 벗어나 달빛이 서까래들 사이를 비추자 이제는 말이 없어진 두 사람의 모습이 확실히 보였다. 그자가 자신 앞에 무릎을 꿇은 그녀의 머리에 안수기도를 하듯 손을 올린 잠시 동안 두 사람은 천진무구한 종교화 속 인물들처럼 보였다. 왜 키르슈텐의 머리가 어깨 위에서 흔들리고 있는지 혼란스러웠지만 그가 신음 소리를 냈을 때 무슨 일이 일어나고 있는지 깨달았고, 동시에 공허감이 엄습했다.

나는 조용히 빠져나와 머리가 둔해질 정도로 술을 마셨다.

4

마침내 비틀거리는 걸음으로 집에 돌아왔을 때 키르슈텐은 이미 잠자리에 들어 있었다. 내 숨결에서는 술 냄새가 풍겼으므로 나는 소파에서 밤을 보냈다. 그녀가 아파트를 나서는 소리가 들릴 때까지 자는 척하느라 나는 그녀가 나가기 전 내 이마에 키스하는 걸 피하지 못했다. 그녀는 계단을 내려가 거리로 나서면서 휘파람을 불었다. 나는 소파에서 일어나 창가에 서서 그녀가 젤렌도르프행 기차를 타기 위해 동물원 역이 있는 파자넨 가 북쪽을 향해 걷는 모습을 보았다. 그녀가 시야에서 사라지자 새로운 하루를 맞을 준비로 내 자신을 추스르려고 노력했다. 흥분한 도베르만처럼 머리가 욱신거렸지만 얼음장처럼 차가운 수건으로 얼굴을 문질러 닦고 대위가 준 커피와 담배로 마음을 달래자 기분이 약간 나아졌다. 나는 여전히 키르슈텐이 미국인 대위에게 했던 짓에 대한 기억과 그자를 죽이고 싶다는 생각에 빠져 며칠 전 붉은 군대 군인을 죽였다는 기억도 잊고 문을 두드리는 소리가 들렸을 때 부주의하게 문을 열었다.

러시아인은 키가 작았지만 세 개의 금별과 군인용 외투의 은색 견장 테두리에 달린 담청색 술 덕분에 붉은 군대에서 가장 키가 큰 사내보다도 더 당당해 보였다. 그 차림은 그가 MVD의 대령이라는 것을 알려 주었다.

"귄터 씨입니까?" 그가 정중하게 물었다.

좀 더 주의를 기울이지 못한 나 자신에게 화가 나서 뚱한 표정으로 고개를 끄덕였다. 내가 죽인 그 러시아인의 총을 어디에 뒀는지 기억이 나지 않았다. 과연 이 상황에서 벗어날 수 있을까? 만일의 사태에 대비하여 계단 아래에 부하들을 대기시켜 놓았을까?

장교는 모자를 벗고, 프로이센인처럼 뒤꿈치를 소리 나게 부딪친 다음 허공에 박치기하듯 머리를 끄덕였다. "포로쉰 대령입니다. 협조를 구하겠습니다. 들어가도 되겠습니까?" 그는 대답을 기다리지 않았다. 자신이 원하는 건 즉각 이루어져야 직성이 풀리는 듯했다. 서른을 넘어 보이지 않는 대령은 군인치고는 머리가 길었다. 거실로 들어서자 나를 돌아보고 가식적인 미소를 지으며 맑은 담청색 눈까지 내려오는 머리카락을 좁은 머리통 위로 넘겼다. 그는 내 불편한 기색을 즐기고 있었다.

"베른하르트 귄터 씨죠, 아닙니까? 분명 그럴 테죠."

성뿐 아니라 이름까지 알고 있다는 사실에 약간 놀랐다. 그러더니 멋진 금장 담배 케이스 뚜껑을 내 앞에서 튕겨 열었다. 창백한 손끝이 누렇게 변해 있는 것으로 보아 케이스에 든 담배는 피우기 위한 것이지 내게 팔 것은 아닌 듯했다. 보통 MVD는 자신들이 체포할 참인 사람에게 담배를 나누어 주지 않는다. 그래서 나는 한 개비를 집고 내 이름이 맞는다고 말했다.

그가 뾰족한 턱을 벌려 담배를 물고 우리의 담배에 불을 붙이기 위

독일 장송곡
—
43

해 케이스와 어울리는 던힐 라이터를 꺼냈다.

"그리고 당신은……," 담배 연기가 눈으로 들어가자 그가 움찔했다. "……시피크…… 독일어로 그걸 뭐라고 합니까……?"

"탐정." 무의식적으로 그 말을 번역한 순간 나는 바로 내 민첩성을 후회했다.

포로쉰의 눈썹이 높은 이마 쪽으로 올라갔다. "아, 아." 그는 살짝 놀랐다는 듯이 그렇게 말하며 흥미로운 표정을 짓더니 가학적인 즐거움을 표출했다. "당신은 러시아어를 하는군요."

나는 어깨를 으쓱했다. "조금."

"하지만 그 말은 흔히 쓰이는 말이 아니죠. 러시아 말을 조금밖에 모르는 사람이 알 만한 단어가 아닙니다. 러시아 말로 시피크에는 소금에 절인 돼지비계라는 뜻도 있습니다. 그것도 아셨습니까?"

"아니요." 내가 말했다. 하지만 나는 소련의 전쟁 포로였을 때 그 단어가 뭔지 매우 잘 알 만큼 충분히 그것을 딱딱한 흑빵에 발라 먹었었다. 이자가 그 사실을 알까?

"네 슈티(정말입니까)?" 그가 씩 웃었다. "아실 텐데요. 내가 MVD 사람이라는 걸 아신 것처럼 말입니다. 안 그렇습니까?" 이제 그는 소리 내어 웃고 있었다. "내가 내 일을 얼마나 잘하는지 아십니까? 우린 오 분도 대화를 나누지 않았지만 난 이미 당신이 러시아어를 잘한다는 걸 간절히 감추고 싶어 한다고 자신 있게 말할 수 있습니다. 하지만 왜?"

"원하는 걸 말하지그럽니까, 대령?"

"자, 자," 그가 말했다. "정보장교로서 이유를 알고 싶어 하는 건 당연한 것일 뿐입니다. 다른 사람도 아닌 당신 같은 사람은 어느 정도의 호기심을 이해해야 하지 않습니까?" 그가 입을 다물고 사과의 의미가 담긴 일그러진 미소를 짓자 코를 통해 나온 담배 연기가 그의 상어 지느러미 같은 콧잔등을 따라 흘렀다.

"독일인들은 호기심이 많지 않습니다. 특히 요즘에는."

그가 어깨를 으쓱하고 어슬렁거리며 내 책상 쪽으로 걸어가 그 위에 놓인 시계 두 점을 보았다. "어쩌면." 그가 숙고하듯 중얼거렸다.

나는 그가 주제넘게 서랍을 열지 않길 바랐다. 그곳에 죽은 러시아 놈의 자동 권총을 넣어 둔 게 이제야 생각이 났다. 나를 보러 온 이유가 무엇인지는 몰랐지만 나는 그의 주의를 본래의 용건으로 돌리려고 입을 열었다. "모든 탐정과 흥신소는 당신네 구역에서 활동이 금지되지 않았습니까?"

마침내 그가 책상에서 물러났다.

"베르노(바로 그렇습니다), 귄터 씨. 그것은 그런 기관이 민주주의 성립에 아무런 도움이 되지……,"

내가 끼어들려고 하자 그가 혀를 끌끌 찼다.

"아니, 아무 말 마십시오, 귄터 씨. 당신은 소련과 민주주의가 무슨 상관이냐고 말하실 참이었겠죠. 만약 당신이 그런 말을 했다면 의장 동지께서 당신과 당신의 아내를 납치해 오라고 나처럼 끔찍한 사내들을 보냈을지도 모릅니다.

물론 당신과 나는 지금 이 도시에서 근근이 살아가는 사람들이 매춘부와 암거래상과 스파이뿐이라는 걸 압니다. 매춘부는 앞으로도 없어지지 않겠지만 암거래상은 독일 통화가 안정되면 사라질 겁니다. 스파이가 남아 있군요. 그것이 새로운 직업이 될 것입니다, 귄터 씨. 당신 같은 사람들을 위한 새로운 기회가 많아지면 탐정 일은 잊어야 합니다."

"내게 일거리를 주시겠다는 말로 들리는군요, 대령."

그가 뒤틀린 미소를 지었다. "그것도 나쁜 생각은 아니군요. 하지만 내가 온 건 그것 때문이 아닙니다." 그가 고개를 돌려 안락의자를 보았다. "앉으실까요?"

"그러십시오. 미안하지만 커피 말고는 드릴 게 없습니다."

"고맙지만 괜찮습니다. 커피를 마시면 신경이 예민해지더군요."

나는 소파에 앉아 그가 말을 꺼내길 기다렸다.

"우리 둘 다 아는 친구, 에밀 베커가 당신들이 말하는 악마의 부엌에 끌려갔습니다."

"베커?" 나는 잠시 생각에 빠졌다가 1941년 러시아 침공을 연상하고 한 얼굴을 떠올렸다. 그리고 그 전에 독일제국 경찰, 크리포를. "그를 본 지 오래됐습니다. 그를 정확히 친구라고 부를 수 있을지 모르겠지만, 어쨌든 그가 무슨 잘못을 했습니까? 왜 그를 감방에 넣었습니까?"

포로쉰이 머리를 저었다. "오해하셨군요. 우리와는 아무 문제 없습니다. 미군과 문제가 있죠. 엄밀히 말하면 그들의 빈 주재 헌병대와."

"그러니까, 소련이 아닌 미군이 그를 체포했다는 건 그가 정말 범죄를 저질렀다는 말이군요."

포로쉰은 빈정거리는 내 말을 무시했다. "그는 미 육군 대위 살해 혐의로 체포됐습니다."

반이 베를린을 포위하고 있으니까요. 독일인에게 부과된 일상적인 이동 규제를 제쳐 두고라도 지난 몇 주 동안 상황이 꽤 악화된 것처럼 보입니다. 당신들이 말하는 소위 서방 연합국 군인들조차 자유롭게 이동할 수 없으니까요. 덕분에 오스트리아로 불법 입국을 하려는 피난민의 수가 증가하면서 오스트리아는 이동이 규제된 것을 아주 기뻐하고 있죠. 그렇습니다. 그게 표면상의 이유입니다."

"하지만 그중 어느 것도 문제될 건 없습니다." 포로쉰이 차분하게 말했다. "에밀 같은 옛 친구를 위해서라면 나는 기꺼이 뒤에서 힘을 아끼지 않을 겁니다. 기차 여행 허가증, 특별 출입국 허가증, 기차표. 어떤 것이라도 쉽게 수배할 수 있습니다. 필요한 준비물은 모두 내가 해 줄 수 있습니다."

"그 일을 맡을 생각이 없는 두 번째 이유가 있습니다. 이건 실질적인 이유입니다. 난 당신을 신용할 수 없습니다, 대령. 왜 내가 당신을 믿어야 합니까? 당신은 베커를 돕기 위해 배후에서 힘을 쓰겠다고 말했습니다. 하지만 당신은 그 반대의 일도 쉽게 해낼 수 있습니다. 나로서는 당신 편에 섬으로써 오히려 더 어려운 입장에 놓일 수 있습니다. 전장에서 돌아왔더니 자신의 집에 공산당 고위 관리들이 살고 있더라는 사람을 나는 알고 있습니다. 고위 관리들로서는 배후에서 힘을 써서 그를 정신병원에 확실히 수용하는 것보다 더 쉬운 일은 없었고, 그들은 그 집에서 계속 살 수 있었죠.

그리고 불과 한두 달 전 나는 베를린 내 당신네 지구에 있는 바에서 친구 두 명과 같이 술을 마셨습니다. 먼저 자리를 떴는데 나중에 들어 보니 내가 자리를 뜨자마자 소련군이 그곳을 포위하고 바 안에 있던 모든 사람에게 이 주간 강제 노역을 시켰다더군요.

따라서 다시 말하지만 대령, 난 당신을 믿지 않는 데다 그래야 할 이유도 모르겠습니다. 내가 아는 건 내가 당신네 구역 안으로 발을 들여놓는 순간 체포될지도 모른다는 사실이죠."

포로쉰이 웃음을 터뜨렸다. "하지만 왜? 왜 당신이 체포됩니까?"

"당신들이 댈 수백 가지 이유를 내가 어떻게 알겠습니까." 내가 과장되게 어깨를 으쓱했다. "어쩌면 내가 탐정인 게 이유가 될지도 모르죠. MVD로서는 그게 미국 스파이나 매한가지일 테니까요. 당신네들이 나치에게서 물려받은, 예전 작센하우젠 강제수용소에는 지금 미국을 위해 스파이 행위를 하다 체포된 독일인들로 꽉 차 있다고 들었습니다."

"내 작은 오만을 허락하신다면, 귄터 씨, 한 가지 묻겠습니다. 당신은 MVD 대령인 이 내가 연합국 독일 관리 이사회의 문제보다 당신을 체포하는 문제를 더 중요시할 거라고 생각하십니까?"

"당신은 총사령부에 속해 있습니까?" 나는 놀랐다.

"나는 소련 부군정장관副軍政長官 소속 정보장교입니다. 내 말을 못 믿겠다면 엘솔츠 가에 있는 이사회 본부에 알아보셔도 좋습니다." 그는 내 반응을 기다리며 잠시 말을 멈췄다. "자, 이제, 어떻게 생각하십니까?"

내가 여전히 아무 말이 없자 그는 한숨을 쉬고 머리를 흔들었다. "당신네 독일인들은 이해를 못 하겠군요."

"언어는 상당히 잘 통하는 것 같은데요. 잊지 마십시오. 마르크스가 독일인이었다는 점을."

"네, 하지만 그는 유대인이기도 했죠. 당신네 나라 사람들은 십이 년간 독일인과 유대인이 양립할 수 없도록 만들려고 애써 왔습니다. 그게 내가 이해할 수 없는 것들 중 하나죠. 마음이 바뀌었습니까?"

나는 머리를 저었다.

"전혀."

대령은 내 거절에 짜증이 난 티를 전혀 내비치지 않았다. 그는 손목시계를 보더니 자리에서 몸을 일으켰다.

"가 봐야 할 것 같군요." 그는 수첩을 꺼내 뭔가 적기 시작했다. "마음이 바뀌시면 카를스호르스트의 이 번호로 연락 주십시오. 55-16-44입니다. 카베른체프 장군의 특별 보안과를 찾으십시오. 그리고 우리 집 전화번호도 적었습니다. 05-00-19."

포로쉰은 미소를 짓고 내게 건네는 쪽지를 향해 고개를 끄덕였다.

"만약 미군에 체포된다면 그 번호를 그들에게 알려 주지 마십시오. 나라면 그럴 겁니다. 그들이 당신을 스파이라고 생각할 테니까요."

그는 계단을 내려가면서도 여전히 소리 내어 웃고 있었다.

5

조국을 믿었던 사람들에게 가부장적 사회관이 거짓임을 보여 준 건 패배가 아닌 재건이었다. 남자들의 허영심 때문에 폐허가 된 베를린의 예에서 배울 수 있듯이 전쟁이 일어나 군인들이 죽고 건물이 붕괴되면 도시는 여성들로 구성된다.

나는 채취할 게 엄청 많은 광산이 숨겨져 있을지도 모를 잿빛 화강암 협곡을 향해 걸었다. 그곳으로 다가감에 따라 돌무더기 협곡에서 일하는 여자들의 감독하에 벽돌을 잔뜩 실은 트럭들이 막 모습을 드러냈다. 그중에는 차 측면에 '사랑 따위 할 시간은 없다'라고 분필로 쓰인 트럭도 있었다. 여자들의 지저분한 얼굴과 레슬러 같은 몸을 보면 굳이 그런 표어는 필요 없었다. 하지만 여자들의 심장은 그들의 알통만큼이나 컸다.

여자들이 야유하며 조롱의 휘파람―도시 복구를 위한 이때 너는 뭘 하고 있는가?―을 부는 가운데 미소를 짓고 지팡이를 병결 증명서인 양 흔들며 프리드리히 코르슈(크리포 시절의 옛 친구이자 현재 공산주의 지배하의 베를린 경찰 경감)가 에밀 베커의 아내를 찾을 수 있도록 알려 준 페스탈로치 가가 나올 때까지 계속 걸었다.

21번지는 대야를 엎어 놓은 것처럼 생긴, 손상을 입은 오 층짜리 다세대주택으로, 현관문 안쪽에서 다 타 버린 토스트 냄새가 풍기고 있었고, 종이로 막은 창에는 '계단 주의! 손상 시 방문자 책임'이라는 경고문이 쓰여 있었다. 다행히도 현관문 안쪽 벽에 아파트 호수와 이름 들이 분필로 적혀 있었고, 베커 부인은 일층에 살고 있었다.

나는 그녀의 집을 향해 어둡고 눅눅한 복도를 걸었다. 문과 복도에 놓인 세면대 사이에서 어떤 노부인이 눅눅한 벽에 붙은 커다란 곰팡이 덩어리를 떼어 판지 상자에 넣고 있었다.

"적십자에서 오신 분이에요?" 그녀가 물었다.

나는 아니라고 말하고 문을 두드린 후 기다렸다.

그녀가 미소 지었다. "괜찮아요. 보시다시피 우린 이곳에서 아주 잘 살고 있답니다." 그녀의 목소리에 조용한 광기가 엿보였다.

다시 더 세게 문을 두드리자 소리 죽여 걷는 소리가 들리더니 문 안쪽에서 빗장이 떨어지는 소리가 들렸다.

"우린 굶주리지 않아요." 노부인이 말했다. "신이 주신 음식이랍니다." 그녀가 상자에 모아 둔 곰팡이 조각을 가리켰다. "봐요. 여기서는 싱싱한 버섯도 자라고 있잖아요." 그렇게 말하며 그는 벽에서 곰팡이 한 조각을 떼어 입으로 가져갔다.

마침내 문이 열렸고, 나는 역겨움으로 잠시 말을 잊었다. 노부인을 본 베커 부인이 나를 아랑곳하지 않고 재빨리 복도로 나와 큰 소리로 욕설을 내뱉으며 노부인을 쫓아냈다.

"역겨운 할망구." 그녀가 투덜거렸다. "매일 이 건물에 와서 저 곰팡이를 먹는다니까요. 미친 여자예요. 완전히 돌았어요."

독일 장송곡
‒
53

"뭔가를 분명 먹더군요." 내가 구역질을 참으며 말했다.

안경을 쓴 베커 부인이 날카로운 눈으로 나를 바라보았다. "그건 그렇고, 누구시고 원하는 게 뭐죠?" 그녀가 퉁명스럽게 물었다.

"베른하르트 귄터라고……," 내가 말을 꺼냈다.

"누구신지 알아요." 그녀가 말을 가로챘다. "크리포죠."

"크리포였습니다."

"들어오시는 게 좋겠어요." 그녀는 무언가를 몹시 두려워하듯 문을 쾅 닫고 빗장을 건 다음 나를 따라 얼음장같이 찬 거실로 들어왔다. 그 모습에 놀란 나를 눈치채고 그녀가 설명을 덧붙였다. "요즘은 아무리 조심해도 부족하지 않아요."

"정말 그렇습니다."

습기로 얼룩진 벽, 올이 다 드러난 카펫과 낡은 가구들을 둘러보았다. 세간이 많지는 않았지만 깨끗하게 관리돼 있었다. 습기만큼은 그녀도 어쩔 수 없는 것 같았다.

"카를로텐부르크는 그렇게까지 위험하진 않습니다." 분위기를 가볍게 하려고 내가 말했다. "다른 지역에 비하면요."

"아마 그렇겠죠." 그녀가 말했다. "하지만 만약 당신이 어두워진 후에 와서 문을 계속 두드렸다면 나는 대답하지 않았을 거예요. 밤이 되면 이곳엔 쥐들이 들끓으니까요." 그렇게 말하며 그녀는 소파 위에 놓인 큼직한 나무 판을 집어 들었다. 나는 잠시 어둑한 곳에 서서 그녀가 지그소 퍼즐을 하던 모양이라고 생각했다. 이내 수백 장의 담배 마는 종이, 꽁초가 담긴 자루들, 말린 담뱃잎 더미와 잔뜩 늘어놓은 새로 만 담배들이 눈에 띄었다.

나는 소파에 앉아 윈스턴을 꺼내 그녀에게 한 개비 내밀었다.

"고마워요." 그녀가 마지못해 그렇게 말하며 담배를 귓등에 꽂았다. "나중에 피울게요." 하지만 나는 그녀가 늘어놓았던 담배들과 함께 그것을 팔아치우리라는 걸 의심하지 않았다.

"이 재활용 담배들의 시세는 얼맙니까?"

"오 마르크쯤요." 그녀가 말했다. "넝마주이가 꽁초 백오십 개를 갖고 오면 미화 오 달러를 줘요. 그걸로 어엿한 담배 스무 개쯤 만들죠. 그것들을 미화 십 달러에 팔아요. 그것에 대해《타게슈피겔》에 기사라도 쓰실 생각인가요? '빅터 골란츠[7] 베를린을 구하다' 같은 지루한 농담 같은 거라도 해 보시든가요, 귄터 씨. 당신은 내 형편없는 남편 때문에 온 거겠죠, 아닌가요? 남편을 본 지 오래됐어요. 그리고 다신 보지 않았으면 좋겠어요. 그가 빈 감방에 있다는 걸 아시는지 모르겠군요. 아세요?"

"네, 압니다."

"미국 헌병이 그 사람을 체포했다고 알려 주러 왔을 때, 내가 기뻐했다는 걸 아셔야겠군요. 날 버린 건 용서해요. 하지만 우리 아들을 버린 건 용서 못 해요."

베커 부인이 마녀로 변해 버린 게 남편이 모습을 감추기 전인지 후인지 알 수 없었다. 하지만 첫눈에도 그녀에게서 도망친 베커의 선택이 잘못된 것만은 아닐 거라는 생각이 들었다. 독설을 쏟아 내는 입,

---

7. 영국의 출판업자이자 인도주의자로 2차 세계대전 후 독일 재건을 위해 Save Europe Now 라는 조직을 창설했다.

튀어나온 턱, 작고 날카로운 이. 내가 온 이유를 설명하기 무섭게 그녀는 이를 갈기 시작했다. 내 질문에 대답하게 하기 위해 남은 담배를 모두 줘야 했다.

"정확히 어떤 일이 있었습니까? 말해 주시겠습니까?"

"헌병들이 그가 빈에서 미군 대위를 쏴 죽였다고 했어요. 듣자 하니 현장에서 잡힌 것 같았어요. 내가 들은 건 그게 다예요."

"포로쉰 대령이라고 들어 본 적 있습니까? 그 사람에 대해 아시는 거라도?"

"그가 믿을 만한 사람인지 알고 싶으신 거겠죠. 어쨌든 그는 러시아인이에요." 그녀가 비아냥거렸다. "그것만 아시면 돼요." 그녀가 머리를 젓고 조바심을 치며 덧붙였다. "두 사람은 남편의 부정한 돈벌이 중 하나 때문에 이곳 베를린에서 알게 됐어요. 그 돈벌이는 아마 페니실린이었을 거예요. 남편 말로는 그 러시아인이 열중하고 있던 어떤 여자에게서 매독을 옮았다더군요. 아마 그 반대겠지만요. 어쨌든 몸을 붙게 하는 종류의 최악의 매독이었어요. 살바르산[8]도 듣지 않는 것 같았어요. 남편이 두 사람한테 페니실린을 좀 줬죠. 그게 얼마나 귀한 건지 아실 거예요. 그러니까 좋은 약이라는 뜻이죠. 그게 포로쉰이 남편을 도우려고 하는 이유 중 하나일지도 몰라요. 러시아인들은 다 똑같아요. 그들은 뇌가 아니라 불알로 생각하죠. 심장도 불알에 들어 있어요. 포로쉰이 감사하는 마음은 음낭에서 나오는 거예요."

[8]. 매독 치료제.

"또 다른 이유는?"

그녀가 이맛살을 찌푸렸다.

"당신은 그게 이유 중 하나일지도 모른다고 했습니다."

"음, 물론 그래요. 포로쉰의 꼬리에 붙은 불을 끈 정도로 간단한 이유는 아니지 않겠어요? 전 남편이 그를 위해 스파이 짓을 했다고 하더라도 전혀 놀라지 않을 거예요."

"그에 관한 어떤 증거라도 갖고 계십니까? 베커가 여기 베를린에 있을 때 포로쉰과 자주 만났습니까?"

"그랬다고도 아니라고도 할 수 없어요."

"하지만 그는 살인 이외에 어떤 죄로도 기소되지 않았습니다. 스파이 행위로 기소된 게 아닙니다."

"요점이 뭐예요? 그것만으로도 미군이 그의 목을 매달기에 충분해요."

"그렇게 간단한 문제가 아닙니다. 만약 베커가 스파이 짓을 해 왔다면 그들은 모든 걸 알아내려고 할 겁니다. 그렇다면 미 헌병대는 남편의 동료에 대해 당신에게 많은 질문을 했겠죠. 그랬습니까?"

그녀가 어깨를 으쓱했다. "내가 기억하는 한은 아니에요."

"만약 스파이 행위에 대한 의혹이 있었다면 그들은 베커가 어떤 종류의 정보를 쥐고 있었는지 알아내기 위해 조사했을 겁니다. 그들이 여길 뒤졌습니까?"

베커 부인은 머리를 저었다. "어찌 됐든 그가 목이 매달렸으면 좋겠어요." 그녀가 독설을 내뱉었다. "남편을 보면 내가 그러더라고 전해 주세요. 난 분명히 보러 갈 생각 없으니까."

"마지막으로 보신 게 언제입니까?"

"일 년 전에요. 7월에 소련 포로수용소에서 돌아온 뒤 석 달 후에 내뺐어요."

"그가 언제 포로가 됐습니까?"

"1943년 2월 브리안스크에서요." 베커 부인은 이를 악물었다. "그런 남자를 삼 년 동안이나 기다렸다니. 그동안 내가 퇴짜 놓은 남자들만 해도 얼만데. 그 남자를 위해 지조를 지켰는데 어떻게 됐나 보세요." 어떤 생각이 그녀에게 떠오른 것 같았다. "스파이 행위에 대한 증거가 필요하시다면 하나 있죠. 그 남자가 어떻게 수용소에서 석방될 수 있었을까요? 맞혀 보세요. 많은 사람이 거기에 수용돼 있었을 때 그가 어떻게 집으로 돌아올 수 있었을까요?"

나는 가려고 자리에서 일어섰다. 아마도 아내에 대한 응어리가 나로 하여금 베커의 편을 들고 싶어지게 한 것이리라. 하지만 베커가 어떤 도움이라도 필요로 하리라는 것을 알 수 있을 만큼은 충분히 이야기를 들었다고 생각했다. 이 여자의 태도를 감안하면 그 이상의 도움이 필요할지도 몰랐다.

"나 역시 소련 포로수용소에 있었습니다, 베커 부인. 공교롭게도 당신 남편보다도 짧게 있었죠. 그렇다고 해서 내가 스파이는 아닙니다. 아마 운이 좋았을 뿐이겠죠. 하지만 스파이는 아닙니다." 나는 현관문으로 걸어가 문을 열고 잠시 머뭇거렸다. "포로 생활이 나를 어떤 인간으로 만들었는지 말해 드릴까요? 경찰 같은 사람들의 눈에, 베커 부인 당신 같은 사람들의 눈에, 내가 집으로 돌아온 이래 나를 거의 만지지도 않는 내 아내 같은 사람들 눈에 말입니다. 그게 날 어

떻게 만들었는지 말해 드릴까요? 환영받지 못할 인간으로 만들었습
니다."

6

굶주린 개가 흙 묻은 푸딩을 먹는다는 말이 있다. 굶주림은 위생 관념에 영향을 받지 않는다. 굶주림은 또한 분별력을 무디게 하고 기억을 둔화하며—성적인 충동은 말할 것도 없고— 보통은 박탈감을 낳는다. 따라서 영양부족으로 초췌해 있던 1947년의 내가 수차례 죽을 뻔한 위기를 넘긴 것은 놀라운 일이 아니었다. 이러한 이유로 배를 채우자는 의미에서, 조금은 비이성적이지만 어쨌든 베커의 사건에 뛰어들기로 결심했다.

예전 베를린에서 최고로 유명한 호텔이었던 아들론은 현재 폐허에 지나지 않았다. 하지만 사용 가능한 객실이 열다섯 개 남아 있었고, 호텔이 소련 점령 지구에 있었기 때문에 객실은 주로 러시아 장교들 차지가 되었다. 그곳에 있는 작은 레스토랑은 지하에서 살아남았을 뿐 아니라 배급표를 가진 독일인 손님 전용으로 쓰이고 있어서 활황을 맞고 있었다. 따라서 베를린에 있는 대부분의 다른 레스토랑에서 일어나는 일처럼, 그들은 명백히 더 부유한 미국인이나 영국인 때문에 테이블에서 쫓겨날 두려움 없이 점심이나 저녁을 먹을 수 있었다.

아들론의 믿을 수 없을 만큼 대단한 호텔 현관문은 히틀러가 죽음

을 맞이한 총통 벙커에서 그리 멀지 않은 빌헬름 가의 돌무더기 밑에
파묻혔다. 총통 벙커를 지키는 경찰들 중 누구에게라도 담배 두 개비
만 쥐어 주면 내부를 한 바퀴 둘러볼 수 있었다. 종전 이래 베를린에
서 근무하는 형사는 모두 부업으로 암거래를 겸했다.

나는 콩 수프, 순무 '햄버거' 그리고 통조림 과일로 늦은 점심을 먹
었다. 소화를 시키며 베커의 문제를 충분히 검토한 후 배급표로 음식
값을 지불하고 전화를 쓰기 위해 명목뿐인 프런트로 올라갔다.

카를스호르스트에 있는 소련 군 당국, SMA로 건 내 전화는 빠르게
연결을 이어 갔지만 포로쉰 대령에게 닿기까지 영원의 시간이 흐른
것 같았다. 러시아어로 말한 것도 아니고 다급하게 통화를 한 것도
아니었는데 호텔 짐꾼으로부터 의혹의 눈길을 샀다. 마침내 포로쉰
과 연결이 되었을 때 그는 내가 마음을 바꾼 것을 진심으로 기뻐하는
듯이 보였고, 운터 덴 린덴 가에 있는 스탈린 초상화 앞에서 기다리면
자신의 전용차가 십오 분 내로 나를 데리러 갈 거라고 말했다.

오후가 되자 살을 엘 듯한 날씨로 바뀌어 나는 십 분간 아들론 호
텔의 현관 앞에 서 있다가 뒤 계단을 통해 빌헬름 가로 올라갔다.

이내 브란덴부르크 문을 뒤로하고 거리 한가운데를 차지한, 집채
만 한 수령 동지의 초상화를 향해 걸었다. 초상화 양측에 있는 대좌
가 소련을 상징하는 망치와 낫을 받치고 있었다.

차를 기다리는 동안 스탈린이 나를 주시하고 있는 것 같은 느낌을
받았다. 사람들이 이런 느낌을 받도록 의도된 것이리라. 깊고 검은
눈은 우편배달부의 부츠 밑창처럼 불편해 보였고, 바퀴벌레 같은 콧
수염 아래 짓고 있는 미소는 딱딱한 영구동토대永久凍土帶 같았다. 이 살

인 괴물을 '엉클' 조[9]라고 부르는 사람들이 있다는 게 날 놀라게 했다. 그는 내게 헤롯 왕[10]만큼이나 친근하게 보였다.

포로쉰의 차가 머리 위를 지나는 야크 전투기 중대 같은 엔진 소음을 내며 도착했다. 차에 올라 뒷좌석에 기대기도 전에 타타르인처럼 생긴 어깨가 넓은 운전수가 BMW의 액셀을 밟았다. 차는 동쪽의 알렉산더 광장 방면으로 프랑크푸르트 가로수 길을 지나 카를스호르스트를 향해 속도를 올렸다.

"독일 민간인은 장교 전용차 탑승이 금지됐다고 아는데." 러시아어로 운전수에게 말했다.

"사실입니다. 만약 우리가 검문에 걸린다면 대령님은 내가 당신을 체포한 거라고 말하면 된다고 하더군요."

타타르인이 내 얼굴에 떠오른 명백한 불안의 표정을 보고 요란하게 웃음을 터뜨렸다. 하지만 대전차포가 멈춰 세우지 않는 한 이런 속도를 내며 달리는 차를 멈추게 할 수는 없을 거라는 사실이 마음을 진정시켰다.

몇 분 뒤 카를스호르스트에 닿았다.

카를스호르스트는 곳곳에 장애물이 놓인 별장촌으로, '작은 크렘린'이라고 불렸다. 현재는 완벽하게 격리된 러시아인 구역으로, 독

---

9. 독소전쟁 전후, 미국은 자국민에게 독일에 대항하기 위해 일시적으로 협력하고 있던 소련에 대한 긍정적인 인상을 심어 주어야 했다. 언론들은 스탈린에게 앞다투어 찬사를 보냈고 친근감을 주기 위해 '엉클 조(uncle Joe)'라고 부르기까지 했다.
10. 성경에서 아기 예수를 죽이려다 실패하자 베들레헴의 어린 남자 아기를 모두 학살한 왕.

일인은 특별 허가를 받아야만 들어갈 수 있었다. 혹은 포로쉰의 차 앞에 달린 페넌트 같은 게 있어야 했다. 손을 흔들어 검문소 몇 개를 통과한 후 마침내 현재 베를린 내 SMA 구역으로 할당된, 체펠린 가의 옛 성안토니우스 병원 앞에 멈춰 섰다. 차는 붉은색의 거대한 소련 별을 받치고 있는 오 미터 높이 대좌의 그림자 안에서 서서히 멈췄다. 포로쉰의 운전기사가 문을 열고 튕기듯 나와 잽싸게 나를 위해 차 문을 연 다음 보초들을 무시하고 현관문으로 향하는 계단으로 나를 안내했다. 나는 현관문 앞에 잠시 멈춰 서서 주차장에 있는, 번쩍이는 새 BMW 자동차와 오토바이 들을 살폈다.

"누가 쇼핑이라도 하는 중이오?" 내가 말했다.

"아이젠바흐에 있는 BMW 공장에서 공수한 겁니다." 나의 운전기사가 자랑스럽게 말했다. "이젠 러시아 거죠."

그가 이 우울한 기분과 함께 소독약 냄새가 강하게 풍기는 대기실에 나를 남겨 놓고 나갔다. 방이 유일하게 양보한 장식은 스탈린의 또 다른 초상화로, 그 밑에는 '현명한 선생이자 노동자의 보호자인 스탈린'이라는 슬로건이 붙어 있었다. 큰 스탈린의 초상화 옆에 나란히 걸린, 보다 작은 액자 속의 레닌조차 스탈린의 슬로건 내용에는 한두 가지 문제가 있다고 생각하는 것처럼 보였다.

나는 이 두 인기인의 얼굴을 SMA 건물 꼭대기 층에 있는 포로쉰의 집무실 벽에서 다시 만났다. 깔끔하게 다린 젊은 대령의 황갈색 제복이 유리문 뒤편에 걸려 있었다. 그는 검은색 벨트를 매었고, 체르케스 스타일 셔츠 차림이었다. 윤이 나는 부드러운 송아지 가죽 부츠 때문에 모스크바 대학의 학생이라고 해도 될 것 같았다.

타타르인이 나를 그의 집무실로 안내했을 때 그는 들고 있던 머그 잔을 내려놓고 책상 뒤에서 몸을 일으켰다.

"앉으십시오, 귄터 씨." 포로쉰이 나무를 휘어 만든 의자를 가리키며 그렇게 말했다. 타타르인은 집무실에서 나가라는 말을 기다리고 있었다. 포로쉰이 머그잔을 들고 그것으로 나를 가리켰다. "오벌틴[11]을 좀 드릴까요, 귄터 씨?"

"오벌틴? 아니요, 괜찮습니다. 별로 안 좋아해서."

"그래요?" 의외라는 듯한 목소리였다. "저는 좋아합니다."

"잠자리에 들기에는 아직 이르지 않습니까?"

포로쉰이 참을성 있게 미소를 지었다. "보드카가 낫겠군요." 그가 책상 서랍에서 술병과 잔을 꺼내 내 앞에 놓았다.

나는 보드카를 한 잔 가득 따랐다. 타타르인이 목이 마르다는 듯 손등으로 입을 문지르는 모습이 시야 가장자리로 들어왔다. 포로쉰도 보았다. 그가 또 다른 잔에 술을 따라 그것을 서류 캐비닛 위에 놓았다. 타타르인의 얼굴 옆에.

"코사크인들은 개와 같아서 훈련이 필요하죠." 그가 설명했다. "그들에게 음주는 거의 종교법 같습니다. 안 그런가, 예로시카?"

"네, 대령님." 그가 멍한 표정으로 대답했다.

"저 친구는 바를 때려 부수고, 웨이트리스를 폭행하고, 경찰에게 주먹을 날렸습니다. 내가 없었다면 총에 맞아 죽었을지도 모르죠. 지금도 총에 맞아 죽을 수 있다, 알았나, 예로시카? 내 허락 없이 저 잔

---

11. 영양 음료의 일종.

에 손을 대는 순간에 말이야. 알았나?"

"네, 대령님."

포로쉰이 자신의 말을 강조하기 위해 크고 무거운 리볼버를 꺼내 책상 위에 올려놓았다. 그러고 나서 다시 자리에 앉았다.

"당신 정도의 경력이면 규율에 대해 잘 아실 테죠, 귄터 씨? 전쟁중 엔 어디서 복무하셨다고 했죠?"

"그런 말은 한 적이 없습니다."

그는 의자에 몸을 묻고 책상 위로 부츠를 올렸다. 부츠가 압지 위로 떨어지자 그 진동에 내 잔의 보드카가 흘러넘칠 듯 흔들렸다.

"말한 적 없으시다고요? 난 당신 정도의 자격이면 정보 부서에서 일하지 않았을까 생각했습니다."

"무슨 자격 말입니까?"

"이런, 당신은 너무 겸손합니다. 당신은 러시아어도 할 줄 알고 크리포 경력도 있습니다. 아, 그렇군. 베커의 변호사한테서 들었군요. 나는 당신과 베커가 살인과에 같이 있었다고 들었습니다. 당신은 경 감이었고요. 그 직책은 꽤 높은 자리 아닙니까?"

나는 보드카를 한 모금 마시고 평정을 유지하려고 애썼다. 이런 상황을 어느 정도 예상했어야 했다.

"명령에 복종하는 평범한 군인이었을 뿐이죠. 나치당원조차 아니 었으니까."

"이제 보니 나치당원은 극소수였던 것처럼 보이는군요. 그게 정말 놀랍습니다." 포로쉰이 미소를 지으며 집게손가락을 들어 올렸다. "좋을 대로 의뭉을 떨어 보시죠, 귄터 씨. 하지만 나는 당신이 어떤 사람인지 압니다. 내 말을 명심하십시오. 내 호기심을 충족시켜 주시는 게 좋을 겁니다."

"때때로 호기심이란 약간은 예로시카의 갈증과도 같은 거죠." 내가 말했다. "……충족시키지 않는 게 나을 때도 있습니다. 사심 없는 철학자에게나 어울리는 지적인 호기심이라면 모를까. 대답이란 늘 실망을 안겨 주니까요." 나는 잔을 비우고 비운 잔을 그의 부츠 옆 압지 위에 놓았다. "난 곤란한 질문을 받으려고 이곳에 온 게 아닙니다, 대령. 당신이 오늘 아침에 피운 럭키 스트라이크라도 한 개비 대접하면서 이 사건에 대한 한두 가지 사실로 내 호기심을 충족시켜 주는 게 어떻겠습니까?"

포로쉰이 몸을 앞으로 내밀고 책상 위에 놓인 은제 담배 상자의 뚜껑을 열었다. "마음껏 피우십시오."

나는 한 개비를 꺼내 야전포 모양으로 생긴 비싼 은제 라이터로 불을 붙였다. 그리고 나서 그 라이터를 감정하듯 바라보았다. 전당포에 가져가면 얼마나 받을 수 있을까. 그가 나를 계속 짜증 나게 했기 때문에 다소 그 짜증을 돌려주고 싶었다. "멋진 전리품입니다." 내가 말했다. "이건 독일 야전포군요. 산 겁니까, 어느 집에 갔더니 아무도 없었던 겁니까?"

포로쉰은 눈을 감고 살짝 콧방귀를 뀌더니 자리에서 일어나 창가로 갔다. 창을 들어 올리고 바지 앞의 단추를 끌렀다. "오벌틴을 마시면 이게 문젭니다." 그가 말했다. 보아하니 그를 모욕하려는 내 시도에도 전혀 동요하지 않은 것 같았다. "곧장 오줌보로 내려가죠." 그는 소변을 보기 시작하면서 고개를 돌려 어깨 너머로 보드카 잔이 놓인 서류 캐비닛 옆에 아직도 서 있는 타타르인을 힐끗 보았다. "그걸 마시고 꺼져, 돼지 같은 놈아."

타타르인은 머뭇거리지 않았다. 그는 고개를 젖혀 단숨에 잔을 비우고 잽싸게 집무실 밖으로 나가 문을 닫았다.

"저놈 같은 무식쟁이들이 이곳 화장실을 어떻게 쓰는지 당신이 봤다면 내가 왜 이 창밖으로 소변을 보는지 이해하실 겁니다." 포로쉰이 단추를 채우며 말했다. 그는 창문을 닫고 다시 자리에 앉았다. 부츠가 다시 압지 위로 올라갔다. "내 동포 러시아인들은 이 구역에서 생활하는 걸 가끔은 괴로워합니다. 베커 같은 사람들이 고맙죠. 그는 기회가 될 때마다 사람을 즐겁게 해 주는 귀중한 사람입니다. 지략도 있고. 그는 무엇이든 손에 넣을 수 있죠. 이런 암거래상 타입을 뭐라고 합니까?"

"중개인."

"아, 중개인. 누군가가 오락거리를 원한다면 베커는 그걸 수배해 줄 겁니다." 베커가 그립다는 듯이 그가 웃음을 터뜨렸다. 나는 할 수 없는 것이었다. "난 그렇게 많은 여자를 아는 사람을 본 적이 없습니다. 물론 다 창녀들이거나 초콜레이디[12]들이긴 해도 요즘 자신을 파는 게 그리 큰 죄는 아니지 않습니까?"

"사람 나름이죠." 내가 말했다.

"게다가 국경을 넘어 물건을 나르는 데도 재간이 많습니다. 당신들은 그 국경을 녹색 국경이라고 부른다면서요?"

---

12. 2차 세계대전 전후로 초콜릿 따위의 군인의 보급품을 대가로 받아 몸을 팔던 여자.

내가 끄덕였다. "숲을 통과해야 하니까요."

"그는 뛰어난 밀수업자입니다. 그걸로 한 재산을 모았죠. 이번 일이 있기 전까지 그는 빈에서 아주 잘 살고 있었습니다. 큰 집에 멋진 차와 매력적인 여자친구까지."

"그의 서비스를 받아 본 적 있습니까? 초콜레이디들을 말하는 게 아닙니다."

포로쉰은 베커가 무엇이든 손에 넣을 수 있었다는 말만 반복했다.

"거기에 정보 같은 것도 포함된 겁니까?"

그가 어깨를 으쓱했다. "가끔은. 하지만 에밀은 무슨 일에든 공짜가 없었습니다. 미군을 위해 일했다고 해도 놀라지 않을 겁니다.

하지만 이번 건은 오스트리아인에게서 받은 의뢰였습니다. 쾨니히라는 남자로, 광고와 홍보 일을 하는 사람이었습니다. 회사명이 레클라우어 앤드 베르베 첸트랄레로, 베를린과 빈에 사무실이 있죠. 쾨니히는 에밀에게 빈에서 베를린으로 레이아웃 원고를 정기적으로 날라 달라고 의뢰했습니다. 중요한 일이라 집배원이나 운송업자에게는 맡길 수 없는 데다 쾨니히 자신은 비나치화 증명을 기다리고 있어서 움직일 수 없다고 했다더군요. 물론 에밀은 그 배달 꾸러미에 원고 이외의 것들이 들었다고 의심했지만 어떤 질문도 허용치 않을 만큼 돈을 넉넉히 받았고, 어쨌든 정기적으로 베를린을 왕래하고 있었기 때문에 여분의 품이 드는 것도 아니었죠. 그는 대수롭지 않게 생각했습니다.

한동안 에밀의 배달 일은 문제없이 진행되었습니다. 에밀은 베를린으로 담배 같은 밀수품을 들여올 때 쾨니히의 짐도 같이 날랐습니다. 그는 그 짐을 에디 홀이라는 남자한테 건네고 돈을 받았죠. 간단한 일이었습니다.

어느 날 밤 에밀은 베를린의 쇤베르크에 있는 게이 아일랜드라는 나이트클럽에 갔습니다. 우연히 거기서 그 에디 홀을 만났죠. 그는 술에 취해 있었고, 에밀에게 린든이라는 이름의 미군 대위를 소개했습니다. 에디는 린든 대위에게 에밀을 '자신들의 운송업자'라고 소개했습니다. 다음 날 에디는 에밀에게 전화해서 술에 취해 있었던 것을 사과하고, 에밀이 린든 대위에 대해 모두 잊어 주는 게 피차 좋을 거라고 말했습니다.

몇 주 후 빈으로 돌아온 에밀은 린든 대위에게서 만나자는 전화를 받았습니다. 그래서 두 사람은 어떤 바에서 만났고, 그 미군은 레클라우어 앤드 베르베 광고 회사에 관해 캐물었습니다. 에밀은 말할 게 별로 없었지만 린든이 이곳에 있다는 사실 자체가 불안했습니다. 베커는 린든이 빈에 와 있다면 자신의 일은 이제 끝난 것이라고 생각했죠. 그렇게 쉬운 돈벌이가 끝났다고 생각하자 아쉬웠습니다. 그래서 에밀은 한동안 빈에서 린든을 미행했습니다. 며칠 뒤 린든은 어떤 남자를 만났고, 그들은 옛 영화 촬영소로 갔습니다. 몇 분 후 에밀은 총소리를 들었고, 그 남자 혼자 밖으로 나오는 걸 보았습니다. 에밀은 그 남자가 떠날 때까지 기다렸습니다. 이윽고 안으로 들어가 린든 대위의 시체와 도둑질한 게 분명한 대량의 담배를 발견했습니다. 당연히 경찰에는 신고하지 않았습니다. 가능한 한 그들과 엮이고 싶지 않았겠죠.

다음 날 쾨니히가 어떤 남자와 함께 에밀을 만나러 왔습니다. 그의 이름은 묻지 마십시오. 나는 모릅니다. 그들은 미국인 친구가 사라졌다고 하면서 그 미국인에게 무슨 일이 일어났는지 걱정했습니다. 그러면서 크리포 형사였던 에밀에게 상당한 보수를 낼 테니 린든을 찾아봐 달라고 부탁했습니다. 에밀은 쉽게 돈을 벌 수 있겠다 싶어서 수락했습니다. 아마 도난품인 담배를 자신이 슬쩍할 수 있을 기회라고 생각했겠죠.

에밀은 촬영소를 한동안 지켜보고 안전을 확인한 후 며칠 뒤 부하 두 명을 밴에 태워 그곳으로 갔습니다. 거기서 자신들을 기다리고 있는 국제경찰을 발견했습니다. 에밀의 두 부하는 걸핏하면 총을 꺼내 드는 친구들이었고, 그들은 사살됐습니다. 에밀은 체포됐습니다."

"베커는 제보자가 누구인지 압니까?"

"나는 빈에 있는 내 부하들에게 그것을 알아내라고 했습니다. 익명의 제보자인 것 같더군요." 포로쉰이 미소를 지었다. "자, 이 부분이 기가 막힙니다. 에밀의 총은 발터 P38입니다. 그는 그걸 가지고 촬영소로 들어갔습니다. 하지만 그가 투항한 뒤 체포됐을 때 그는 그 총이 자신의 P38이 아니었다는 걸 눈치챘죠. 그 총의 손잡이에는 독일 독수리가 새겨져 있었습니다. 그리고 또 다른 중요한 차이점이 있었죠. 현지 탄도학 전문가들은 그 총이 린든 대위를 죽인 총이라는 걸 재빨리 확인했습니다."

"누가 베커의 총과 바꿔치기했다는 겁니까? 하긴 그렇겠죠. 같은 종류의 총이라면 즉각 눈치챌 수는 없을 테니까. 아주 깔끔하군요. 마침맞게 살인 무기를 휴대한 사내가 표면상으로는 도난당한 담배를 회수하러 돌아온다. 그 정도면 충분한 증거가 되죠."

나는 포로쉰의 책상에 고정된 은제 재떨이에 담배를 눌러 끄기 전에 마지막 한 모금을 빤 다음 그에게 묻지도 않고 한 개비를 더 꺼냈다. "내가 해결할 수 있을지 모르겠군요. 물을 포도주로 변하게 하는 건 내 평소 전문이 아니라서 말입니다."

"에밀의 변호사 리블 박사가 에밀이 초조해한다며 당신이 그 쾨니히라는 남자를 꼭 찾아야 한다고 말하더군요. 그가 사라진 모양입니다."

"분명히 그럴 테죠. 총을 바꿔친 사람이 쾨니히라고 생각합니까? 베커의 집을 방문했을 때?"

"분명히 그래 보입니다. 쾨니히나 어쩌면 같이 있던 남자가."

"쾨니히나 그 광고 회사에 대해 아는 게 있습니까?"

"니예트(아니요)."

노크 소리가 들리고 한 장교가 포로쉰의 집무실로 들어왔다.

"쿠퍼가르벤에서 전화가 왔습니다, 대령님." 그가 러시아어로 말했다. "긴급한 사항이랍니다."

나는 귀를 쫑긋 세웠다. 쿠퍼가르벤은 베를린에서 가장 큰 MVD 감방이 있는 곳이었다. 이주민과 행방불명자와 관련된 일이 많았기 때문에 귀를 열어 놓아서 나쁠 건 없었다.

내가 무슨 생각을 하고 있는지 안다는 듯 나를 힐끗 쳐다본 포로쉰이 장교에게 말했다. "기다리라고 하게, 예고로프. 다른 전화는?"

"K-5의 자이서가 전화했습니다."

"만약 그 나치 개자식이 나와 얘기하고 싶다면 내 집무실 밖에서 기다려야 할 거야. 그에게 그렇게 전해. 이제 그만 방해해 주겠나."

그는 부하 장교의 등 뒤에서 문이 닫힐 때까지 기다렸다. "K-5라는 말에 생각나는 게 없습니까, 귄터?"

"생각나야 합니까?"

"아닙니다. 지금은. 언젠가 생각날지 누가 알겠습니까?" 그는 그것에 관해 말하는 대신 손목시계를 힐끗 보았다. "앞으로도 시간은 많을 테니까. 오늘 저녁에는 약속이 있습니다. 예고로프가 당신에게 필요한 서류 일체를 준비해 줄 겁니다. 특별 출입국 허가증, 여행 허가증, 배급 카드, 오스트리아 신분증명서. 사진 갖고 있습니까? 아, 괜찮습니다. 예고로프가 찍어 드릴 테니까요. 오, 그렇지. 우리의 새 담배 판매 허가증을 하나 갖고 있는 게 좋겠군요. 그걸 소지하면 동부 점령지 전역에서 담배를 팔 수 있는 데다 모든 소련군으로부터 지원을 받을 수 있을 겁니다. 그게 당신을 귀찮은 일에서 벗어나게 해 줄 겁니다."

"암시장이 당신네 구역에서는 불법인 걸로 알고 있었는데요." 이토록 노골적인 관료적 위선의 이유가 궁금해서 내가 물었다.

"불법입니다." 포로쉰이 전혀 당황한 기색 없이 말했다. "이건 공식적으로 허가된 암시장입니다. 외화를 조달하는 데 도움이 되죠. 꽤 괜찮은 아이디어 아닙니까? 당연히 설득력 있게 보이기 위해 우린 당신에게 담배 몇 갑을 지급할 겁니다."

"모든 것을 생각해 놓은 것처럼 보이는군요. 내 보수는?"

"당신에게 필요한 서류와 함께 당신의 집으로 보낼 겁니다. 모레."

"그 돈의 출처는 어디입니까? 닥터 리블입니까, 아니면 당신의 담배 판매권에서 나오는 겁니까?"

"리블이 나에게 돈을 보낼 예정입니다. 그 전까지는 이 건을 SMA 에서 다룰 겁니다."

나는 조건이 별로 마음에 들지 않았지만 별다른 선택지가 없었다. 러시아인에게서 돈을 받는 것이나, 내가 부재중일 때 돈이 지불될 것을 믿고 빈으로 간다는 것이.

"좋습니다." 내가 말했다. "궁금한 게 한 가지 있습니다. 린든 대위에 관해서 뭘 알고 있습니까? 당신은 베커가 그를 베를린에서 만났다고 했습니다. 그가 여기에 배치됐었습니까?"

"네. 내가 그에 관해 잊었군요." 포로쉰이 자리에서 일어나 서류 캐비닛으로 갔다. 캐비닛 위에는 타타르인이 두고 간 빈 잔이 있었다. 그는 서랍 하나를 열고 자신이 찾는 것이 나올 때까지 파일들을 손가락으로 죽 훑었다.

"에드워드 린든 대위." 그는 파일을 읽으며 자신의 의자로 돌아왔다. "1907년 2월 22일 뉴욕 브루클린 출생. 1930년에 코넬 대학 졸업. 독일어 전공. 970방첩부대 소속. 전 26보병대 소속으로 오베루젤 킹 심문 센터 캠프에서 비나치화 장교로 근무. 현재 베를린 내 미국 서류 센터인 크로캐스의 연락 담당 장교. 크로캐스는 미 육군이 관할하는 전범 및 안보 용의자 중앙 기록소입니다.[13] 유감스럽게도 대단한 정보는 아니군요."

---

13. 크로캐스(crowcass)는 '전범 및 안보 용의자 중앙 기록소(Central Registry of War Criminals and Security Suspects)'의 약자이다. 2차 세계대전 중 일어난 홀로코스트 등의 범죄에 책임이 있는 용의자들을 목록으로 만들어 전 미군에 배부하는 조직이었다. 미군은 이 목록을 바탕으로 전범들을 체포하고 재판에 세웠다.

그가 내 앞에 파일을 펼쳐 놓았다. 그리스어처럼 낯선 문자가 고작 종이 반 장 정도를 메우고 있었다.

"키릴 문자는 잘 모릅니다." 내가 말했다.

포로쉰은 믿을 수 없다는 듯한 표정이었다.

"정확히 서류 센터라는 게 뭡니까?"

"그뤼네발트 접경지 미군 구역에 있는 건물입니다. 베를린 서류 센터는 종전 무렵 미군과 영국군이 몰수한 나치 각료와 당 서류를 보관하는 곳이죠. 아주 포괄적인 서류를. 그들은 완벽한 나치당 명단을 보유하고 있어서 비나치화 질문서에 거짓말을 쓰는 사람들을 쉽게 찾아낼 수 있습니다. 장담하건대 그곳 어딘가에 당신의 이름도 있을 겁니다."

"말했듯이 나는 나치당원이 아니었습니다."

"그렇죠." 그가 씩 웃었다. "그렇고말고요." 파일을 집어 든 포로쉰이 캐비닛에 다시 넣었다. "당신은 명령에 복종했을 뿐이죠."

그는 내가 성키릴의 비잔틴 알파벳을 읽을 수 없다는 것을 믿지 않는 것처럼 나를 믿지 않는 게 분명했다. 적어도 내가 비잔틴 알파벳을 읽을 수 있을 거라는 그의 의혹은 옳았다.

"자, 이제 더 질문이 없다면 나는 정말 실례해야겠군요. 삼십 분 내로 아드미랄스팔라스트 국립 오페라 극장에 가 봐야 하니까요." 그가 벨트를 풀고 예로시카와 예고로프의 이름을 소리쳐 부르며 제복 상의를 입었다.

"빈에 가 보신 적 있습니까?" 그가 견장 아래 십자걸이 벨트를 두르며 물었다.

"아니요, 한 번도."

"빈 사람들은 딱 그곳에 있는 건축물 같죠." 그가 창문에 비친 자신의 모습을 점검하면서 말했다. "그들은 모두 겉으로만 그럴듯해 보입니다. 흥미를 끄는 건, 그들은 외면상으로만 그럴듯해 보인다는 겁니다. 속내는 겉과 딴판입니다. 그런 사람들이라면 나도 같이 일할 수 있습니다. 빈 사람은 모두 스파이 기질을 갖고 태어났으니까요."

독일 장송곡
75

7

"어젯밤에도 늦더군." 내가 말했다.

"나 때문에 깨진 않았겠죠?" 그녀가 벌거벗은 채로 침대에서 빠져 나와 침실 구석에 있는 전신 거울 앞으로 다가갔다. "요 전날 밤에는 당신이 늦는 것 같던데요." 그녀가 몸을 검사하기 시작했다. "집이 따뜻해져서 너무 좋아요. 도대체 어디서 석탄을 구한 거예요?"

"의뢰인."

손바닥으로 음모와 납작한 배를 쓰다듬고, 가슴을 추켜올리고, 밀랍처럼 반짝이는 팽팽하고 윤곽이 뚜렷한 입술과 오목한 볼과 단단한 잇몸을 검사하고, 마지막으로 몸을 꼬아 부드럽게 곡선을 이룬 엉덩이를 점검하고, 전보다 조금 더 앙상해진 반지 낀 손으로 한쪽 궁둥이를 잡아당겼다. 그녀의 속마음이 어떤지는 들을 필요도 없었다. 그녀는 그녀가 놓친 세월을 최대한 만회하는 데 열중하고 있는 매력적이고 성숙한 여인이었다.

상처를 받고 짜증이 치솟아 잭나이프처럼 침대에서 튕기듯 일어났지만 다리에 힘이 없었다.

"좋아 보이는군." 나는 지친 목소리로 말하고 절룩거리며 주방으로 향했다.

"그 말은 사랑의 소네트라기엔 조금 부족해 보이는데요." 그녀가 소리쳐 말했다.

주방 테이블 위에는 PX 물건이 놓여 있었다. 수프 통조림 두 개, 진짜 비누 한 개, 사카린 배급 카드 몇 장과 콘돔 한 갑.

여전히 벌거벗은 키르슈텐이 주방으로 따라와 자신이 가져온 물건들을 살피는 나를 지켜보았다. 한 명의 미군에게서만 얻은 것일까? 아니면 여러 명?

"또 바빴나 보군." 내가 콘돔 갑을 들며 말했다. "여기엔 몇 칼로리가 들어 있지?"

그녀가 손으로 입을 가리며 웃음을 터뜨렸다. "매니저가 카운터 아래에 잔뜩 숨겨 둔 거예요." 그녀는 의자에 앉았다. "그걸 쓰면 좋을 거라고 생각했어요. 우린 꽤 오래 안 했잖아요." 마치 나에게 보이기라도 하는 듯이 허벅지를 벌렸다. "지금이라면 시간이 있어요."

그녀는 관장이라도 한 것처럼 거의 직업적인 무심함 속에 신속하게 행위를 마쳤다. 내가 사정하기 무섭게 그녀는 홍조조차 띠지 않은 얼굴로 침대 밑에서 발견한 죽은 쥐라도 된다는 듯이 콘돔을 주워 들고 욕실로 갔다.

삼십 분 후 옷을 갖춰 입고 일을 하러 갈 준비를 마친 키르슈텐은 내가 난로 안을 쑤석이며 석탄 몇 개를 더 집어넣고 있는 거실에서 잠시 멈춰 섰다. 한동안 그녀는 내가 다시 불을 살려 내고 있는 모습을 지켜보았다.

"불을 잘 살리네요." 그녀가 말했다. 내 입에서 빈정거리는 말이 나올 것 같아서 나는 대꾸하지 않았다. 이내 그녀가 내게 독단적으로 키스를 하고 밖으로 나갔다.

아침의 추위는 모헬[14]의 칼보다 더 날카로웠다. 나는 하르덴베르크 가에 있는 도서관에서 하루를 시작하게 돼 기뻤다. 도서관 사서는 입에 매우 심한 흉터가 있는 남자로 입을 떼기 전에는 입이 어디에 있는지도 알 수 없을 정도였다.

"없습니다." 그가 바다사자에게나 어울릴 법한 목소리로 말했다. "베를린 서류 센터에 대한 책은 없습니다. 하지만 지난 몇 달 사이에 신문에 기사가 두 번 실렸습니다. 제가 알기론 《텔레그래프》에 한 번, 《군정 소식지》에 한 번."

그는 목발을 짚고 한쪽 다리로 대량의 카드 색인을 모아 둔 캐비닛으로 가 기억을 되새기더니 두 기사의 목록을 찾아냈다. 하나는 5월 중 《텔레그래프》에 실린 기사로 센터의 소장인 한스 W. 헬름 중령의 인터뷰였고, 다른 기사는 센터의 하급 직원이 8월에 작성한 센터의 초기 역사에 관한 내용이었다.

내가 고맙다고 하자 사서는 두 간행물의 소재를 알려 주었다.

"오늘 오셔서 다행이군요." 그가 말했다. "전 내일 기센에 갈 예정이어서요. 의족을 찾으러요."

기사를 읽으면서 미군이 이런 효율성을 갖추고 있으리라는 생각을 한 번도 해 본 적이 없었다는 것을 깨달았다. 이렇게 방대한 자료를 수집할 수 있었던 것에는 상당한 운도 따랐다. 예를 들면, 미 육군 제

---

14. 유대교의 의식에 따라 할례를 해 주는 사람.

7부대가 뮌헨 근처 제지 공장에서 막 재생지로 만들려던 나치당 명부를 우연히 발견했다. 하지만 정확히 누가 나치였는지 완벽하게 알아낼 수 있도록 중앙 기록소의 정리를 시작한 사람은 센터 직원이었다. 나치당 당원 명부 외에 나치당 입당 신청서, 당 서신, 친위대 복무 기록, 제국 보안 기록, 친위대가 분류한 인종 기록, 당 최고재판소와 인민재판소의 의사록, 그 밖에도 나치당 교원 조합 명부에서 히틀러 유겐트 제명자 기록에 이르기까지 모든 기록이 보관돼 있었다.

도서관에서 나와 기차역으로 향할 때 또 다른 생각이 머리를 스쳤다. 나치들이 자신들의 범죄 행위를 이다지도 포괄적이고 자세하게 기록으로 남겨 둘 만큼 멍청했다는 사실이 믿기지 않았다. 나는 미군 점령 구역에서 지하철을 내렸다. 내리려고 했던 역의 전 정거장에서 내렸다는 것을 깨달았을 때는 이미 늦은 뒤였다. 이곳은 미군의 점령과는 상관없이 톰 아저씨의 오두막이라고 불렸고, 나는 아르젠티니슈 가로수 길을 걸어 내려갔다.

근처에 작은 호수가 있고, 그뤼네발트의 키 큰 전나무들로 에워싸인 바서캐퍼슈타이크 끝자락에 베를린 서류 센터가 있었다. 자갈이 깔린 부지에 세워진 센터는 엄중한 감시 속에 있었다. 철조망 안에 있는 센터는 몇 동의 건물로 구성되어 있었지만 베를린 서류 센터의 중심은 언덕 꼭대기 오솔길 끝에 있는 흰색 칠에 녹색 덧창이 달린 이층짜리 건물 같았다. 나치의 도청 기관이었던 옛 포슝잠트의 본부가 연상됐지만 멋진 곳이었다.

정문 관리실에 있는, 덩치 크고 잇새가 벌어진 검둥이 병사가 자신의 검문소 앞에 내가 멈춰 서자 의심스러운 눈빛을 던졌다. 그는 아마 단독 보행자보다 차나 군용 트럭에 탄 사람들을 대하는 데 익숙했을 터였다.

"원하는 게 뭐야, 독일 놈아?" 그가 털장갑을 맞부딪치고 부츠를 동동 구르면서 물었다.

"린든 대위의 친구였소." 내가 영어로 더듬거리며 말했다. "끔찍한 소식을 듣고 내 아내와 내가 얼마나 유감스러워하는지 말하려고 왔소. 그는 우리에게 친절한 사람이었소. 우리에게 PX 물건을 줬지." 주머니에서 내가 지하철에서 쓴 짧은 편지를 꺼냈다. "이걸 헬름 중령에게 전해 줬으면 좋겠소."

군인의 목소리가 즉시 바뀌었다.

"네, 선생님. 그걸 전해 드리죠." 그가 그 편지를 받아 들고 어색하게 살펴보았다. "대위님을 생각해 주셔서 감사합니다."

"꽃 대신 몇 마르크를 넣었을 뿐이오." 내가 머리를 저으며 말했다. "그리고 카드도. 아내와 나는 린든 대위의 묘에 뭐라도 놓고 싶었소. 베를린에서 장례식을 치르면 우리도 참석하겠지만 그의 가족들이 그를 고향으로 데려갈 거라고 생각했소."

"아, 아닙니다, 선생님." 그가 말했다. "장례식은 이번 주 금요일 아침, 빈에서 치를 겁니다. 가족들이 원했죠. 아마 시신을 고향까지 배로 운구하면 여러 가지로 문제가 있어서 그런 것 같습니다."

나는 어깨를 으쓱했다. "베를린 사람에겐 빈이나 미국이나 마찬가지인 것 같소. 요즘은 여행이 쉽지 않으니까." 나는 한숨을 쉬고 손목시계를 힐끗 보았다. "가 봐야겠군. 갈 길이 멀어서 말이오." 발걸음을 돌린 순간 나는 신음 소리를 내며 무릎을 부여잡고 얼굴을 찌푸리면서 바리케이드 앞에 주저앉았고, 지팡이는 내 옆 자갈 위에 내팽개쳤다. 대단한 연기랄까. 군인이 검문소에서 게걸음으로 나왔다.

"괜찮으십니까?" 그가 내 지팡이를 줍고 나를 일으키며 물었다.

"러시아군이 쏜 포탄의 파편이 남아 있어서. 가끔 그게 문제를 일으키는군. 잠시 쉬면 괜찮을 거요."

"선생님, 수위실에서 잠시 앉아 계십시오." 그가 나를 이끌고 바리케이드를 돌아 수위실의 작은 문 안쪽으로 데려갔다.

"고맙소. 매우 친절하군."

"친절이라니 당치 않습니다. 린든 대위님의 친구분이시라면……."

나는 자리에 털썩 주저앉고 고통이 거의 느껴지지 않는 무릎을 문질렀다. "그를 잘 알았소?"

"저 말입니까. 저는 일개 일병일 뿐이죠. 그분에 대해서 아는 게 거의 없지만 가끔 운전을 해 드리곤 했죠."

나는 미소를 지으며 머리를 저었다. "좀 더 천천히 말해 주겠소? 영어를 잘 못해서 말이오."

"가끔 운전을 해 드리곤 했죠." 미군은 좀 더 큰 소리로 말하며 운전대를 돌리는 흉내를 냈다. "그분이 당신께 PX 물건을 주셨다고요?"

"그랬소. 매우 친절한 사람이었소."

"린든 대위답게 들리는군요. 늘 PX 물건을 잔뜩 주곤 했습니다." 그가 뭔가 생각이 났다는 듯 잠시 말을 멈췄다. "특별한 부부가 있었죠. 음, 대위는 그들에게 아들 같았습니다. 항상 그들에게 생필품 꾸러미를 가져다줬죠. 선생님도 아실 것 같은데요. 드렉슬러 부부를 아십니까?"

나는 미간을 찌푸리고 턱을 문지르며 생각에 잠겼다. "그곳에 사는 부부인가……," 그 거리 이름이 혀끝에서 돈다는 듯 손가락을 튀겼다. "……그곳을 지금 뭐라고 하더라?"

"슈테글리츠." 그가 내 기억을 상기시켜 주려는 듯 말했다. "한트에 리 가."

나는 머리를 저었다. "아니, 내가 다른 사람을 생각한 모양이로군. 미안하오."

"헤이, 잊어버리십쇼."

"경찰이 린든 대위의 살인 건으로 당신에게 많은 질문을 했겠구려."

"아니요. 그들은 이미 그 짓을 저지른 자를 잡았기 때문에 우리에게는 아무것도 묻지 않았습니다."

"범인을 잡았다고? 좋은 소식이군. 누구요?"

"어떤 오스트리아인이라는데요."

"하지만 왜 그랬지? 그가 자백했소?"

"아니요. 아마 미친놈이겠죠. 그런데 대위님을 어떻게 만나셨습니까?"

"나이트클럽에서 만났소. 게이 아일랜드라는."

"아, 저도 압니다. 가 보진 못했지만. 저는 쿠담[15] 쪽을 선호하죠. 로니의 바나 로열 클럽을. 하지만 린든 대위는 게이 아일랜드에 자주 가시곤 했습니다. 독일인 친구들이 많은 것 같더군요. 그곳은 독일인

---

15. 쿠르퓌어슈텐담의 약칭.

들이 좋아하는 곳이죠."

"뭐, 그는 독일어가 유창했소."

"그러셨죠. 원어민처럼."

"아내와 나는 왜 그에게 여자친구가 없는지 의아했소. 그래서 우리가 여자를 소개해 주기도 했지. 훌륭한 집안의 좋은 여자들을."

미군이 어깨를 으쓱했다. "아마 너무 바쁘셨을 겁니다." 그가 킥킥 웃었다. "그분은 확실히 여자가 많았으니까요. 이런, 그 양반은 프랫을 좋아했죠."

잠시 후에야 나는 프랫이라는 게 뭔지 이해했다. 현재 또 다른 대위가 내 아내에게 하고 있는 짓 같은 것을 군대에서 쓰는 완곡한 표현이었다. 나는 상태를 점검하듯 무릎을 꽉 쥐어 보고 자리에서 일어났다.

"이제 정말 괜찮으십니까?" 미군이 물었다.

"그래요. 고맙소. 정말 친절한 분이시구려."

"친절이라니 당치 않습니다. 린든 대위님의 친구분이시라면……."

8

한때 잔디밭이었지만 이제는 경작지로 변해 버린 조용하고 평화로운 진테니스 광장에 있는 슈테글리츠 우체국에서 나는 드렉슬러 부부에 관해 물었다.

우체국장은 머리 양쪽에 거대한 이오니아식 기둥이 달린 것 같은 파마를 한 여성으로 내 질문에 싹싹하게 대답해 주었다. 그녀는 드렉슬러 부부를 알고 있었고, 부부는 이 지역 모든 사람처럼 우체국으로 우편물을 가지러 온다고 했다. 따라서 그녀는 그들이 한트예리 가에서 산다는 것만 알 뿐 정확한 주소는 모른다고 말했다. 드렉슬러 부부는 보통 상당히 많은 우편물을 가지러 오는데 요 며칠 우편물을 가지러 오는 걸 귀찮아해서, 그렇지 않아도 많은 우편물이 더 많아졌다고 덧붙였다. 우체국장은 적잖이 혐오의 감정을 담아 '귀찮아한다'는 말을 썼는데 그녀가 드렉슬러 부부를 싫어하는 이유가 궁금했다. 그들의 우편물을 대신 전달해 주겠다는 내 제의는 즉각 묵살되었다. 관례에서 벗어난 일이라고 했다. 하지만 그녀는 골칫거리가 되어 가고 있는 우편물을 와서 가져가라고 전해 달라고 말했다.

다음으로 나는 그뤼네발트 가 근처에 있는 쉰베르크 경찰서에 가 보기로 했다. 곧 무너질 것처럼 불안한, 고르곤졸라 치즈 같은 벽돌 담을 지나, 사는 데 아무 지장은 없지만 엉터리 제빵업자가 만든 결혼 케이크처럼 기둥이 사라진 건물들을 지나치자 베커가 린든 대위를 만난 곳이라는 게이 아일랜드 나이트클럽이 나왔다. 싸구려 네온사인이 걸린 음울하고 칙칙한 곳으로, 문이 닫혀 있다는 사실이 거의 기쁠 지경이었다.

경찰서 안내 데스크에 앉은, 중국 고관대작의 손톱처럼 얼굴이 길쭉한 경찰은 친절한 사람이었다. 그는 거주자 기록을 찾아보고 난 후 드렉슬러 부부가 쇤베르크 경찰서에 등록이 되어 있지 않다고 말했다.

"그들은 유대인 부부입니다. 둘 다 변호사죠. 여기서는 유명합니다. 악명이 높았다고도 할 수 있죠."

"오? 무슨 뜻입니까?"

"법을 무시했다는 뜻은 아닙니다." 소시지만 한 경사의 손가락이 그의 수첩에서 두 사람의 이름을 발견하고 주소가 쓰인 부분을 가로질렀다. "여기 있군요. 한트예리 가. 17번지."

"고맙군요, 경사. 그 부부에게 무슨 일이라도 있었습니까?"

"그 부부의 친구십니까?" 그의 목소리가 신중해졌다.

"아니요."

"뭐랄까요, 선생, 사람들이 그런 걸 좋아하지 않을 뿐입니다. 사람들은 잊고 싶어 합니다. 그런 과거를 들추는 건 별로 좋지 않으니까요."

"미안하지만 경사, 정확히 그 부부가 무슨 일을 했다는 겁니까?"

"그 부부는 소위 나치 전범들을 사냥합니다, 선생."

나는 끄덕였다. "네, 이웃들에게 박수를 받을 만한 일이 아니라는 건 알겠군요."

"이미 벌어졌던 일은 잘못된 것이었습니다. 하지만 우린 다시 일어나야 합니다. 전쟁의 상처가 악취처럼 우리 주위에 계속 감돈다면 우린 아무것도 할 수 없죠."

나는 그에게서 조금 더 정보를 얻어야 했기에 그 말에 동의했다. 그러고 나서 게이 아일랜드에 대해 물었다.

"거기에 있는 걸 아내에게 들키고 싶지는 않은 곳이죠. 카티 피게라는 미인이 운영하는 곳입니다. 그런 미인이 득실댄다더군요. 하지만 가끔 술 취한 양키가 일으키는 소동을 빼면 전혀 문제가 없습니다. 그런 건 문제라고도 할 수 없죠. 그리고 소문이 사실이라면 우리도 곧 양키가 되겠죠. 적어도 미군 구역에 사는 우리 모두가."

나는 그에게 고맙다고 말하고 경찰서 문으로 발걸음을 옮겼다. "한 가지만 더 묻겠습니다." 내가 발길을 돌리며 말했다. "드렉슬러 부부 말입니다만 그들이 색출해 낸 전범이 누구든 있습니까?"

경사의 긴 얼굴에 모든 걸 다 안다는 듯한 웃음이 떠올랐다.

"천만에요."

드렉슬러 부부는 경찰서 남쪽 인근, 최근에 재건축한 건물에서 살고 있었다. 지하철역에서 가까웠고, 건물 맞은편에는 작은 학교가 있었다. 하지만 아파트 꼭대기 층에 있는 그들의 집 현관문을 두드렸을 때는 아무런 대답이 없었다.

층계참에 떠도는 강한 소독약 냄새를 콧속에서 몰아내기 위해 나는 담배에 불을 붙이고 다시 문을 두드렸다. 바닥을 내려다보니 현관 문과 가까운 곳에 담배꽁초 두 개가 떨어져 있었다. 한동안 현관문을 드나든 사람이 없는 것처럼 보였다. 꽁초를 주우려고 허리를 구부리 자 냄새가 더욱 심해지는 것을 느꼈다. 팔굽혀펴기 자세로 몸을 낮추 고 바닥과 현관문 사이로 코를 디밀자 목을 통해 허파로 들어온 아파 트 안의 공기 때문에 구역질이 났다. 나는 황급히 몸을 일으켜 계단 아래로 속에 든 것을 반쯤 게워 냈다.

숨을 돌린 뒤 허리를 펴고 머리를 흔들었다. 이런 곳에 사람이 산 다는 게 거의 불가능해 보였다. 계단 아래를 힐끗 내려다보았다. 아 무도 보이지 않았다.

나는 문에서 물러선 다음 자물쇠가 있는 부분을 그나마 멀쩡한 다 리로 세게 걷어찼지만 문은 미동조차 하지 않았다. 요란한 소리에 사 람들이 문밖으로 고개를 내밀까 봐 한 번 더 계단을 확인했지만 아무 도 보이지 않았기에 다시 걷어찼다.

문이 튕겨지듯 열리고 안에서 끔찍할 만큼 지독한 냄새가 풍겨 왔 다. 잠시 휘청이다 계단 아래로 굴러떨어질 뻔했을 만큼 지독한 냄새 였다. 코트 깃을 잡아당겨 코와 입을 막고 어두운 아파트 안으로 홀 쩍 뛰어들어 가 커튼의 윤곽을 살핀 다음 무거운 벨벳 커튼을 젖히고 창문을 열었다.

신선한 공기를 마시려고 창밖으로 몸을 내밀자 차가운 공기가 눈 을 찔러 눈물이 나왔다. 수업을 마치고 집으로 돌아가는 아이들이 내 게 손을 흔들었다. 나는 아이들에게 맥없이 손을 흔들어 주었다.

문과 창문 사이의 찬 공기가 집 안을 환기시켰다는 확신이 들기를 기다린 다음 나는 무엇을 찾든 찾기 위해 집 안 구석구석을 살폈다. 나는 이 냄새가 사나운 코끼리보다 작은 유해 동물을 박멸할 목적인 소독약 냄새는 아니라는 생각이 들었다.

작은 거실을 꽉 채운 책상, 의자, 책장, 서류 캐비닛 그리고 책과 서류 더미를 조사하기 앞서 보다 많은 신선한 공기를 들이기 위해 현관문으로 가 문을 부채질하듯 앞뒤로 흔들었다. 거실 안쪽에 있는 방의 문이 열려 있었고, 침대 프레임이 살짝 보였다.

침실로 가는 도중에 발끝에 차이는 것이 있었다. 바나 카페에서 흔히 볼 수 있는 싸구려 황동 쟁반 같은 것이었다.

나란한 베개 위에 놓인 두 얼굴에 울혈이 없었다면 그들이 잠들어 있다고 생각했을지도 몰랐다. 이름이 누군가의 처형 리스트에 올랐다면 자는 도중에 질식사하는 것만큼 좋은 것은 없으리라.

나는 이불을 들추고 드렉슬러 씨의 파자마 상의 단추를 풀어 기포와 정맥이 드러난 블루치즈 같은 부푼 배를 드러냈다. 가운뎃손가락으로 배를 눌러 보았다. 딴딴했다. 손으로 더 세게 압박하자 아니나 다를까 가스가 나왔다. 내장이 부패했다는 뜻이었다. 두 사람이 죽은 지 적어도 일주일은 되었으리라.

다시 그들에게 이불을 덮어 주고 거실로 나왔다. 잠시 책상 위에 놓인 책과 서류 들을 멍하니 바라보고 있다가 실마리가 될 만한 것이든 뭐든 찾아보려고 두서없이 움직였다. 하지만 퍼즐을 풀기에는 아직 모든 것이 너무 모호했기 때문에 이내 시간 낭비라고 판단하고 뒤지길 포기했다.

밖으로 나와 진주빛 하늘 아래 지하철역을 향해 거리를 걷기 시작했을 때 눈길을 잡아끄는 것이 있었다. 베를린에는 여전히 폐기된 군용품이 잔뜩 널려 있었지만 드렉슬러 부부가 저렇게 죽어 있지 않았다면 그런 것들에 주의를 기울이지 않았을지도 몰랐다. 배수로에 모인 돌무더기 위에 놓인 것은 방독면이었다. 가죽 끈을 잡아당겼을 때 빈 깡통이 발밑으로 굴러왔다. 갑자기 살인의 대략적인 시나리오가 떠올라서 나는 방독면에서 손을 떼고 쭈그리고 앉아 녹투성이 금속이 곡선을 이룬 부분에 붙은 라벨을 읽었다.

'지클론-B. 살인 가스! 위험! 서늘하고 건조한 곳에 보관! 직사광선을 피하고 불에 닿지 않게 할 것. 개봉하여 사용 시 극히 조심할 것. 칼리베르케 A. G. 콜린.'

머릿속에서 한 남자가 드렉슬러 부부의 집 현관문 밖에 서 있는 모습이 그려졌다. 늦은 밤. 그 남자는 초조하게 담배 두어 개비를 피우다 말고 방독면을 쓴 다음 끈이 단단히 조여졌는지 확인한다. 그러고 나서 시안화수소 결정체가 담긴 깡통을 열고, 공기와 접촉해 벌써 기화해 가는 알갱이를 준비해 온 쟁반에 담아 재빨리 드렉슬러 부부의 아파트 현관문 밑으로 쑥 밀어 넣는다. 고른 숨을 쉬며 자고 있던 부부는 강제수용소에서 인간에게 처음 사용된 지클론-B 가스에 의해 의식불명 상태가 되고 혈관 내 산소 흡수가 차단되기 시작한다. 이 날씨에 드렉슬러 부부가 창문을 열어 놨을 확률은 극히 낮았으리라. 아마 살인자는 아파트 안으로 신선한 공기가 유입되는 것을 막기 위해, 혹은 건물 내 다른 거주자가 살해되는 것을 막기 위해 문 밑을 코트나 담요 같은 것으로 막았을 것이었다. 이천분의 일로 희석한 이 가스는 치명적이었다. 마침내 십오 분에서 이십 분이 지나 알갱이가

완전히 기화하여 가스가 조용한 죽음의 작업—죽음의 이유야 어찌
됐든 육백만의 유대인에 두 부부가 더해졌다—을 수행했을 때 살인
자는 흡족해하며 코트와 방독면과 빈 깡통(쟁반은 남기고 갈 작정이
아니었는지 모르지만 그것은 문제가 되지 않았고, 지클론-B를 다뤘
을 때는 분명히 장갑을 끼고 있었을 것이었다)을 챙겨 밤의 어둠 속
으로 걸어 나갔다.

방법의 단순함에 거의 존경심마저 들었다.

9

거리 저 위쪽 어딘가에서 지프 한 대가 눈이 쏟아지는 어둠을 뚫고 우르릉 소리를 내고 있었다. 소매로 유리창의 물기를 닦자 내가 잘 아는 얼굴이 비쳤다.

"귄터 씨," 자리에서 몸을 돌리자 사내가 말을 걸었다. "역시 당신이었군요." 사내의 머리에 눈이 엷게 쌓여 있었다. 눈에 띄게 네모난 얼굴, 완벽하게 둥근 귀가 얼음 통을 연상시켰다.

"노이만," 내가 말했다. "죽었다고 생각했는데."

그가 머리를 털고 코트를 벗었다. "괜찮으시다면 합석해도 될까요? 여자친구가 아직 오지 않아서요."

"언제 여자친구가 생겼지, 노이만? 넌 돈도 내지 않잖아."

그가 신경질적으로 얼굴을 씰룩였다. "이봐요, 당신이 만약……,"

"진정하고 앉아." 나는 웨이터에게 손짓을 했다. "뭘 들겠나?"

"맥주면 됩니다. 감사합니다." 그는 자리에 앉아 눈을 가늘게 뜨고 평가하듯 나를 보았다. "많이 변하지 않았군요, 귄터 씨. 조금 늙어 보이고, 머리가 약간 희끗해졌고, 전보다 많이 마른 걸 빼면 여전히 똑같아요."

독일 장송곡
_

"내 달라진 점에 대한 네 생각 따원 듣고 싶지 않아." 내가 쏘아붙였다. "하지만 팔 년의 세월에 대한 지적은 꽤 정확하게 들리는군."

"그렇게 됐나요? 우리가 마지막으로 본 이래?"

"전쟁으로 좀 오차가 있을지도 모르지만. 여전히 열쇠 구멍에 귀를 기울이고 다니나?"

"귄터 씨, 뭘 모르시네요." 그가 코웃음을 쳤다. "저는 테겔 교도소 교도관이라고요."

"믿을 수가 없군. 네놈이? 너처럼 부정직한 놈이?"

"정말이에요, 귄터 씨. 진짜라고요. 양키들이 날 나치 전범들을 감시하라고 뽑았단 말입니다."

"너한테 감시받는 자들에겐 감방 생활이 중노동이나 마찬가지겠군. 아닌가?"

노이만이 다시 씰룩거렸다.

"맥주가 나오네요."

웨이터가 그 앞에 맥주잔을 놓았다. 내가 입을 열려고 할 때 미군들이 앉아 있는 옆 테이블에서 웃음소리가 터져 나왔다. 그들 중 한 병장이 무슨 말을 하자 이번엔 노이만까지 웃음을 터뜨렸다.

"저 사람이 패전국과 승전국 간의 형제애 따원 믿지 않는다네요." 노이만이 설명했다. "남동생을 대하는 방식으로 독일 여자를 대하고 싶지 않고요."

나는 미소를 짓고 그 말을 한 미군을 건너다보았다. "테겔에서 일하면서 영어를 배웠나?"

"그래요. 많은 걸 배웠죠."

"넌 항상 좋은 정보원이었지."

"한 가지 알려 드리죠." 그가 목소리를 낮췄다. "소련이 독일 승객을 태운 차 두 대를 보내기 위해 국경에서 영국 군용 열차를 멈춰 세웠다고 들었어요. 미영美英 점령 지구 확립에 대한 소련의 보복이라는 소문이 있죠." 그가 한 말은 독일 내 영국과 미국의 점령 지역의 합병을 의미했다. 노이만이 맥주를 들이켜고 어깨를 으쓱했다. "아마 또 다른 전쟁이 일어날 겁니다."

"어떨지 몰라." 내가 말했다. "아무도 또 다른 전쟁은 참지 못할 테니까."

"저야 모르죠. 아마 그럴 테죠."

그가 잔을 내려놓고 코담배 갑을 꺼내 내게 내밀었다. 나는 머리를 젓고 그가 코담배 한 줌을 쥐어 입술 위에 문지르는 모습에 눈살을 찌푸렸다.

"전쟁 중 실전에 나가 본 적 있어요?"

"왜 이래, 노이만. 잘 알면서. 요즘은 아무도 그런 걸 묻지 않아. 네가 어떻게 비나치화 증명서를 손에 넣었지?"

"분명히 말하지만 합법적으로 얻었다고요." 그가 지갑을 꺼내 종이 쪼가리를 펼쳤다. "난 나치와 연루된 게 없어요. 나치의 영향을 받지 않은 사람이 있다면 그게 납니다. 그건 자랑할 만한 거죠. 나는 입대조차 하지 않았으니까요."

"그들이 널 원하지 않았을 뿐이야."

"나치의 영향을 받지 않은 거라니까요." 노이만이 화를 내며 재차 말했다.

"네가 영향을 받지 않은 건 그 정도뿐일 거야."

"그건 그렇고 여기서 뭐 하고 있는 겁니까?" 그가 냉소적으로 물었다.

"게이 아일랜드에 오는 걸 좋아하지."

"한동안 여길 다니면서 당신을 본 적이 없는데요."

"그래. 여기는 네가 편안하게 여길 만한 곳이군. 교도관 월급으로 어떻게 여길 다니지?"

노이만이 대답을 회피하듯 어깨를 으쓱였다.

"사람들의 심부름을 많이 해 주는 모양이군." 내가 넌지시 말했다.

"뭐, 그건 당신 일이죠." 그가 희미하게 미소 지었다. "사건 때문에 온 게 틀림없군요. 그렇죠?"

"어쩌면."

"내가 도움이 될지도 몰라요. 말한 것처럼 나는 여기 자주 오니까요."

"그럼 좋아." 나는 지갑을 꺼내 오 달러 지폐를 내밀었다. "에디 홀이라는 남자에 대해 들어 봤나? 가끔 이곳에 오지. 광고업을 하는 사람이야. 레클라우어 앤드 베르베 첸트랄레라는 회사야."

노이만이 침을 삼키고 음침한 눈으로 지폐를 응시했다. "아니요." 그가 어쩔 수 없다는 듯 그렇게 대답했다. "모르는 남자예요. 하지만 물어볼 수는 있어요. 바텐더와 친구니까요. 그가 아마⋯⋯,"

"이미 물어봤어. 말하기 좋아하는 타입은 아니더군. 하지만 하는 말을 듣자하니 홀을 아는 것 같지 않아."

"그 광고 회사 말이에요. 회사명이 뭐라고요?"

"레클라우어 앤드 베르베 첸트랄레. 빌머스도르프 가에 있지. 오늘 오후에 가 봤어. 그들 말로 에디 홀 씨는 풀라흐에 있는 모회사 사무실에 있다는군."

"뭐 그렇겠죠. 풀라흐에."

"난 처음 듣는 지명인데. 풀라흐라는 곳에 무슨 본사가 있을 것 같지 않은데."

"뭐, 당신 생각이 틀린 거겠죠."

"좋아. 어디 날 놀라게 해 봐."

노이만이 미소를 지으며 내 지갑으로 돌아가는 오 달러를 향해 고개를 끄덕였다. "오 달러면 내가 아는 모든 걸 말해 줄 수 있을 겁니다."

"변변찮은 정보는 안 돼."

그는 고개를 끄덕였고, 나는 지폐를 건넸다. "이 값어치를 하는 게 좋을 거야."

"풀라흐는 뮌헨 교외의 작은 마을입니다. 미군의 우편 검열국 본부가 있기도 하죠. 테겔에서 근무하는 미군들에게 오는 편지는 그곳을 거쳐요."

"그게 다야?"

"원하는 게 뭐예요? 평균 강수량?"

"좋아. 그 정보가 무슨 도움이 될지는 모르겠지만 어쨌든 고마워."

"어쩌면 그 에디 홀이라는 사람에 대해 귀를 열어 두고 다닐지도 몰라요."

"당연히 그래야지. 난 내일 빈으로 갈 거야. 그곳에 가면 네가 정

독일 장송곡
–
95

보를 얻을 경우를 대비해서 내가 묵을 곳의 주소로 너한테 전보를 치지. 정보를 주면 돈을 주겠네."

"젠장, 나도 가고 싶은 덴데. 빈을 사랑하죠."

"넌 대도시 타입이 아니야, 노이만."

"대단한 편지 몇 장을 배달하러 거기에 가는 건 아니겠죠? 내가 있는 곳에는 오스트리아인이 꽤 많아요."

"뭐? 나치 전범을 위해 우편배달부 노릇이라도 하라는 건가? 됐어." 나는 잔을 비우고 손목시계를 보았다. "여자친구가 오기로 되어 있는 건 맞나?" 나는 나가려고 자리에서 일어났다.

"몇 시죠?" 그가 눈살을 찌푸리며 물었다.

나는 손목을 내밀어 그에게 롤렉스의 문자반을 보였다. 나는 그것을 팔지 않기로 거의 마음먹고 있었다. 시간을 본 노이만이 움찔했다.

"차가 엄청 막히나 보군." 내가 말했다.

그가 슬픈 표정으로 머리를 저었다. "이제는 안 올 것 같아요. 여자들이란."

나는 그에게 담배를 주었다. "요즘 네가 믿을 수 있는 여자가 있다면 그건 유부녀뿐이야."

"세상이 썩었어요, 귄터 씨."

"그래, 뭐. 그래도 그런 말은 안 하는 게 좋겠지."

10

빈으로 가는 기차에서 우리가 유대인들에게 했던 짓에 대해 이야
기하는 사람을 만났다.

"이봐요. 그들은 그들에게 일어난 일로 우릴 탓하면 안 돼요. 그건
정해진 일이었어요. 우린 단지 그들의 구약성서 예언을 실현해 준 것
뿐이라고요. 요셉과 그의 형제들에 관한 대목 말입니다. 억압적인 아
버지에게 가장 사랑받은 늦둥이 요셉은 유대 민족의 상징이죠. 그리
고 나머지 형제들은 도처에 있는 비유대인으로, 독일인이라고 해 보
죠. 그러면 당연히 그들은 아버지의 귀염을 받은 동생을 질투하겠죠.
동생은 형들보다 잘생겼죠. 색깔이 화려한 코트도 입고 있고. 젠장,
그러니 형들이 그를 미워하는 것도 당연하죠. 그들이 동생을 노예로
팔아도 이상할 게 없는 겁니다. 하지만 여기서 주목해야 할 중요한
점은 명백히 특전을 누린 동생에 대해서뿐만 아니라 엄격하고 권위
적인 아버지에게도 반발이 생긴다는 겁니다. 괜찮다면 조국을 아버
지라고 해도 좋아요." 남자는 어깨를 으쓱하고 생각에 잠겨 의문부호
처럼 생긴 귀를 주무르기 시작했다. "정말 그런 걸 생각하면 그들은
우리에게 감사해야 합니다."

독일 장송곡
-
97

"어째서 그런 결론이 나온 겁니까?" 종교에 대해 무지한 내가 물었다.

"요셉의 형제들이 그런 일을 하지 않았더라면 이스라엘 민족은 결코 이집트에서 노예가 되지 않았을 테고, 모세에 의해 약속의 땅으로 이끌리지도 않았겠죠. 마찬가지로 독일이 그런 일을 하지 않았다면 유대인들이 팔레스타인으로 돌아가지도 않았을 겁니다. 지금도 그들은 새 나라를 건립하려 하고 있습니다." 남자의 작은 눈이 신이 허락한 탁상용 메모장 일부를 훔쳐봐 왔다는 듯이 가늘어졌다. "오, 그래. 예언이 실현된 거야. 그렇고말고."

"무슨 예언이라는 건지 모르겠군." 내가 으르렁거리듯 말하며 객실 창을 스치듯 지나가는 풍경을 엄지손가락으로 가리켰다. 보아하니 끝도 없이 이어진 붉은 군대 호송대가 기차선로와 평행하게 나 있는 고속도로를 따라 남쪽으로 이동중인 것 같았다. "어쨌든 우리가 홍해에 이르게 된 건 틀림없는 것 같군요."

끝없이 이어진 이 야만인들의 행렬은 잡식성 불개미라는 그럴싸한 이름이 붙어 있었다. 땅을 온통 황폐화하며 자신들의 몸무게 이상의 전리품을 짊어지고 반영구적 식민지로 돌아가는 행렬. 수확한 커피를 휩쓸고 가는 사회적 동물들을 바라보는 브라질 농부의 마음처럼 나는 러시아인들을 격렬하게 증오하는 한편 경의를 느꼈다. 칠 년이라는 오랜 세월 동안 나는 그들과 싸웠고, 그들을 죽였고, 그들에게 감금당했고, 그들의 언어를 배웠고, 마침내 그들의 강제수용소 중 한 곳에서 탈출했다. 샛바람에 말라비틀어진 일곱 이삭. 그 일곱 이삭을 먹어치우면서.[16]

전쟁이 발발했을 때 나는 제국 보안 본부인 RSHA 제5과의 경감이
었기 때문에 자동적으로 친위대 중위 계급에 올랐다. 아돌프 히틀러
에 대한 충성 서약을 제쳐 두면 친위대 상급돌격지도자가 되는 게 그
다지 문제될 게 없어 보였지만, 1941년 6월 제국 범죄 경찰의 수장이
었던 아르투르 네베가 러시아 침공과 관련한 특수 작전 집단[17]의 대
장인 친위대 집단지도자로서 새롭게 진급하였다.

나는 네베의 특수 작전 집단에 징집된 다양한 경찰의 일원일 뿐으
로, 국방군을 따라 백러시아[18]로 들어가 각종 테러 행위와 법률 위반
행위를 단속하게 되리라고 믿었다. 민스크 본부에서의 내 임무에는
러시아 비밀경찰 NKVD[19]의 기록을 압수하는 한편, 수백 명의 백러시
아 정치범들이 독일군에 의해 자유의 몸이 되는 걸 막기 위해 그들을
학살해 온 NKVD 암살단을 체포하는 일도 포함되어 있었다. 정복 전
쟁에서 집단 학살은 늘 있던 일이었고, 우리 측 역시 어느 순간 러시
아 정치범들을 독단적으로 학살하고 있었다. 머지않아 특수 작전 집
단의 주된 목적이 테러리스트들을 제거하는 일뿐 아니라 유대인 민
간들을 체계적으로 살해하는 것이라는 사실을 알게 되었다.

1차 세계대전 당시 사 년간 군에 복무했을 때도 1941년 여름에 목
격한 것보다 더 내 정신을 황폐하게 한 것을 본 적이 없었다. 비록 사

---

16. 창세기 41장 27절의 구절을 빗댄 말.
17. 친위대 산하 준 군사 조직. 독일이 점령한 영토의 지식인, 소련의 정치 장교, 유대인,
   집시 등을 학살했다.
18. 벨라루스의 전 이름.
19. 내무인민위원회. 내무성 MVD의 전신으로, 1946년 이름을 바꾼다.

적으로는 집단 학살반의 명령 과업에 따를 책임에서 자유로웠지만 그 과업에 따르라는 명령이 떨어질 것은 시간문제였고, 명령 불복종에는 필연적인 사살이 따랐을 것이었다. 그래서 나는 최전방을 맡고 있는 국방군으로 즉각 보직 변경을 요청했다.

특수 작전 집단 대장 아르투르 네베의 명령으로 나는 처벌 위원회로 보내졌다. 그는 내 처형 명령을 내리기까지 했었다. 하지만 네베는 결국 내 보직 변경 요청을 받아들였고, 백러시아에서 머물면서 재외 부대 동부 정보과에서 압수한 NKVD 기록을 정리하며 몇 주를 더 보낸 후에야 보직이 변경되었지만 최전방이 아닌, 베를린 주재 군 고위 지휘부 전쟁 범죄 부서로 보내졌다. 그때 아르투르 네베는 삼만 명이 넘는 남자와 여자 그리고 아이들의 학살을 지휘했다.

베를린으로 복귀한 후 나는 그를 두 번 다시 보지 못했다. 수년 후 옛 크리포 동료를 만난 나는 그에게서 늘 나치에 애매모호한 태도를 취했던 네베가 히틀러 암살을 기도했다 실패한 슈타우펜베르크 백작의 암살단 일원으로서 1945년 초에 처형됐다고 들었다.

대량 학살자에게 내 목숨을 빚졌다는 생각을 하면 늘 이상한 기분이 든다.

동승했던 기이한 성서 해석자가 드레스덴에서 내려 크게 안도한 나는 프라하까지 가는 동안 수면을 취했다. 하지만 대부분의 시간을 키르슈텐에게 급하게 남기고 온 쪽지를 생각하며 보냈다. 쪽지에는 몇 주간 집을 비워야 한다는 것과 아파트에 있는 금화들에 대한 사정을 설명해 놓았다. 그 금화는 베커 사건을 맡은 보수의 반으로, 전날 포로쉰에게 직접 받은 것이었다.

당신을 위해서라면 못할 게 없고, 어떤 힘든 일이라도 기쁘게 해낼 것이라는 말을 쪽지에 덧붙이지 않은 나를 저주했다. 물론 그녀는 내 마음을 모르지 않았다. 그녀는 자신의 서랍에 그런 말들로 가득한 편지 한 묶음을 보관하고 있었다. 그 편지 묶음 옆에는 그녀가 내게 말하지 않은 샤넬 향수 한 병이 놓여 있다.

11

베를린에서 빈까지 가는 여행에 걸리는 시간은 아내의 부정을 되
씹으며 보내기에는 너무 길었기 때문에 포로쉰의 부관이 라이프치히
와 뉘른베르크를 경유하며 스물일곱 시간 반이 걸리는 기차가 아닌,
드레스덴과 프라하와 브르노를 거쳐 열아홉 시간 반이 걸리는 최단
경로의 기차표를 구해 주어서 다행이었다. 끽끽거리는 소리를 내며
프란츠 요제프스 역에 천천히 멈춰 서는 기차가 플랫폼 의자에 앉아
있는 몇몇 사람들을 연기로 감쌌다.

개찰구에서 나는 미 헌병에게 빈에 온 이유를 설명하면서 신분증
을 제시한 다음 역 안으로 걸어갔다. 가방을 바닥에 내려놓고 누군가
를 기다리는 작은 무리 가운데에서 나를 기다리고 환영해 줄 사람이
보낼 신호를 찾아 주위를 두리번거렸다.

손을 흔들며 다가오는, 보통 몸집에 머리가 희끗한 사내가 있었다.
나를 기다린 것은 맞았지만 이내 환영까지는 아니라는 것이 판명되
었다. 그는 자신을 리블 박사라고 소개하고 에밀 베커의 법정 대리인
이라는 것을 영광으로 생각한다고 말했다.

"택시를 대기시켜 놓았습니다만," 그가 내 짐을 힐끗거리며 말했

다. "그렇긴 해도, 제 사무실이 그리 멀지 않을뿐더러 작은 가방을 들고 계시니 걸어가는 게 좋을지도 모르겠습니다."

"실망하신 것처럼 들리는군요. 하지만 일박은 해야 할 것 같습니다."

나는 그를 따라 역사를 가로질렀다.

"편안한 여행이셨길 바랍니다, 귄터 씨."

"무사히 도착했으니까요." 억지로 사근사근한 미소를 지으며 내가 말했다. "요즘은 편안한 여행을 어떻게 정의합니까?"

"저야 정말 모를 일이죠." 그가 싹싹하게 말했다. "빈을 떠나 본 적이 없으니까요." 그가 역사에 진을 치고 있는 것처럼 보이는, 누더기를 걸친 난민들을 향해 오만하게 손짓을 해 보였다. "전 세계가 모종의 여행을 하고 있는 것 같은 오늘날에는 태어난 곳으로 돌아갈 수 있기만을 바라는 여행객들이 신의 가호를 바라는 것조차 생각하기 힘든 듯합니다."

대기시켜 놓은 택시가 있는 곳으로 안내된 나는 짐을 운전기사에게 건네고 뒷좌석에 올라탔다. 짐은 이내 나를 따라 뒷좌석에 밀어 넣어졌다.

"짐을 트렁크에 넣으려면 별도의 요금을 내야 합니다." 리블이 짐을 내 무릎 위에 놓으며 설명했다. "말씀드렸다시피 먼 곳을 가지 않아도 요금이 비쌉니다. 여기 계신 동안은 이동 수단으로 전철을 추천합니다. 아주 편하죠." 급출발을 한 택시가 첫 번째 모퉁이를 돈 순간 우리는 극장 안 연인들처럼 밀착했다. 리블이 빙긋 웃었다. "게다가 안전하기도 합니다. 빈의 택시 운전사들이란."

내가 왼쪽을 가리켰다. "저게 도나우 강입니까?"

"맙소사, 아니요. 운하입니다. 도나우 강은 동쪽으로 한참 더 가서 러시아 점령 구역 내에 있습니다." 그가 음산해 보이는 건물이 서 있는 오른쪽을 가리켰다. "저게 경찰 부속 교도소 건물로 우리의 의뢰인이 있는 곳입니다. 내일 아침 일찍 면회를 수배해 두었습니다. 그 이후에 빈 중앙 묘지에서 거행될 린든 대위의 장례식에 참석하셔도 되고요." 리블이 뒤로 사라져 가는 교도소를 향해 머리를 끄덕였다. "베커 씨가 저곳으로 온 지는 마침 얼마 되지 않았습니다. 미군들이 처음엔 이 사건을 군사 기밀로 다뤘기 때문에 빈에 있는 헌병대 본부 병영 내 전쟁 포로용 철창에 베커 씨를 가두었습니다. 드나들기가 몹시 어려웠죠. 하지만 군정 치안 장교가 이 사건을 오스트리아 법정에 세우기로 결정했기 때문에 베커 씨는 재판 전까지 저기에 갇혀 있게 될 겁니다. 재판이 언제가 될지는 모르지만."

리블이 몸을 앞으로 내밀고 운전기사의 어깨를 톡톡 치더니 우회전하여 종합병원 방면으로 가자고 말했다.

"자, 여기서 돈을 내고 당신의 짐을 내리는 게 좋겠군요. 약간 우회했을 뿐입니다. 적어도 당신의 친구가 있는 곳을 봤으니 상황의 심각성을 감지하셨겠죠.

예의 없이 굴고 싶지 않지만, 퀸터 씨, 저는 당신이 빈에 오는 걸 반대했다는 말씀을 드려야겠군요. 이곳에 사립탐정이 없던 것도 아니었습니다. 있었죠. 저는 많은 사람을 고용했고, 그들은 당신보다 빈을 더 잘 압니다. 이런 말씀을 드리는 저를 불쾌하게 생각지 않으셨으면 합니다. 그러니까, 당신은 이 도시를 전혀 모르시지 않습니까?"

"솔직하게 말씀해 주셔서 감사합니다, 리블 박사." 나는 전혀 감사하지 않았다. "그리고 당신 말대로 나는 이 도시를 모릅니다. 사실 이곳이 처음입니다. 그러니까 솔직히 말하죠. 경찰 근무 이십오 년의 경험에 따라 나는 특별히 남의 생각에 좌우되지 않습니다. 왜 베커가 이곳의 탐정들 대신 나를 고용해야 했는지는 그의 문제입니다. 그가 내게 후한 보수를 지불할 준비가 되어 있다는 사실은 내 문제입니다. 그와 나 사이에는 당신이든 누구든 끼어들 자리가 없습니다. 지금은요. 법정으로 가게 되면 당신의 무릎에 앉아 원한다면 머리라도 빗겨 드리죠. 하지만 그 전까지 당신은 당신의 법률서를 읽고, 나는 저 멍청한 자식을 구해 내기 위해 당신이 떠들 거리를 찾아내야겠죠."

"좋습니다." 리블이 어색한 미소를 지으며 으르렁거리듯 말했다. "꽤 딱 부러지게 말씀하시는군요. 대부분의 변호사들처럼 저도 자신이 하는 말을 믿는 것처럼 보이는 사람들에게 은근한 존경심을 품고 있죠. 그렇습니다. 저는 타인의 정직성을 높이 평가합니다. 그건 어쩌면 우리 변호사들이 책략에 급급하기 때문일지도 모릅니다."

"난 당신이 충분히 솔직했다고 생각합니다."

"그냥 그런 척하는 겁니다." 그가 도도하게 말했다.

우리는 미군 점령지 제8구에 위치한 안락해 보이는 펜션에 짐을 풀고 차에 올라 시내에 있는 리블의 사무실로 갔다. 빈은 베를린처럼 4개국이 분할하여 통제하고 있었다. 차이점이 있다면 링이라고 불리는 대로가 궁전들과 대규모 호텔들을 둘러싸고 있는 빈의 도심만은 국제경찰이 통제한다는 명목하에 4개국이 동시에 점령하고 있다는 것이었다. 한 가지 더 즉각적으로 눈에 띄는 차이는 오스트리아 수도의 복구 상태였다. 그다지 폭격을 받지 않은 것은 사실이지만, 그렇다고 해도 베를린과 비교해 빈은 장의사의 쇼윈도보다 더 깔끔해 보였다.

마침내 리블의 사무실 의자에 앉은 우리는 베커의 파일을 꺼내 사건의 사실들을 검토했다.

"당연히 베커 씨에 대한 가장 강력한 증거는 그가 소지한 살인 무기입니다." 리블이 그렇게 말하며 린든 대위를 죽인 총 사진 두 장을 건넸다.

"발터 P38." 내가 말했다. "손잡이에 새겨진 친위대 마크. 전쟁 마지막 해에 나도 이 총을 갖고 있었죠. 약간 덜거덕거리긴 하지만 일단 방아쇠를 당기는 기술을 터득하기만 하면 사격 정확도가 꽤 높은 편입니다. 튀어나온 공이치기가 영 마음에 들지 않더군요. 나는 PPK를 선호했죠." 나는 사진을 돌려주었다. "검시 사진이 있습니까?"

리블이 눈에 띄게 불쾌한 표정을 지으며 나에게 봉투를 건넸다.

"깨끗이 세척하면 인상이 달라져 이상하죠." 내가 사진을 보며 말했다. "얼굴에 맞은 38구경 자국은 점을 절제한 자국 정도로밖에 안 보입니다. 잘생긴 녀석이로군. 그것만큼은 확실하군요. 총알을 발견했습니까?"

"다음 사진을 보십시오."

나는 사진을 보고 고개를 끄덕였다. 겨우 이런 것에 사람이 죽다니.

"경찰은 베커 씨의 집에서 담배 몇 갑도 찾아냈습니다." 리블이 말했다. "린든이 총을 맞은 옛 촬영소에 있던 것과 같은 종류의 담배였습니다."

나는 어깨를 으쓱했다. "그는 애연가입니다. 그의 집에서 담배 몇 갑을 발견했다고 해서 그 친구를 잡아넣을 수 있는지 모르겠군요."

"모르시겠다고요? 그럼 설명해 드리죠. 그것들은 촬영소에서 가까운 탈리아 가의 담배 공장에서 훔친 겁니다. 담배를 훔친 누군가가 촬영소를 은닉 장소로 사용했습니다. 베커 씨가 처음 린든 대위 시체를 발견했을 때, 그는 집으로 돌아가기 전에 담배 몇 갑을 가져갔습니다."

"그래요, 베커답군요." 내가 한숨을 쉬었다. "예전부터 손버릇이 나빴죠."

"이제 그 문제는 손이 아니라 목으로 옮겨 갔습니다. 목이 매달릴 사건이라는 걸 상기해 드릴 필요는 없겠죠, 귄터 씨."

"종종 상기시켜 주십시오, 박사. 촬영소는 누구 소유입니까?"

"드리터만 영화사와 GMBH 방송입니다. 적어도 그게 임차 계약상의 회사 이름입니다. 하지만 거기서 어떤 영화가 만들어졌는지 아무도 기억하지 못하는 것 같더군요. 경찰이 그 장소를 수색했을 때 낡은 조명조차 찾지 못했습니다."

"안을 둘러볼 수 있습니까?"

"수배 가능한지 알아보죠. 그럼, 질문할 게 더 남아 있다면, 귄터 씨, 내일 아침 베커 씨와 면담할 때까지 질문거리를 남겨 두십시오. 그 전에 당신과 제가 한두 가지 정리해야 할 게 있습니다. 이를테면 당신의 수수료와 비용 같은 거 말입니다. 금고에서 당신 수수료를 가져올 동안 잠시 실례하겠습니다." 그가 자리에서 일어나 사무실 밖으로 나갔다.

유대인 거리에 있는 리블의 사무실 건물 일층에는 구두 가게가 있었다. 그가 지폐 두 다발을 들고 돌아왔을 때 나는 창가에 서 있었다.

"얘기된 것처럼 현금으로 이천오백 미국 달러입니다." 그가 차분한 목소리로 말했다. "그리고 수사 비용으로 천 오스트리아 실링입니다. 비용이 추가될 경우 브라운슈타이너 양에게 허락을 받아야 할 겁니다. 베커 씨의 여자친구죠. 당신의 숙박비는 저희 사무실에서 댈 겁니다." 그가 내게 펜을 건넸다. "영수증에 서명해 주시겠습니까?"

나는 내용을 훑어보고 서명했다. "그녀를 만나 보고 싶군요." 내가 말했다. "베커의 모든 친구를 만나고 싶습니다."

"제가 말씀드릴 수 있는 건 그녀가 당신 숙소로 찾아갈 거라는 겁니다."

나는 돈을 주머니에 넣고 창문으로 몸을 돌렸다.

"그 돈을 갖고 있다가 만약 경찰에게 체포되면 그 돈은 우리와 상관없는 걸 말씀드려도 되겠습니까? 통화 규제라는 게 있는데⋯⋯,"

"당신 이름을 밝히지 않을 겁니다. 걱정 마십시오. 궁금해서 그러는데, 내가 이 돈을 갖고 베를린 집으로 돌아간다면 어떻게 하실 겁니까?"

"그 점에 대해서는 저도 베커 씨에게 계속 경고했습니다. 그가 말하길 첫 번째로, 당신은 명예를 아는 사람이며, 돈을 받은 이상 일을 할 사람이라더군요. 자신의 목이 매달리도록 내버려 둘 사람이 아니라고요. 그 점에 대해서는 확신하더군요."

"감동적이군요." 내가 말했다. "두 번째는?"

"솔직하게 말씀드려도 되겠습니까?"

"이제 와서 솔직하지 못할 이유라도 있습니까?"

"좋습니다. 베커 씨는 빈에서 최고의 밀수꾼 중 한 명입니다. 현재 그의 처지에도 불구하고 그는 이 도시의 우범지대에서 완전히 영향력을 잃지는 않았다고 말씀드려야 할까요." 그의 얼굴에 짜증스러운 표정이 떠올랐다. "그가 그저 그런 폭력배처럼 들릴까 봐 더는 이야기하지 못할 것 같군요."

"그만하면 충분히 솔직하셨습니다, 박사. 고맙습니다."

그가 창가로 다가왔다. "뭘 보고 계십니까?"

"미행을 당한 것 같군요. 보이십니까, 저 남자……?"

"신문을 읽고 있는 사람 말입니까?"

"분명히 역에서 본 사람입니다."

리블이 가슴에 달린 주머니에서 안경을 꺼내 털투성이 늙은 귀에 걸었다. "오스트리아 사람 같진 않습니다." 한참을 쳐다보더니 그가 마침내 단언하듯 말했다. "읽고 있는 신문이 뭡니까?"

나는 잠시 눈을 가늘게 떴다. "《비너 쿠리어》[20]."

"흠. 어쨌든 빨갱이는 아니군. 아마 헌병대 특별 수사부에서 나온 미국인 현장 요원일 겁니다."

"사복 차림의?"

"더 이상 군복을 입지 않아도 되는 걸로 알고 있습니다. 적어도 빈에서는." 그는 안경을 벗고 창가에서 몸을 돌렸다. "일상적인 감시일

---

20. 빈의 파발꾼이라는 뜻.

게 틀림없어요. 그들은 베커 씨의 친구라면 모두 알고 싶어 할 겁니다. 언젠가는 당신도 끌려가서 심문을 받을 테죠."

"경고, 감사합니다." 나는 창가에서 몸을 돌리려고 했지만 단단해 보이는 큰 철창에서 손이 떨어지지 않았다. "옛 사람들은 건물을 어떻게 지어야 하는지 확실히 알고 있었던 것 같지 않습니까? 이 건물은 군대의 공격에 대비한 것처럼 보이는군요."

"군대가 아닙니다, 귄터 씨. 군중이죠. 이곳은 전에 게토의 중심이었습니다. 이 건물이 지어진 15세기에 유대인들은 간헐적인 집단 학살에 대비해야 했습니다. 달라진 게 별로 없지 않습니까?"

나는 리블의 맞은편에 앉아 포로쉰이 자신의 보급품 중에서 내게 준 멤피스에 불을 붙였다. 내가 담뱃갑을 그에게 흔들자, 그는 한 개비를 빼서 조심스럽게 담배 케이스에 넣었다. 그와 나는 만남부터 삐걱거렸다. 관계를 개선해야 할 때였다. "갑째 넣어 둬요." 내가 그에게 말했다.

"매우 친절하시군요." 그가 답례로 내게 재떨이를 건네며 말했다.

이제 담배에 불을 붙이는 그를 보면서 그에게 어떤 방탕한 피가 흐르기에 예전에는 잘생겼을 얼굴이 지금은 엉망이 됐는지 궁금했다. 잿빛 볼은 거의 빙하의 틈처럼 깊은 주름이 져 있었고, 코에도 객쩍은 농담을 들었을 때나 보일 만한 잔주름이 져 있었다. 매우 얇고 새빨간 입술이 짓는 미소는 교활한 늙은 뱀을 연상시켰는데, 방탕해 보이는 표정을 더 드러나게 할 뿐이었다. 아마 수년에 걸친 전쟁이 그의 외모를 부식한 탓이리라. 그는 직접 그 이유를 설명했다.

"저는 한동안 강제수용소에 있었습니다. 전쟁 전에는 기독교사회주의당원이었죠. 아시다시피 사람들은 잊고 싶어 하지만 오스트리아는 히틀러에 열광했습니다." 담배 첫 모금이 폐를 채우자 그는 살짝 기침했다. "연합국 측이 오스트리아를 나치의 부역자가 아닌 희생자로 판정했으니 매우 다행입니다. 터무니없는 일이죠. 우리는 뿌리부터 관료주의자들입니다, 귄터 씨. 히틀러의 범죄 조직에 결정적인 역할을 해 온 오스트리아인의 수는 놀라울 정도입니다. 그 수많은 사람들―그리고 상당수의 독일인들―이 바로 이곳 빈에서 살고 있습니다. 현재도 빈 시립 인쇄소에서 탈취된 수많은 신분증을 오버외스터라이히 주 보안부가 추적중입니다. 이곳에 머물고 싶어 하는 사람들에게는 늘 머물 수 있는 수단이 존재한다는 걸 아실 겁니다. 그런 인간들과 나치들이 이 나라에서 삶을 즐기고 있다는 게 진실입니다. 오백 년에 걸친 이곳의 유대인 혐오는 그들을 고향에 있는 것처럼 편하게 느끼게 해 주죠.

군이 이 말씀을 드리는 건 빈에 피프케[21]……," 그가 사과한다는 의미의 미소를 지었다. "독일인에 대한 적대감이 팽배하기 때문입니다. 요즘 오스트리아인들은 독일에 관한 모든 것을 거부하는 경향이 있습니다. 오스트리아 사람은 누구나 열심히 노력하고 있습니다. 당신의 억양은 어떤 빈 사람들에게는 자신들이 칠 년간 국가사회주의당이었다는 걸 상기하게 할지도 모릅니다. 국민들 대부분은 이 받아들이기 어려운 진실을 단지 백일몽이었다고 믿고 싶어 하죠."

"명심하죠."

---

21. 독일인을 비하하여 부르는 명칭.

리블과 이야기를 마치고 스코다 가에 있는 숙소로 돌아오자 베커의 여자친구에게서 내가 편안히 있는지 확인차 여섯시쯤 들르겠다는 메시지가 와 있었다. 카스피안은 작지만 최고급 펜션이었다. 작은 거실이 딸린 침실과 욕실이 있었다. 여름에는 앉아서 쉴 수 있는, 지붕이 딸린 작은 베란다도 있었다. 숙소는 따뜻했고, 뜨거운 물—익숙지 않은 사치—이 무한정 공급되는 것처럼 보였다. 마라[22]조차 꺼릴 만큼 빠른 시간에 목욕을 마치고 거실로 나왔을 때 문을 두드리는 소리가 들렸다. 손목시계를 힐끗 보니 거의 여섯시였다.

나는 오버코트를 걸치고 문을 열었다.

그녀는 밝은색 눈에 체구가 작은 여자로, 아이들처럼 볼이 발그레했고, 검은색 머리는 좀처럼 빗질을 하지 않는 것처럼 보였다. 그녀는 내 맨발을 보자마자 고른 이가 드러나는 미소를 지었다.

"귄터 씨?" 그녀가 주저하듯 물었다.

"트라우들 브라운슈타이너 양이군요."

그녀가 끄덕였다.

"들어오십시오. 생각보다 오래 욕조에 있었나 봅니다. 하지만 정말 뜨거운 물로 목욕을 한 게 소련 강제수용소에서 나온 이래 처음이라서요. 옷을 걸칠 동안 앉아 계십시오."

거실로 돌아왔을 때 그녀는 프랑스식 창가의 테이블 위에 글라스 두 잔을 놓고 가지고 온 보드카를 따르고 있었다.

"빈에 오신 걸 환영해요. 에밀이 술을 한 병 가져가라더군요." 그녀

---

22. 장 폴 마라. 프랑스 대혁명의 지도자로 목욕하는 동안 암살당했다.

는 술을 담아 온 봉투를 발로 찼다. "정확히 말하면 두 병을 가져왔어요. 하루 종일 병원 창밖에 걸어 뒀더니 마시기 좋을 만큼 차가워졌어요. 저는 이렇게 마시는 보드카가 좋아요."

우리는 글라스를 부딪치고 보드카를 마셨다. 그녀의 글라스 바닥이 내 글라스보다 빨리 테이블에 닿았다.

"몸이 안 좋습니까? 그렇지 않길 바랍니다만. 병원이라고 해서요."

"저는 간호사예요. 종합병원의. 거리 위쪽으로 걸어가다 보면 병원이 보일 거예요. 여기서 당신을 보자고 한 이유도 부분적으로는 그 때문이에요. 아주 가까우니까요. 그리고 펜션 소유주 블룸 바이스 부인과 친분도 있고요. 엄마의 친구분이셨죠. 게다가 링에서 가깝고 미군 대위가 총에 맞은 곳 인근에 머무르시는 편이 나을 거라고 생각했어요. 대위가 사살된 곳은 데터 가예요. 귀르텔이라는 빈의 외곽 링 반대편에 있어요."

"움직이기 좋은 곳입니다. 솔직히 말해 베를린에 있는 우리 집보다 훨씬 편하군요. 그곳은 모든 게 어렵습니다." 나는 두 글라스에 술을 따랐다. "정확히 어떤 일이 있었는지 어느 정도 알고 계십니까?"

"리블 박사가 당신에게 말한 모든 걸 알고 있어요. 그리고 내일 아침 에밀이 당신에게 말할 모든 걸요."

"에밀의 사업은 어떻습니까?"

트라우들 브라운슈타이너는 부끄럽다는 듯이 미소를 짓고 약간 킬킬거리며 입을 뗐다. "에밀의 사업 역시 제가 모르는 게 거의 없어요." 그녀는 구겨진 레인코트의 단추 하나가 실 한 가닥에 매달려 있는 것을 보고 그것을 떼어 주머니에 넣었다. 트라우들 브라운슈타이

너는 세탁할 필요가 있는 멋진 레이스 손수건 같았다. "간호사가 되고 나서 저는 약간 그런 거에 긴장을 풀었어요. 암시장 말이에요. 약을 좀 훔쳤죠. 그런 걸 숨길 마음은 없어요. 사실 모든 간호사들이 가끔씩 그래요. 간단한 선택이죠. 페니실린을 팔거나 몸을 팔거나. 저는 우리가 몸이 아닌 다른 걸 팔 수 있어서 행운이라고 생각해요." 그녀는 어깨를 으쓱하고 두 번째 잔을 비웠다. "매일처럼 고통받고 죽어 가는 사람들을 보고 있노라면 법과 질서라는 것에 건강한 존경심을 품을 수 없죠." 트라우들은 변명하듯 웃어 보였다. "돈이 있어도 쓸 데가 없다면 아무 소용 없어요. 크루프[23] 일가의 재산이 얼마나 될까요? 아마 수십억이겠죠. 하지만 그 집안사람 한 명이 이곳 빈의 정신병원에 수용돼 있어요."

"알겠습니다." 내가 말했다. "당신에게 사업의 정당성을 물은 게 아니었습니다." 하지만 그녀는 분명 자신에게 그 정당성을 설명하려고 애쓰고 있었다.

트라우들은 두 다리를 의자 위로 올려 자신의 엉덩이 밑으로 넣었다. 그녀는 내가 가터와 스타킹 끝자락이 보이는 부드럽고 하얀 허벅지를 보고 있다는 것을 더 이상 개의치 않고 안락의자에 부주의하게 앉아 있었다.

"당신이라면 어찌시겠어요?" 트라우들이 손톱을 물어뜯으며 말했다. "때때로 빈의 모든 사람은 레셀 공원에서 무언가를 사지 않으면 안 돼요." 그녀는 그곳이 도시 암시장의 중심이라는 것을 설명했다.

---

23. 독일의 철강 재벌.

"베를린에서는 브란덴부르크 문이 중심입니다. 그리고 의사당 앞도."

"웃기군요." 그녀가 장난기 가득한 웃음소리를 냈다. "그런 시장이 우리 의회 앞에서 열린다면 빈에서는 추문이 일 거예요."

"연합국 측이 관리를 하고 있긴 해도 당신네 의회는 기능을 하고 있으니까요. 독일은 사실상 연합국의 통치하에 있는 거나 마찬가지죠." 그녀가 치맛단을 끌어내려 이제 속옷이 보이지 않았다.

"그건 몰랐어요. 하지만 큰 문제는 아닌 것 같아요. 의회가 있든 없든 빈에서는 추문이 일 거예요. 오스트리아 사람들은 위선자예요. 당신은 오스트리아인들이 이런 일들에 대범할 거라고 여길지 모르겠지만요. 이곳에는 합스부르크 시대 때부터 암시장이 있어 왔어요. 물론 그땐 담배가 아니라 호의라든가 후원 같은 것들이었죠. 개인적인 연줄은 지금도 크게 작용해요."

"그 말이 나온 김에 묻겠습니다. 베커를 어떻게 알게 됐습니까?"

"그이는 병원의 내 친구 간호사들에게 어떤 서류를 마련해 줬어요. 그리고 우리는 그를 위해 페니실린을 훔쳤고요. 병원에 페니실린이 아직 남아 있었을 때 얘기예요. 우리 엄마가 돌아가신 지 얼마 되지 않았을 때의 얘기죠." 무언가를 필사적으로 이해하려는 듯이 그녀의 밝은 눈이 커졌다. "엄마는 기차 철로에 몸을 던졌어요." 억지 미소와 웃음을 지으며 그녀는 그럭저럭 자신을 통제했다. "엄마는 오스트리아에서도 전형적인 빈 사람이었어요, 베르니. 이곳 사람들은 늘 자살해요. 우리의 생활 방식이죠.

어쨌든 에밀은 매우 친절하고 재밌는 사람이었어요. 그이가 저를 비탄에서 이끌어 내 줬죠, 정말로요. 저는 다른 가족이 없어요. 아버지는 공습 때 돌아가셨어요. 오빠는 유고슬라비아에서 빨치산과 싸우다 죽었고요. 에밀이 없었다면 저는 정말 어떻게 됐을지 모르겠어요. 이제 그에게 무슨 일이 일어난다면……," 연인에게 닥칠 운명이 상상된다는 듯 트라우들의 입이 뻣뻣하게 굳었다. "그이를 위해 최선을 다해 주실 거죠? 에밀은 실낱같은 희망이라도 안겨 줄 수 있는 사람이 있다면 그게 바로 당신이라고 했어요."

"그를 위해 내가 할 수 있는 모든 걸 할 겁니다, 트라우들. 그 점에 대해서는 확실히 약속하죠." 나는 담배 두 개비에 불을 붙여 하나를 그녀에게 건넸다. "보통이라면 나는 총을 들고 시체 옆에 서 있는 사람이 내 어머니일지라도 유죄 선고를 내릴 겁니다. 하지만 그건 논외로 치고 내가 베커의 이야기를 믿는 건 그 나쁜 상황이 그럴싸하기 때문입니다. 적어도 그에게서 직접 이야기를 듣기 전까지는 말입니다. 당신에게는 그 이야기가 그다지 놀랄 만한 일이 아닐지도 모르지만 당신의 말이 나로선 확실히 인상적입니다.

내 손끝을 보십시오. 성스러운 기운이 좀 부족하죠. 저 식탁 위에 있는 모자는 어떻습니까? 마법의 모자가 아닙니다. 따라서 내가 당신의 남자친구를 사형수 감방에서 나가는 길로 인도하려면 그가 내게 방향을 제시해 주는 실 뭉치를 발견하도록 해 줘야 할 겁니다. 내일 아침 베커에게 이 상황을 해명할 만한 이야깃거리가 있는 편이 좋을 겁니다. 그렇지 않으면 이 연극은 화장품 값도 안 나올 테니까요."

12

법의 가장 끔찍한 형벌은 언제나 본인의 상상 속에서 생겨나는 법이다. 자신의 법적 처형에 대한 전망은 스스로 떠올릴 수 있는 가장 기발하고 자학적인 상상의 먹이가 된다. 목숨이 달린 재판을 앞둔 사람은 이전에 고안된 어떤 처형보다 더 잔인한 처형 생각이 머릿속에 가득하다. 그리고 자신의 목에 걸린 밧줄의 길이에 따라 발판의 문 밑으로 떨어진 후 땅에서 불과 얼마를 남겨 놓고 허공에 매달릴 것인가를 생각할수록 점점 수명이 단축되는 것이다. 자신이 야기한 긴장 때문에 종종 심장에 무리가 오고 식욕이 달아나며 잠을 이룰 수 없게 된다. 무디고 상상력이 없는 사람조차 어깨 위의 머리를 돌릴 때 등골에서 연골이 뽀드득거리는 소리를 듣는 것만으로 명치께에서 교수형의 끔찍한 공포를 느낄 수 있으리라.

그래서 나는 예전보다 마르고 누렇게 뜬 베커의 모습을 보고도 놀라지 않았다. 우리는 로사우어 랜데에 있는 교도소의, 가구라고는 거의 없는 작은 면회실에서 만났다. 그가 면회실로 들어와 말없이 나와 악수를 한 후 문 앞에 서 있는 간수에게 몸을 돌렸다.

"어이, 페피," 베커가 명랑한 목소리로 말했다. "담배 어때?" 그는 셔츠 주머니에 손을 넣어 담배 한 갑을 꺼내 간수에게 던졌다. 페피라고 불린 간수가 손끝으로 담배를 잡은 뒤 상표를 살폈다. "나가서 피워 주겠나, 응?"

"좋아." 페피가 그렇게 말하고 밖으로 나갔다.

베커는 감사의 의미로 고개를 끄덕였고, 우리 셋은 노란 타일 벽에 볼트로 고정된 테이블 주위에 둘러앉았다.

"걱정 마요." 베커가 리블 박사에게 말했다. "이곳 간수들은 다 이렇게 해요. 분명히 헌병대 본부 감방보다는 훨씬 나아요. 빌어먹을 양키들에겐 뇌물이 먹히지 않으니까. 그 개자식들은 없는 게 없다니까."

"내 말이 그 말이야." 나는 그렇게 말하며 담배를 꺼냈다. 리블에게 한 개비 건네자 머리를 저었다. "자네 친구 포로쉰이 준 거야." 담뱃갑에서 한 개비를 꺼내는 베커에게 내가 말해 주었다.

"대단한 친구 아닙니까?"

"자네 아내는 그가 자네 보스라고 생각하더군."

자신과 내 담배에 불을 붙인 그가 내 어깨 위에 피어난 연기구름을 훅 불었다. "엘라와 얘기를 하셨다고요?" 그렇게 말했지만 그는 별로 놀란 기색이 아니었다.

"오천 달러와는 별도로 내가 여기에 있는 건 그녀 때문이지. 자네 사건을 대하는 그녀의 태도 덕분에 자네가 구할 수 있는 도움이란 뭐든 필요할 거라 생각해서 결정했네. 아내에게 자네는 이미 목이 매달린 거나 마찬가지야."

"그년은 절 미워하죠, 아닙니까?"

"입안의 물집처럼."

"뭐, 아내 말이 맞을 겁니다." 그가 한숨을 쉬고 머리를 흔들었다. 그러고 나서 초조한 모습으로 종이가 다 타들어 갈 만큼 오래 담배를 빨더니 한동안 담배 연기 사이로 핏발이 선 눈을 끔벅이며 나를 응시했다. 이내 기침을 하더니 갑자기 미소를 지었다. "시작하죠. 얼른 물어보십시오."

"좋아. 자네가 린든 대위를 죽였나?"

"하늘에 맹세코 아닙니다." 그가 웃음을 터뜨렸다. "이제 나가도 될까요, 선생님?" 그는 다시 한 번 발악하듯 담배를 빨아 댔다. "당신은 날 믿겠죠. 아닙니까, 베르니?"

"나는 자네가 거짓말을 할 거라면 더 나은 이야기를 했을 거라고 믿네. 자네에게 그 정도의 머리는 있다고 믿지. 하지만 내가 자네 여자친구에게 말했듯이……,"

"트라우들을 만나셨다고요? 다행이군요. 멋진 여자 아닙니까?"

"그래, 그렇더군. 그녀가 자네의 뭘 보고 좋아하는지는 예수님만이 알 거야."

"물론 나와의 저녁 식사 후 대화를 좋아하죠. 그게 여기에 내가 갇혀 있는 걸 그녀가 싫어하는 이유입니다. 난롯가에서 우리가 나눈 비트겐슈타인에 관한 환담을 그리워한다니까요." 미소는 그의 손이 테이블을 가로질러 내 팔뚝을 잡았을 때 사라졌다. "이봐요, 날 여기서 꺼내 주셔야 합니다, 베르니. 오천은 당신을 이 게임에 끌어들이기 위한 착수금에 지나지 않아요. 내가 무죄라는 걸 증명해 주시면 세배를 드리겠습니다."

독일 장송곡

"자네나 나나 쉽지 않을 거란 걸 알겠지."

베커가 잘못 이해했다.

"돈은 걱정 말아요. 넘치게 많으니까. 트렁크에 삼만 달러가 든 차가 헤르날스에 있는 차고에 주차돼 있습니다. 날 꺼내 주신다면 당신 겁니다."

리블은 자신의 의뢰인이 교섭 능력의 부족을 계속 드러내자 움찔했다. "저, 베커 씨, 당신의 변호사로서 한마디해야겠습니다. 이런 식으로는……."

"닥쳐요." 베커가 사납게 말했다. "당신의 조언이 필요하다면 그때 말할 테니까."

리블이 한발 양보하겠다는 듯한 어깻짓을 하고 의자에 몸을 기댔다.

"이봐," 내가 말했다. "보너스 얘기는 자네가 나오고 나서 하지. 그런 돈이라면 좋아. 자네는 이미 후한 보수를 줬네. 나는 돈을 말하는 게 아니야. 그래, 그보다는 몇 가지 알아 두고 싶은 게 있네. 쾨니히 씨부터 시작하는 게 좋겠군. 그를 어디서 만났고, 어떻게 생겼고, 커피에 크림을 넣는 걸 좋아하는지 같은 걸 말해 봐. 알겠나?"

베커가 고개를 끄덕이고 담배를 바닥에 던졌다. 그러고는 손을 쥐었다 폈다 하더니 거북하다는 듯 관절을 움켜쥐기 시작했다. 신물이 날 만큼 그 이야기를 수도 없이 반복했으리라.

"좋아요. 그럼 어디, 봅시다. 코랄레에서 헬무트 쾨니히를 만났습니다. 미군 점령지 제9구 포르첼란 가에 있는 나이트클럽에서요. 내게 다가오더니 자신을 소개하더군요. 나에 대해 들었다면서 술을 사겠답디다. 그래서 그러라고 했습니다. 그저 그런 얘기를 나눴죠. 전쟁 얘기, 내가 러시아에 있었을 때 얘기, 친위대에 들어가기 전 크리포에 있었던 얘기. 당신이 할 만한 얘기와 같은 얘기를. 당신이 러시아를 떠난 걸 빼면. 그렇죠, 베르니?"

"요점만 얘기해."

"그는 친구에게서 내 얘기를 들었다고 했습니다. 누군지는 말하지 않았고. 그에게는 내가 해 주길 바라는 어떤 일이 있었습니다. 녹색 국경을 넘는 정기적인 배달로, 현금 지급에 질문은 일체 금지. 내가 할 일은 이곳 빈에 있는 사무실에서 작은 소포들을 모아 베를린에 있는 다른 사무실에 전달하는 게 다였습니다. 어차피 트럭에 담배를 싣고 가는 길이니까요. 검문이 있었다고 해도 쾨니히의 짐이 있다는 것은 눈치조차 채지 못했을 겁니다. 처음에 나는 그게 약이라고 생각했습니다. 그러다 결국 꾸러미 하나를 풀어 봤죠. 파일 몇 개뿐이었습니다. 정당 파일, 군대 파일, 친위대 파일. 옛날 것들 말이에요. 그런 게 어떤 가치가 있는지 전혀 모르겠지만."

"늘 파일뿐이었나?"

그가 끄덕였다.

"린든 대위는 베를린에 있는 서류 센터에서 근무했네." 내가 설명했다. "그는 나치 사냥꾼이었지. 파일에 있는 사람들 중에 기억나는 이름 있나?"

"베르니, 그들은 잔챙이들이었습니다. 하찮은 인간들 말입니다. 친위대 상병급과 군 급여계원들이오. 나치 사냥꾼이라면 쳐다보지도 않을 인간들입니다. 그자들이 쫓는 건 보르만과 아이히만 같은 거물이죠. 하찮은 급여계원 따위가 아니라."

"그럼에도 불구하고 그 파일들은 린든에게 중요했어. 그를 죽인 자가 누구든 그자는 린든과 알고 지내는 아마추어 부부 탐정도 살해하려고 했네. 수용소에서 살아남은 유대인 부부는 묵은 원한을 조금이나마 청산하는 중이었지. 며칠 전 두 사람의 시체를 발견했네. 죽은지 얼마 안 됐더군. 아마 그 파일들은 부부를 위한 것이었을 거야. 따라서 자네가 파일에 있는 이름 몇 개만 기억해 내도 도움이 될걸."

"분부대로 합죠, 베르니. 내 바쁜 스케줄에 그 작업을 끼워 넣어 보죠."

"제발 그래 주게. 이제 쾨니히에 대해 말해 봐. 어떻게 생겼지?"

"어디 보자. 대충 마흔쯤 됐습니다. 체격이 좋고, 검은 콧수염을 풍성하게 길렀고, 구십 킬로그램쯤 나가는 몸무게에 키는 백구십 센티미터쯤. 좋은 트위드 양복에 시가를 피우고 항상 개를 데리고 다녔습니다. 작은 테리어 한 마리를요. 오스트리아인이 확실합니다. 그리고 가끔 여자를 데리고 왔습니다. 이름은 로테. 성은 기억나지 않는데 카사노바 클럽에서 일하는 여자였습니다. 예쁘게 생긴 금발 암캐였죠. 그게 기억나는 전붑니다."

"자네와 전쟁에 대해 얘기했다고 했지. 그가 훈장을 얼마나 받았는지 얘기하던가?"

"네, 했습니다."

"그럼, 그걸 나한테 말해야겠다는 생각이 들지 않던가?"

"그게 관련이 있을 거라곤 생각 못 했습니다."

"관련이 있는지 없는지는 내가 결정하지. 냉큼 말하게, 베커."

그는 벽을 한참 응시하더니 어깨를 으쓱했다. "내 기억에 그는 나치당이 비합법이던 1931년에 오스트리아 나치당에 가입했다고 했습니다. 그 후 선전 포스터를 붙이다 체포됐다더군요. 그래서 체포를 면하기 위해 독일로 도망쳐 나와 뮌헨의 바이에른 경찰대에 들어갔습니다. 1933년에 친위대에 배속됐고 종전까지 소속돼 있었습니다."

"계급은?"

"말하지 않았습니다."

"어디서 복무했다거나 무슨 일을 했다는 말은 하지 않았나?"

베커가 머리를 저었다.

"대단한 대화는 아니었던 것 같군. 자네는 무슨 얘길 했지, 빵 가격? 됐네. 쾨니히와 함께 자네 집에 왔던 남자에 대해 말해 보지. 린든을 찾아 달라고 했던 남자 말이야."

베커가 양 관자놀이를 눌렀다. "그자의 이름을 기억해 보려고 했지만 도무지 기억이 나지 않습니다. 그는 쾨니히보다는 약간 더 상급 장교 같은 타입이었습니다. 아시잖습니까, 아주 뻣뻣하고 그럴듯한 사람. 귀족일지도 모르죠. 그도 마흔쯤 됐고 큰 키, 마른 체격에 깨끗하게 면도를 했고, 머리가 벗어지고 있었습니다. 실러 재킷에 회원용 클럽 넥타이 차림이었죠." 그가 머리를 흔들었다. "클럽 타이에 대해서는 잘 몰라요. 확실치는 않지만 헤렌 클럽이었을지도요."

"그리고 린든이 살해된 촬영소에서 나온 남자를 봤다고 했지. 어떻게 생겼나?"

"아주 작고 체격이 다부지다는 것 말고는 너무 멀어서 자세히 못 봤습니다. 어두운 색 모자와 코트 차림에, 서두르고 있었습니다."

"당연히 그랬겠지." 내가 말했다. "레클라우어 앤드 베르베 첸트랄레 광고 회사 말인데. 마리아힐퍼 가에 있는 회사 맞나?"

"그랬죠." 베커가 침울한 표정으로 말했다. "내가 체포되고 나서 얼마 안 돼 문을 닫았습니다."

"어쨌든 말해 봐. 늘 쾨니히를 거기서 봤나?"

"아니요. 거기서 본 녀석은 압스라는 놈이었습니다. 막스 압스. 학자 같은 타입이었죠. 턱수염에 작은 안경을 쓴."

베커가 내 담뱃갑에서 담배를 한 개비 꺼냈다. "말씀드릴 만한 게 하나 있습니다. 거기에 갔을 때 압스가 피흘러라는 석수장이와 통화하는 걸 들은 적이 있습니다. 아마 압스가 장례를 치렀던 모양입니다. 오늘 오전 린든의 장례식에 가면 피흘러를 찾아내 압스의 소재를 알 수 있을 겁니다."

"장례식은 정오입니다." 리블이 말했다.

"가 볼 만한 가치가 있을 것 같은데요, 베르니." 베커가 말했다.

"의뢰인은 자네야." 내가 말했다.

"린든의 친구들이 오는지 보십시오. 그리고 피흘러를 찾아보십시오. 빈의 석수장이 대부분이 중앙 묘지 벽을 따라 늘어서 있으니까 그를 찾기 어렵지 않을 겁니다. 막스 압스가 묘비를 주문했을 때 주소를 남겼다면 아마 그를 찾을 수 있겠죠."

나는 베커가 이렇게 내 아침 업무에 관해 말하는 것이 마뜩잖았지만 그의 말대로 하는 게 그의 비위를 맞추기 쉬울 것 같았다. 확실한 사형선고에 직면한 사람에게는 자신이 고용한 탐정을 마음대로 부릴 권리가 있는 법이다. 특히 현찰을 지불했을 때는. 그래서 내가 말했다. "안 될 것 있나? 나는 장례식을 사랑하지." 그러고 나서 마치 내가 갇히게 돼 초조한 사람인 양 자리에서 일어나 면회실을 거닐었다. 아마 그는 나보다 그런 경우에 익숙할 터였다.

"여전히 날 혼란스럽게 하는 게 한 가지 있네." 생각에 빠져 서성이다가 내가 말했다.

"뭡니까?"

"리블 박사 말로는 자네가 이 도시에서 친구가 없는 것도 아니고, 영향력이 없는 것도 아니라던데."

"어느 정도는."

"어떻게 소위 자네 친구라는 사람들 중 누구도 쾨니히를 찾지 않는 거지? 아니면 그의 여자친구 로테라도?"

"그들이 안 찾는다고 누가 그러던가요?"

"그 사실을 자네만 간직하고 있을 참이었나? 아니면 초콜릿 두 개라도 사 줘야 말할 생각이었나?"

베커의 목소리가 달래는 톤으로 바뀌었다. "그러니까, 여기서 어떤 말이 나올지 알 수 없었으니까요, 베르니. 따라서 이 일에 관해 잘못된 선입견을 주고 싶지 않았습니다. 미리 추측해서 말할 이유가 없었……,"

"쓸데없는 말은 집어치우고 있는 그대로 말해."

"그러죠. 자신들이 뭘 해야 하는지 이해하고 있는 내 동료 둘이 쾨니히와 그 여자에 대해서 알아봤습니다. 나이트클럽 몇 군데를 확인했죠. 그리고……," 말하기 불편한 듯 그의 목소리가 기어들었다. "……소식이 끊겼습니다. 날 배신했나 봅니다. 어쩌면 그냥 이곳을 떴을지도 모르고요."

"아니면 린든과 같은 처지가 됐을지도 모르고." 내가 덧붙였다.

"누가 알겠습니까? 어쨌든 그게 당신이 여기에 있는 이유입니다, 베르니. 당신이라면 믿을 수 있어요. 나는 당신 같은 부류를 잘 압니다. 당신이 예전에 민스크에서 했던 일을 존경하고 있죠. 정말로. 당신은 무고한 사람의 목이 매달리게 할 사람이 아닙니다." 그가 의미 있는 미소를 지었다. "내가 당신의 그런 자질의 혜택을 입은 유일한 사람이라고는 믿지 않습니다."

"어쨌든 알았어." 나는 아첨을 한 귀로 흘리고 재빨리 대답했다. 에밀 베커 같은 의뢰인에게서 그런 말을 듣는 것은 질색이다. "알겠지만 자네는 목이 매달려도 할 말 없는 사람이야." 그리고 덧붙였다. "린든을 죽이지 않았더라도 많은 인간을 죽였을 텐데."

"하지만 그거야 어쩔 수 없는 일이었으니까요. 알아차렸을 때는 너무 늦었죠. 누구나 당신 같진 않단 말입니다. 당신은 영리한 사람이었고, 당신에게 선택권이 있는 동안 당신은 그 자리를 피할 수 있었습니다. 나는 기회조차 갖지 못했다고요. 명령에 복종한 것뿐입니다. 그렇지 않으면 군법회의에 회부된 다음 총살됐겠죠. 따를 수밖에 없었다고요."

나는 머리를 흔들었다. 정말 더 이상은 아무것도 신경 쓰고 싶지 않았다. "자네 말이 맞을지도 모르지."

"내 처지를 아시지 않습니까. 우리는 전쟁중이었습니다, 베르니." 그는 담배를 끄고 자리에서 일어나 면회실 구석에 등을 대고 있는 나를 향했다. 그는 리블이 듣길 바라지 않는 것처럼 목소리를 낮췄다.

"이봐요, 이게 쉽지 않은 일이란 걸 압니다. 하지만 이 일을 해낼 수 있는 사람은 당신뿐입니다. 조용히, 이목을 끌지 않고 끝내야 합니다. 당신의 특기를 살려서. 라이터가 필요하십니까?"

총을 소지하고 있다가 국경에서 체포될 위험을 피하기 위해, 죽은 러시아인에게서 얻은 총은 갖고 오지 않았다. 포로쉰이 준 담배 판매 허가증이 그 문제를 해결해 줄 거라고는 생각지 않았다. 그래서 나는 어깨를 으쓱하고 말했다. "모르겠군. 이곳은 자네가 훤할 텐데."

"하나 필요할 겁니다."

"좋아. 하지만 제발 부탁인데 문제없는 걸로 구해 주게."

우리가 다시 교도소 밖으로 나왔을 때 리블이 빈정거리는 듯한 미소를 지으며 말했다. "라이터가 제가 생각하는 그겁니까?"

"그래요. 하지만 예방책일 뿐입니다."

"당신이 빈에 있는 동안 취할 최선의 예방책은 러시아 점령 지역에는 들어가지 않는 겁니다. 특히 늦은 밤에는요."

리블의 시선을 따라가자 운하 반대쪽, 길을 가로질러 저편으로 아침 미풍에 펄럭이는 빨간 기가 보였다.

"빈에는 러시아 놈들을 위해 일하는 유괴단이 많습니다." 그가 설명했다. "그들은 미군을 위해 스파이 짓을 한다고 생각하는 사람은 누구든 납치합니다. 그 답례로 러시아 점령 지역 밖에서 운영되는 암시장 영업권을 얻어 법망을 피하죠. 그놈들은 집에 있는 여자를 카펫으로 돌돌 말아 데려가기도 했습니다. 클레오파트라처럼."

"맨 바닥에서 잠들지 않도록 주의해야겠군요." 내가 말했다. "자, 중앙 묘지는 어떻게 가야 합니까?"

독일 장송곡
—

"그곳은 영국 점령 구역입니다. 슈바르첸베르크 광장에서 71번을 타야 합니다. 당신이 갖고 있는 지도에는 스탈린 광장이라고 나와 있을 겁니다. 못 찾진 않을 거예요. 그곳에는 해방자로 칭하는 수많은 소련군 동상이 있죠. 우리 빈 사람들은 무명의 약탈자라고 부르지만."

나는 미소를 지었다. "내가 늘 하는 말이지만, 박사, 우린 패전에서는 살아남을 수 있을지 모르지만 해방에서 살아남으려면 하늘의 도움이 필요합니다."

13

'그곳은 또 다른 빈'이라고 트라우들이 표현했었다. 과장이 아니었다. 중앙 묘지는 내가 아는 몇몇 마을들보다 더 컸고 상당히 풍족하기조차 했다. 묘비 없이 장례가 치러지는 오스트리아인은 단골 커피점이 없는 오스트리아인과 같다. 괜찮은 대리석 조각 하나 살 수 없을 만큼 가난한 사람은 한 명도 없는 것처럼 보였고, 나는 처음으로 장의 사업의 매력을 인식하기 시작했다. 피아노 건반, 영감이 넘치는 예술, 유명한 왈츠의 악보 등 빈의 석수장이가 못 만들 건 없었고, 허세 넘치는 이야기든 과장된 우화든 그들의 예술혼을 뛰어넘을 것들은 없었다. 산 자들 세계의 종교와 정치색에 따라 나뉜 이 거대한 공동묘지는, 분할 통치하고 있는 4개국은 말할 것도 없고 유대교도와 프로테스탄트 그리고 가톨릭 구역이 따로 있었다.

린든의 장례식이 거행될 장소인, 세계 1대 불가사의라고 해도 좋을 만큼 큰 부속 예배당에서의 장례는 예식의 회전율이 매우 빨랐기 때문에 나는 불과 몇 분 차이로 대위의 문상객들을 만날 기회를 놓치고 말았다.

가톨릭교도인 린든이 묻힐 프랑스 구역의 눈 덮인 부지를 천천히

독일 장송곡
–
129

가로지르는 차의 행렬을 찾긴 어렵지 않았다. 하지만 차가 없는 내가 걸어서 따라잡기는 매우 어려웠다. 나는 소형 보트가 더러운 항구에 닿듯 화려한 관이 이미 진갈색 구덩이로 천천히 내려가고 있을 때쯤 그곳에 도착했다. 폭동 진압 경찰대처럼 서로 팔짱을 낀 린든의 가족은 훈장을 받은 용사인 양 불굴의 의지로 슬픔을 견디고 있었다.

의장대가 라이플을 들어 올려 눈발이 날리는 허공을 겨냥했다. 그들이 예포를 쏘았을 때 나는 불편한 느낌이 들었고, 잠시 민스크에 있던 때로 돌아갔다. 참모 본부로 걸어가고 있을 때 나는 총소리를 들었다. 총소리가 나는 방향으로 제방을 기어올라 보니 이미 수많은 시체들로 가득 메워진 구덩이 끝에 여섯 명의 남자와 여자가 무릎을 꿇고 있었다. 시체들 가운데에는 아직 살아 있는 사람들도 보였다. 젊은 경찰이 여섯 명의 사람들 뒤에 서서 친위대 총살 집행대를 지휘했다. 그의 이름은 에밀 베커였다.

"고인의 친구입니까?" 내 뒤에서 나타난 한 미국인이 말했다.

"아니요. 이런 곳에서 예상치 못한 총소리가 들려서 와 봤습니다." 이 미국인이 죽 장례식에 참석하고 있었는지 예배당에서부터 나를 따라왔는지 알 수 없었다. 그는 리블의 사무실 밖에 서 있던 사람처럼 보이지 않았다. 나는 무덤을 가리켰다. "죽은 사람은 누구⋯⋯,"

"린든이라는 친구입니다."

독일어를 모국어로 쓰지 않는 사람이라서 내 착각인지는 모르지만 미국인의 목소리에는 아무런 감정도 실려 있지 않은 듯했다. 충분히 둘러본 뒤 문상객들 가운데 조금이나마 쾨니히를 닮은 사람조차 없다는 것을 확인하고—여기서 정말 그를 볼 것이라고는 기대하지 않았지만— 조용히 발걸음을 돌렸다. 놀랍게도 그 미국인이 내 옆에서 따라 걷고 있었다.

"화장火葬이 산 사람들에게는 더 상냥한 방식입니다." 그가 말했다. "모든 끔찍한 상상을 불식하니까. 사랑하는 사람이 부패한다는 생각만 해도 끔찍합니다. 없어지지 않는 촌충처럼 그런 생각이 머리에 끈덕지게 달라붙죠. 죽음은 구더기가 시체를 파먹지 않아도 충분히 끔찍한 겁니다. 나는 양친과 누이 한 명을 묻었죠. 하지만 그들은 가톨릭 신자였습니다. 가톨릭교도들은 육신이 부활하는 데 미칠 어떠한 위험도 원치 않습니다. 마치 하느님이 이 모든 걸……," 그는 중앙 묘지 전체를 가리켜 보였다. "신경 쓰신다는 듯 말입니다. 당신은 가톨릭 신자입니까, 헤어Herr[24]……?"

"때로는요." 내가 말했다. "기차를 잡으려고 서두를 때라든가 술을 깨려고 애쓸 때는."

"린든은 성안토니우스에게 기도를 하곤 했습니다." 미국인이 말했다. "나는 그 성인이 분실물을 찾아 주는 수호성인으로 알고 있죠."

그는 수수께끼의 인물이 되고 싶어 안달이 난 사람 같았다. 왜 그러는지 궁금했다. "난 그 양반한테 신세를 져 본 적이 없군요."

그는 예배당으로 돌아가는 길까지 나를 따라왔다. 가지치기를 한 나무들이 빼곡히 늘어선 긴 길이었다. 촛대를 생각나게 하는 눈이 쌓인 가지가 성대한 장례 미사에 쓰인, 다 녹고 그루터기만 남은 양초 같았다.

---

24. 영어의 미스터에 해당하는 말.

그가 주차된 차들 중 메르세데스를 가리키며 말했다. "마을로 가실 겁니까? 저기에 내 차가 있습니다."

내가 신실한 가톨릭 신자가 아니었다는 건 사실이었다. 사람을 죽이는 것은, 그게 러시아인이라 할지라도, 신에게 변명하기 쉬운 종류의 죄는 아니다. 어쨌든 나는 경찰의 수호성인 성미카엘에게 조언을 구할 것까지도 없이 헌병의 냄새를 맡을 수 있었다.

"괜찮으시다면 정문에서 내려 주십시오." 나는 그렇게 말했다.

"그럽시다. 타세요."

그는 더 이상 장례식과 문상객들에게 주의를 기울이지 않았다. 그는 이제 나라는 새로운 인물에 관심을 기울이고 있었다. 아마 내가 사건의 어두운 구석에 어떤 빛을 비춰 줄지도 모르겠다고 기대하리라. 만약 내 목적이 그의 목적과 같다는 사실을 그가 알았다면 그가 그 말을 내게 했을지 궁금했다. 애초에 내가 린든의 장례식에 올 기분이 든 것도 막연히 이런 만남을 기대하고 있었기 때문인지 모른다.

미국인은 장례 행렬의 일원이기라도 하듯 천천히 차를 몰았다. 분명 내가 누구인지 왜 이곳에 왔는지 알아낼 기회를 얻길 바라며 최대한 천천히 운전하는 듯 보였다.

"실즈라고 합니다." 그가 묻지도 않았는데 말했다. "로이 실즈."

"베른하르트 귄터입니다." 이름을 안 가르쳐 줄 이유가 없었다.

"빈 출신입니까?"

"아니요."

"어디 출신입니까?"

"독일."

"그렇군요. 오스트리아인 같지는 않더군요."

"당신 친구, 린든 씨 말입니다." 내가 화제를 돌렸다. "그를 잘 압니까?"

미국인은 웃음을 터뜨리며 스포츠 재킷 주머니에서 담배를 찾았다. "린든? 전혀 모릅니다." 그가 담뱃갑에서 담배 한 개비를 입으로 빼 물고 나에게 담뱃갑을 건넸다. "그는 몇 주 전에 살해당했습니다. 그래서 우리 대장은 우리 부서를 대표해서 내가 장례식에 참석한다면 좋을 거라고 생각했죠."

"어떤 부서입니까?" 이미 알 만한 대답이었지만 그래도 물어보았다.

"국제경찰입니다." 그는 담배에 불을 붙이며 미국 라디오 진행자를 흉내 내듯 말했다. "보호를 원한다면 A29500으로 전화 주십시오." 그러더니 내게 얼룩말 클럽이라고 쓰인 종이 성냥을 건넸다. "시간 낭비였습니다. 이렇게 먼 데까지 오다니."

"그렇게 멀지 않을 텐데요." 나는 잠시 사이를 두었다. "아마 당신 대장은 살인자가 얼굴을 내밀지 않을까 생각했겠죠."

"뭐, 그럴 일은 없습니다." 그가 웃었다. "그 녀석을 감방에 처넣었거든요. 아닙니다. 대장, 그러니까 클라크 대위는 적절한 의례를 지키고 싶어 하는 부류의 사람이라서요." 실즈가 예배당 쪽을 향해 남쪽으로 차를 돌렸다. "맙소사," 그가 중얼거렸다. "묘지가 미식 축구장 같군."

그러고 나서 말을 이었다. "아시겠지만, 귄터, 우리가 막 벗어난 길은 직선거리로 거의 일 킬로미터나 됩니다. 당신이 린든의 묘에서 이백 미터쯤 떨어져 있었을 때 당신을 보았습니다. 내 눈엔 장례식에 참석하려고 서두르는 것처럼 보이더군요." 그가 빙긋 웃는 것 같앗다. "맞습니까?"

"아버지가 린든의 묘 가까이에 묻혀 계시죠. 거기에 갔을 때 의장대가 보였고, 예포가 울리고 나서 조용해진 뒤에 가 본 겁니다."

"화환도 없이 그곳까지 걸어가신 겁니까?"

"당신은 가져왔습니까?"

"물론이죠. 오십 실링이 들었습니다."

"당신이 내는 겁니까, 당신 부서에서 내는 겁니까?"

"추렴했다고 해 둡시다."

"그러면서 내가 화환을 가져오지 않았다고 따지시는군요."

"그만합시다, 귄터." 실즈가 웃으며 말했다. "당신네 나라 사람 중 모종의 부정에 연관되지 않은 사람은 한 명도 없습니다. 모두 실링을 달러로 교환하거나 암시장에서 담배를 팔죠. 제 생각에 법을 어겨서 돈을 챙기는 것으로는 오스트리아인이 우리보다 더한 것 같다는 생각이 가끔 듭니다."

"당신이 경찰이라서 그렇게 생각하는 겁니다."

우리는 지머링거 하우프트 가로 통하는 정문을 지나 전차 정류장 앞에 멈췄다. 그곳에서는 이미 몇몇 사람들이 어미 돼지 젖에 달라붙은 새끼 돼지들처럼 사람들로 꽉 들어찬 전차 바깥 측에 매달려 있었다.

"정말 마을까지 안 태워다 드려도 괜찮습니까?" 실즈가 물었다.

"괜찮습니다. 석수장이와 볼일이 있어서."

"뭐, 좋으실 대로." 그가 씩 웃으며 그렇게 말하고 휑하니 가 버렸다.

중앙 묘지의 높은 담을 따라 걸었다. 빈의 야채 장수와 석수장이 대부분이 이곳에 자신들만의 구역을 갖고 있는 것 같았다. 한 불쌍한 노파가 내 앞을 가로막았다. 싸구려 양초를 든 그녀는 내게 불이 있는지 물었다.

"자요." 나는 실즈가 준 종이 성냥을 노파에게 주었다.

노파가 하나만 빼 쓰려는 것 같아 다 가지라고 말했다. "나는 드릴 돈이 없다오." 노파가 정말로 미안해하며 말했다.

기차를 기다리는 사람이 손목시계를 한 번쯤은 쳐다보는 것과 같은 확률로 나는 언제고 다시 실즈를 보게 되리라고 생각했다. 하지만 나는 그가 지금 다시 돌아와 오십 실링짜리 화환은 고사하고 성냥을 살 돈도 없는 오스트리아인을 보길 바랐다.

요제프 피흘러 씨는 꽤 전형적인 오스트리아인이었다. 평균적인 독일인보다 작고 마른 데다 창백하고 연약해 보이는 피부에 성긴 콧수염을 기른 사람이었다. 코와 입이 돌출된 얼굴에 떠오른 비굴한 표정은 오스트리아인이나 마실 수 있는 갓 담근 포도주를 너무 많이 마신 사람 같다는 인상을 주었다. 나는 작업장 앞에서 묘비 문구와 문구 도안을 비교하며 서 있는 그에게 다가갔다.

"어서 오십시오." 피흘러가 무뚝뚝하게 인사했다. 나는 그 인사에 응했다.

"당신이 유명한 조각가 피흘러 씨입니까?" 내가 물었다. 트라우들이 빈 사람들은 과장된 직함과 아첨에 열광한다고 조언했었다.

"네, 접니다." 그가 약간 잘난 척하며 말했다. "멋진 신사분께서는 묘비를 주문할 생각이신가요?" 그가 도로테어 가에 있는 미술관 큐레이터라도 된다는 듯 말했다. "좋은 묘비를 원하실 테죠." 그러고는 금색으로 이름과 날짜가 새겨진, 광택이 나는 큼직한 검은색 대리석 조각을 가리켰다. "대리석을 원하십니까? 아니면 주문 제작 조각상? 아니면 그냥 조각상?"

"솔직히 말씀드리면 그런 게 꼭 필요해서 온 건 아닙니다, 피흘러 씨. 저는 최근에 당신이 내 친구 막스 압스 박사를 위해 멋진 비석을 만드셨다고 알고 있습니다. 그가 하도 기뻐하길래 그와 비슷한 걸 볼 수 있을지 해서 왔습니다."

"네, 그 박사님, 기억납니다." 피흘러는 작은 초콜릿 케이크 같은 모자를 벗고 잿빛 정수리를 긁적였다. "하지만 그 특별한 디자인이 지금 당장은 기억나지 않는군요. 그분이 주문한 게 어떤 건지 기억나십니까?"

"미안하지만 그가 그걸 보고 기뻐했다는 것밖에 모릅니다."

"괜찮습니다. 훌륭하신 신사분께서 내일 또 들러 주신다면 박사님의 주문서를 찾아 놓겠습니다. 설명드리자면 이런 거죠." 그는 내게 고인을 '도시 하수관 관리자'라고 쓴 묘비 도안 스케치를 보여 주었다.

"이 고객의 도안처럼," 그가 열을 올리며 말했다. "여기에 고객의 이름과 주문 번호를 적어 놓죠. 주문품이 완성되면 도안은 종류에 따라 철해 놓습니다. 그리고 고객의 이름을 찾으려면 판매 장부를 찾습니다. 하지만 지금 당장은 이 주문품을 급하게 끝내야 해서 정말이지⋯⋯," 그가 가슴을 툭툭 쳤다. "오늘은 죽을 만큼 바쁘군요." 그가 미안하다는 의미로 어깨를 으쓱했다. "밤늦게까지 일해야 해서요. 더군다나 직원도 모자란 형편이랍니다."

나는 그에게 감사를 표하고 도시 하수관 관리자에게로 돌아간 그를 뒤로했다. 아마 고인은 시내 배관공이었으리라. 그렇다면 탐정은 죽은 뒤에 어떤 명칭이 붙게 되는 걸까? 마을로 가는 전차 바깥 측의 위태로운 위치에서 균형을 잡고 있다는 것을 잊으려고 애쓰며 내 천박한 직업에 대한 우아한 직함들을 생각해 보았다. 고독한 전문직 남성. 형이하학적 조사 대리인. 당혹과 불안에 대한 의문 해결 대행자. 난민과 난제에 대한 비밀 조사자. 의뢰인을 위한 맞춤 성배 탐지자. 진실을 좇는 추적자. 마지막 직함이 가장 마음에 들었다. 하지만 지금 의뢰받은 이 특별한 사건에 관해서 만큼은 적절히 반영할 만한 직함이 없었다. 완고하게 지구가 평평하다고 믿는 사람들조차 손을 들게 할 만큼 가망 없는 이번 일만큼은.

14

모든 가이드북에는 빈 사람들이 음악을 열정적으로 사랑하는 만큼 춤도 사랑한다고 쓰여 있었다. 그렇지만 가이드북은 모두 전쟁 전에 출간되었고, 그 책을 쓴 사람들이 매일 저녁을 도로테어 가에 있는 카사노바 클럽에서 보내지는 않았을 것이다. 카사노바의 밴드는 가장 불명예스러운 후퇴를 생각나게 하는 음악을 연주중이었고, 대충 춤이라고 할 만한 몸짓을 하고 있는 사람들의 움직임은 극히 좁은 우리에 갇힌 북극곰의 몸짓을 흉내 내는 듯 보였다. 이곳에서 열정의 징후를 찾으려면 글라스라도 빙빙 돌려 술 속에서 시끄러운 소리를 내는 얼음의 움직임이라도 봐야 했다.

카사노바에서 한 시간을 보낸 나는 목욕하는 처녀들 사이에 둘러싸인 환관 같은 무력감을 느꼈다. 인내심을 가지라고 나 자신을 다독이며 빨간 벨벳과 새틴으로 된 칸막이 자리의 의자에 기대 천장에 드리워진 텐트 모양의 가리개를 우울하게 응시했다. 베커의 두 친구 같은 처지가 되지 않으려면(베커가 뭐라고 하든 나는 그들이 죽었다는 걸 의심하지 않았다) 이곳 단골들에게 헬무트 쾨니히나 그의 여자친구 로테를 아는지 물으며 돌아다니는 것만큼은 피해야 했다.

외관상 터무니없을 만큼 화려하게 보이는 카사노바는 소심한 사람이 피하고 싶어 할 정도의 장소는 아니었다. 문가에 특대 턱시도를 입은 문지기들도 보이지 않았고, 은제 이쑤시개 이상의 치명적인 무기를 갖고 다닐 것처럼 보이는 사람도 없었으며, 웨이터들은 모두 추천할 만한 아첨꾼들이었다. 쾨니히가 더 이상 카사노바를 들락거리지 않기로 했다면 소매치기를 당할까 봐 걱정스러워서는 아닐 것이다.

"벌써 돌기 시작했나요?"

키가 큰 그녀는 눈에 확 띄는 여자였다. 16세기 이탈리아 프레스코화의 모델 같다고 해도 과언이 아닐 만큼 가슴, 배, 엉덩이가 모두 지나치게 관능적이었다.

"천장 말이에요." 그녀가 담배물부리를 수직으로 추켜세우며 말했다.

"아직은."

"그렇다면 저에게 한잔 사실 수 있겠군요." 그녀가 그렇게 말하며 내 옆에 앉았다.

"당신 같은 사람이 나타나지 않아 슬슬 걱정하던 참이었소."

"알아요. 난 당신이 꿈꿔 왔을 여자니까요. 자, 이제 내가 여기 있어요."

나는 웨이터를 손짓해 불러 그녀가 말한, 소다를 넣은 위스키를 주문했다.

"나는 그렇게 꿈을 많이 꾸는 사람이 아니라서." 내가 그녀에게 말했다.

독일 장송곡

"그것 참, 안됐군요. 안 그래요?"

그녀가 어깨를 으쓱했다.

"당신이 꾸는 꿈은 뭐요?"

"이봐요," 그녀가 빛나는 긴 머리칼을 찰랑이며 말했다. "여긴 빈이에요. 여기서 남에게 꿈 얘기를 하는 건 금지예요. 당신은 절대 모를걸요. 사람들이 정말 뜻하는 바를 알게 된다면 당신이 있게 될 곳이 어딜 것 같아요?"

"뭔가 숨기는 게 있는 것처럼 들리는군."

"당신은 광고판을 걸치고 다닐지 모르지만 대부분의 사람들은 숨길 무언가가 있는 법이죠. 특히 요즘 같은 때는요. 머릿속에."

"이름 정도는 밝혀도 되겠지. 베르니라고 하오."

"베른하르트를 줄인 이름인가요? 산악 구조견 이름[25]과 같은?"

"대충 그렇소. 내가 구조에 나설지 말지는 내 목에 걸린 술통의 브랜디 양에 달렸소. 가득 담겼을 때는 그렇게 충성스럽진 않지."

"술 취한 남자가 충성스럽다는 말은 들어 본 적도 없어요." 그녀는 머리를 내 담배 쪽으로 까딱했다. "남는 담배 있어요?"

나는 담뱃갑을 건넸고, 그녀가 물부리에 담배를 돌려 끼워 넣는 모습을 바라보았다. "이름을 말하지 않았소." 엄지손톱으로 성냥불을 켜 그녀에게 붙여 주며 말했다.

"베로니카, 베로니카 차르틀. 만나서 반가워요, 정말로요. 여기서 처음 보는 얼굴 같은데요. 어디 출신이죠? 말투가 피프케처럼 들리는

---

25. 베른하르트의 영어 발음은 '버나드'로 세인트버나드를 의미.

군요."

"베를린."

"그럴 줄 알았어요."

"문제 있소?"

"당신이 피프케들을 좋아한다면 상관없어요. 공교롭게도 대부분의 오스트리아인은 피프케를 좋아하지 않아서요." 베로니카는 요즘 전형적인 빈 사람들이 그러듯 시골뜨기가 쓰는 것 같은 말투로 느릿느릿 말했다. "하지만 난 사람들 생각은 신경 안 써요. 가끔 피프케로 오해받을 정도죠. 그들처럼 말하지 않기 때문에요." 그녀가 키득거렸다. "변호사나 치과 의사 들이 독일인으로 오해받지 않으려고 전차 운전수나 광부처럼 말하는 걸 들으면 이상해요. 대개는 가게에서 확실한 대우를 받으려고 그러죠. 모든 오스트리아인이 좋은 대우를 받을 자격이 있다고 생각하니까요. 당신도 시도해 봐요, 베르니. 그럼 반응이 어떻게 다른지 알 수 있을 거예요. 아시겠지만 빈 사람들은 아주 단순해요. 뭔가를 씹고 있는 것처럼 말끝마다 '구먼'을 한번 붙여 봐요. 영리하구먼, 어때요?"

웨이터가 그녀의 술을 가지고 오자 그녀는 약간 못마땅해하는 표정을 지었다. "얼음이 없네요." 그녀가 그렇게 중얼거렸을 때 내가 은쟁반 위에 지폐를 놓고 거스름돈은 됐다고 하자 베로니카의 눈썹이 의아하다는 듯이 올라갔다.

"그런 팁을 준다는 건 이곳에 다시 오겠다는 뜻이군요."

"놓치는 게 없군."

"그런가요? 그러니까, 다시 올 생각이냐고요."

"그럴지도 모르지. 항상 그런 걸 맞히오? 이곳은 불 꺼진 벽난로만큼이나 북적이는군."

"북적거릴 때까지 기다려 봐요. 그럼 다시 지금 같길 바라게 될 테니까요." 그녀는 술을 한 모금 마시고 금빛이 도는 붉은색 벨벳 의자에 등을 기댄 채 활짝 편 손으로 벽을 덮고 있는 새틴 천을 쓰다듬었다.

"조용한 분위기를 좋아하나 봐요. 그게 서로에 대해 알 기회를 주죠. 저 두 사람처럼요." 베로니카가 서로 상대가 되어 춤을 추고 있는 두 여자를 향해 의미를 담아 물부리를 흔들어 보였다. 엉덩이를 꽉 조인 야한 옷차림과 번쩍이는 인조 보석 목걸이 탓에 그들은 한 쌍의 서커스 말들처럼 보였다. 베로니카의 시선을 눈치챈 두 여자는 서로의 얼굴을 마주 보고 자신감에 찬 말 울음 소리를 냈다.

나는 그들이 우아하게 작은 원을 그리며 도는 모습을 바라보았다. "당신 친구들이오?"

"친구까진 아니에요."

"저 둘은…… 애인 사이?"

그녀가 어깨를 으쓱했다. "당신이 그렇게 생각한다면 그런 거죠." 그녀가 웃음을 터뜨리자 앙증맞은 코에서 연기가 새어 나왔다. "두 사람은 자기 하이힐에 운동을 시키고 있을 뿐이에요."

"키 큰 쪽은 누구지?"

"이볼리아. 헝가리어로 제비꽃이란 뜻이죠."

"금발 머리는?"

"밋치." 베로니카는 그 여자의 이름을 말하면서 약간 발끈한 기색이었다. "당신은 저 둘과 노는 게 나을지도 모르겠네요." 그러고는 콤팩트를 꺼내 작은 거울로 입술을 점검했다. "어쨌든 난 이만 가 봐야 해요. 엄마가 걱정하실 테니까."

"나를 상대로 '빨간 모자를 쓴 소녀'를 연기할 필요는 없소. 당신 어머니가 당신이 길에서 벗어나 숲으로 들어가든 말든 관심이 없다는 걸 우리 둘 다 알고 있으니까. 그리고 저기 있는 두 폭죽에 관해서라면, 남자로서 창밖에서 보는 것 정도는 괜찮지 않소?"

"물론이죠. 하지만 코가 납작해지도록 창에 바싹 붙어 볼 필요는 없잖겠어요. 내가 옆에 없다면 모를까."

"내 생각엔 말이오, 베로니카. 누군가의 아내처럼 들리는 말을 하려고 애쓰는 건 그만두는 게 좋겠소. 솔직히 말하자면 그런 아내들 말이 남자를 이런 곳으로 모니까." 나는 그녀에게 아직 우호적이라는 것을 알리려고 미소를 지었다. "그리고 당신 목소리에는 방망이를 들고 누군가를 쫓는 것 같은 느낌이 있소. 그럼 저 문을 통해 걸어 들어온 남자는 다시 저 문을 통해 있던 곳으로 돌아가고 싶어지지."

그녀가 나에게 미소를 돌려주었다. "그것도 맞는 말 같군요."

"당신은 초콜레이디 일을 시작한 지 얼마 안 된 것 같군."

"빌어먹을," 그녀의 미소가 쓴웃음으로 바뀌었다. "누구나 그렇게 살아가지 않나요?"

너무 피곤해서 베로니카를 숙소로 데려갈지언정 카사노바에서는 더 이상 머물고 싶지 않은 게 사실이었다. 대신 나는 그녀에게 담배 한 갑을 주고 다음에 또 보자고 말했다.

빈의 늦은 밤은 아틀란티스의 잃어버린 도시와 비교한다면 모를

독일 장송곡
－
143

까, 다른 어떤 대도시와도 비교하기 어려웠다. 다른 도시에서는 좀먹은 우산을 파는 가게도 빈보다는 더 문을 늦게 닫았다. 술이 몇 잔 더 들어간 뒤 베로니카가 해 준 말에 따르면, 오스트리아 사람은 흥청망청 밤을 보내기로 마음먹은 날이 아니면 집에서 저녁 시간을 보내길 좋아했고, 흥청망청 보낼 때에도 일찌감치 여섯시나 일곱시부터 시작하는 게 보통이라고 했다. 열시 반밖에 되지 않았는데도 카스피안 펜션으로 돌아가는 길은 텅텅 비어 있었고, 동행이라고는 내 그림자와 반쯤 술에 취해 휘청이는 내 발소리뿐이었다.

탄내가 나는 베를린에 비하면 빈의 공기는 새소리만큼이나 상쾌했다. 하지만 밤은 추웠고, 나는 코트 안에서 몸을 떨었다. 밤새 일어나는 소련군의 유괴를 경고한 리블 박사의 말을 상기하면서 밤의 정적에 반감을 느끼며 발걸음을 서둘렀다.

링을 지나 시민 공원 방면으로 용사 광장을 가로질러 숙소가 있는 요제프슈타트로 가면서 소련군에 대한 생각을 떨칠 수 없었다. 소련 점령지에서 멀리 떨어져 있는데도 이곳에는 도처에 그들의 자취가 널려 있었다. 4개국이 공동으로 관리하는 도시 중심부에서 소련군은 많은 공공건물을 점유중이었는데, 합스부르크 황궁도 그중 하나였다. 황궁 정문 위에 거대한 붉은 별이 걸려 있었다. 그 한가운데에는 스탈린의 옆모습을 그린 초상화와 그보다 흐릿한 레닌의 초상화가 서로 등을 맞대고 의미심장하게 걸려 있었다.

폐허가 된 박물관을 지나쳤을 때였다. 누군가가 내 뒤, 돌무더기 잔해와 건물 그림자 사이에서 주저하고 있는 듯한 기색이 느껴졌다. 즉시 그 자리에 멈춰 서서 주위를 둘러보았지만 아무것도 보이지 않았다. 이윽고 삼십 미터쯤 떨어진, 예전에 본 적 있는 영안실 서랍 안에 든 시체처럼 팔다리가 떨어져 나가고 몸통만 남은 조각상 옆에서 나는 소리가 들렸다. 다음 순간 돌무더기 꼭대기에서 작은 돌이 굴러 떨어지는 모습이 보였다.

"외롭기라도 한가 보지?" 얼토당토않은 질문을 외치는 게 멍청한 짓이라는 생각이 들지 않을 만큼 취기가 가시지 않은 내가 소리쳤다. 내 목소리가 폐허가 된 박물관에 메아리쳤다. "흥미 있는 게 박물관이라면 이미 문을 닫았다고. 알다시피 폭격 때문이지. 끔찍한 일이야." 대꾸가 없었고, 나는 나도 모르게 웃음을 터뜨렸다. "네가 만약 스파이라면 운 좋은 줄 알아. 이제부터는 각광받는 새 직업일 테니까. 특히 네가 빈 출신이라면. 너무 곧이곧대로 받아들이지는 말라고. 러시아 놈들이 한 말이니까."

계속 웃으면서 발걸음을 돌렸다. 미행을 당하든 말든 애써 신경 쓰지 않으려고 했지만 마리아힐퍼 가를 가로지르면서 담배에 불을 붙이려고 멈춰 섰을 때 다시 발소리가 들렸다.

빈의 지리를 잘 아는 사람이라면 이 길이 스코다 가로 가는 최단 경로가 아니라는 것을 알 것이다. 나조차 알고 있었다. 내 마음 한구석, 아마 알코올의 영향이 작용한 마음 한구석은 나를 미행하는 자가 누구며 왜 미행하는지 알아내고 싶어 했다.

미군 막사 앞에서 헌병이 보초를 서며 추운 시간을 보내고 있었다. 그는 텅 빈 거리 건너편을 걷고 있는 나를 유심히 지켜보는 중이었고, 내 뒤에 따라붙은 자가 헌병대 특별 수사부라면 그 일원으로서 알아보지 않을까 생각했다. 아마 두 사람은 같은 야구팀일지도 모르고,

미군들이 먹거나 여자들 꽁무니를 뒤쫓지 않을 때면 하는 게임이 뭐든 간에 같은 팀의 일원일지도 몰랐다.

비탈진 길의 경사면을 오르면서 왼편을 힐끗 보니 문이 하나 눈에 들어왔다. 문을 지나 몇 개의 계단을 내려가면 인접한 거리의 좁은 골목으로 이어지는 것 같았다. 나는 본능적으로 그 문으로 들어갔다. 빈의 거리가 화려한 밤 문화와는 담을 쌓은 곳인지는 몰라도 걷기에는 완벽한 곳이었다. 폐허가 된 거리의 지리에 정통하고 이 편리한 샛길들을 아는 사람이라면 경찰의 엄중한 경계선조차 장발장보다 더 잘 **빠져나갈** 수 있을 터였다.

내 앞 저편에서 누군가가 계단을 내려가고 있었다. 나를 쫓는 자가 앞서 가는 사람을 나로 착각할지도 모른다는 생각에 나는 벽에 찰싹 달라붙어 어둠 속에서 그자를 기다렸다.

잠시 후 나는 한 사내가 가벼운 발걸음으로 뛰어오는 소리를 들었다. 이윽고 골목 어귀에서 발소리가 멈췄다. 그자가 내 뒤를 쫓아도 괜찮을지 판단하는 듯했다. 또 다른 사람의 발소리가 들리자 그는 앞으로 나아가기 시작했다.

나는 어둠 속에서 나와 그자의 명치에 펀치를—내가 다 고통을 느껴서 주먹을 빼야 할 만큼 세게— 날린 후 그가 바람 빠지는 소리를 내며 계단에 쓰러져 있는 동안 그의 어깨가 드러나도록 코트를 잡아당겨 팔을 움직이지 못하게 했다. 총은 소지하지 않은 모양이다. 그의 가슴 주머니에서 지갑을 꺼내 신분증을 빼냈다.

"존 벨린스키 대위," 신분증의 이름을 읊었다. "미 제430 CIC.[26] 이게 뭐지? 실즈 씨의 친구인가?"

사내는 천천히 일어나 앉았다. "엿이나 먹어라, 크라우트.[27]" 그가 분노의 말을 내뱉었다.

"나를 미행하라는 명령을 받았나?" 나는 신분증을 그의 무릎 위에 던지고 지갑을 뒤져 보았다. "다른 임무를 배정해 달라고 하는 게 나았을 텐데, 조니. 이런 일은 당신한테 맞지 않아. 난 당신보다 덜 눈에 띄는 스트립 댄서를 본 적도 있지." 지갑에는 흥미를 끌 만한 게 별로 없었다. 달러 군표軍票 몇 장, 오스트리아 실링 조금, 양키 전용 영화관 티켓 한 장, 우표 몇 장, 자허 호텔 룸 카드 그리고 예쁜 여자 사진 한 장.

"다 검사했나?" 그가 독일어로 물었다.

나는 그에게 지갑을 던졌다.

"예쁜 아가씨 사진을 갖고 다니는군, 조니. 그 아가씨도 따라다녔나? 내 사진도 줘야 할지 모르겠는데. 사진 뒤에 주소를 적어서 말이야. 그렇게 해 주는 편이 낫겠구먼."

"씹할, 크라우트."

"조니," 내가 마리아힐퍼로 돌아가는 계단을 오르며 말했다. "모든 여자들에게 그렇게 말하고 다녔나."

---

26. Counter-Intelligence Corps, 미군의 방첩부대로 2차 세계대전과 냉전시기 정보 수집과 정치 공작 활동을 했다.
27. 독일인을 비하해 부르는 명칭.

15

피흘러는 먼지와 피투성이 손에 그의 밥줄인 장비—망치와 끌—를 단단히 움켜쥐고 신석기 돌 바퀴를 고치는 원시시대 자동차 정비공처럼 거대한 돌 조각 밑에 누워 있었다. 마치 검은 돌에 비문을 새기다가 잠시 숨을 돌리고 가슴에서 수직으로 곧장 뻗어 나온 듯한 글자를 해독이라도 하고 있는 것 같았다. 하지만 이런 자세, 즉 비문과 직각을 이루며 작업하는 석공은 없었다. 그는 결코 다시는 숨을 돌릴 수 없으리라. 심장과 허파가 부드럽고 유동성 있는 애완동물이라면 인간의 흉곽은 충분히 튼튼한 우리가 될 수 있지만 광택이 나는 반 톤짜리 대리석에 깔리면 쉽게 짜부라져 버린다.

사고처럼 보였지만 해석은 명백히 한 가지뿐이었다. 피흘러를 발견한 작업장에서 발을 돌려 사무실로 갔다.

사업 장부 체계에 관한 고인의 설명을 희미하게 기억해 냈다. 내게 복식 부기의 정확성은 가죽 덧신 정도의 도움밖에 되지 않는다. 소규모 사업자로서 장부에 관한 내 지식은 한쪽 장부의 내용이 다른 쪽과 정확히 부합하게 되어야 한다는 정도의 기초적인 것뿐이다. 피흘러의 장부가 조작됐다는 것을 확인받기 위해 윌리엄 랜돌프 허스트[28]에게 장부를 가져갈 것까지도 없었다. 회계상의 미묘한 차이에 의한 조작이 아닌, 두 페이지를 찢는 간단한 방법이었다. 보잘것없는 재무분석 때문에 장부가 찢긴 게 아니라면 피흘러의 죽음은 결코 사고가 아니었다.

장부의 해당 페이지를 훔친 살인자가 막스 압스 박사의 비석 도안까지 훔쳤는지 확인하기 위해 작업장으로 돌아갔다. 몇 분 동안 주변을 꼼꼼히 살핀 끝에 마당 뒤편 작업장 벽에 기대어 있는 먼지 묻은 그림 파일 몇 개를 발견했다. 첫 번째 파일을 펼쳐 도안가의 그림을 자세히 살피기 시작했다. 채 십 미터도 떨어져 있지 않은 곳에 돌에 깔려 죽은 남자가 있었고, 그 주변을 수색하다가 누군가에게 들키고 싶지 않았기 때문에 서둘러 일을 진행했다. 마침내 해당 도안을 찾아내 힐끗 훑어본 다음 도안을 접어 코트 주머니에 넣었다.

71번 전차를 타고 마을로 돌아가 캐르트너 링의 전차 종점 가까이에 있는 슈바르첸베르크 카페로 갔다. 비엔나 커피를 주문하고 테이블 위에 도안을 펼쳤다. 도안은 신문을 펼친 면 정도의 크기로 고객의 이름—막스 압스—이 도안의 오른쪽 상단에 스테이플러로 고정한 주문서에 명확히 표기되어 있었다.

비문의 내용은 다음과 같았다. '1899년에 태어나 1945년 4월 9일 사망한 마르틴 알베르스를 추모하며. 아내 레니와 두 아들 만프레트와 롤프에게 사랑받다. 보라. 내가 너희에게 비밀을 말하노니 우리가 다 잠 잘 것이 아니요. 마지막 나팔에 순식간에 홀연히 다 변화되리

---

28. 미국 17개 도시에 일간지, 통신사, 출판사, 방송국을 경영한 미국의 신문 경영자.

니. 나팔 소리가 나매 죽은 자들이 썩지 아니할 것으로 다시 살아나고 우리도 변화되리라. 고린도 전서 15장 51~52절.'

막스 압스의 주문서에는 그의 주소가 적혀 있을 뿐으로, 죽은 자— 아마 처남?—의 명의로 된 비석 대금을 박사가 지불했고, 비문을 새긴 남자가 이제 살해됐다는 사실 이외에 그다지 알 수 있는 게 없는 것 같았다.

후광처럼 빛나는 대머리 주위로 잿빛 곱슬머리가 자란 웨이터가 내 비엔나 커피와 물 잔이 담긴 작은 쟁반을 들고 왔다. 빈에 있는 카페들은 커피를 시키면 보통 물을 한 잔 서비스했다. 쟁반을 내려놓을 자리를 마련하기 위해 내가 도안을 치우기 전에 그가 도안을 힐끗 내려다보고 동정의 미소를 띠며 말했다. "애통해하는 자들에게는 복이 있나니, 그들에게 평안을."

나는 웨이터의 친절에 감사를 표하고 후한 팁을 준 뒤 먼저 전보를 칠 수 있는 곳을 묻고 그다음 베르크 가가 어디에 있는지 물었다.

"중앙 전보국은 뵈르제 광장에 있습니다." 그가 대답했다. "쇼텐링 역 근처에요. 거기서 북쪽으로 몇 블록만 가시면 베르크 가가 나옵니다."

한 시간쯤 뒤 나는 키르슈텐과 노이만에게 전보를 친 후 베커가 갇혀 있는 경찰 교도소와 그의 여자친구가 근무하는 병원 사이에 놓인 베르크 가를 걸었다. 그 우연이 거리 자체보다 더 이목을 끌었다. 거리는 주로 의사와 치과의 들이 점령한 것처럼 보였다. 압스가 중이층을 썼던 건물의 주인인 노부인은 바로 몇 시간 전에 그가 자신에게 영원히 빈을 떠날 거라고 했다고 말했다. 그 사실이 특별히 놀랍지 않다는 생각이 들었다.

"뮌헨인가에서 일 때문에 급히 불려 가는 거라고 했지." 노부인은 이 갑작스러운 출발에 아직도 조금은 얼떨떨해하는 기색으로 말했다. "뮌헨이 아니면 적어도 그 근방 어디일 거요. 그가 지명을 말해 줬는데 미안하지만 까먹었다오."

"풀라흐 아니었습니까?"

그녀는 진득하게 생각하는 표정을 지으려고 애쓰는 것 같았지만 성마른 표정으로밖에 보이지 않았다. "모르겠어. 그런 것 같기도 하고 아닌 것 같기도 하고." 노부인은 마침내 그렇게 말했다. 그녀가 평상시의 우둔한 표정으로 돌아오자 얼굴에서 구름이 걷혔다. "어쨌든 자리를 잡으면 어딘지 알려 주겠다고 말했다오."

"짐을 모두 가져갔습니까?"

"가져갈 게 그리 많지 않았어요. 서류 가방 두 개쯤 될까. 가구는 아파트에 딸려 있는 거니까." 노부인이 다시 얼굴을 찌푸렸다. "댁은 경찰이나 뭐 그런 사람이오?"

"아니요. 그의 방이 궁금해서요."

"이런, 왜 말하지 않았어요? 들어와요, 그런데 댁은 어떤……?"

"아, 교수입니다." 나는 빈 사람들 특유의 딱딱한 말투처럼 들리길 바라며 그렇게 말했다. "쿠르츠 교수입니다." 학구적 인상이 노부인의 속물근성에 어필할 수 있는 구실을 줄 가능성도 있었다. "막스 압스도 알고, 저도 아는 쾨니히 씨라고 있는데, 그가 말하길 이 주소에 멋진 방이 빌지도 모른다고 하더군요."

나는 문을 열고 들어가는 노부인을 따라 높은 유리문이 나 있는 큰 홀로 들어갔다. 열린 유리문 밖으로 플라타너스 한 그루가 서 있는 중정이 보였다. 우리는 연철 계단 쪽으로 향했다.

"까다롭게 구는 저를 이해해 주시리라 믿습니다." 내가 말했다. "친구의 정보가 얼마나 신빙성 있는지 확신할 수 없어서요. 그 친구가 이 아파트가 훌륭하다고 어찌나 고집스럽게 말하던지. 요즘 빈에서 신사가 쓸 만한 괜찮은 아파트를 구하기가 얼마나 어려운지 말씀드리지 않아도 아실 겁니다. 혹시 쾨니히 씨를 아십니까?"

"아니요." 그녀가 잘라 말했다. "압스 박사의 친구라면 아무도 본 적 없는 것 같은데. 그는 아주 조용한 사람이었다오. 그건 그렇고 댁의 친구는 정보가 빠르구려. 한 달에 사백 실링짜리 아파트 중에 이보다 나은 건 찾을 수 없을 거요. 이웃도 다 괜찮고." 아파트 입구에서 그녀는 목소리를 낮췄다. "게다가 유대인은 코빼기도 찾아볼 수 없지." 그녀는 재킷 주머니에서 열쇠를 꺼내 거대한 마호가니 문의 열쇠 구멍에 밀어 넣었다. "물론 합병²⁹ 전에는 어느 정도 있었지만. 이 집에도 말이오. 하지만 전쟁이 발발하고 나서는 다 사라졌다오." 그녀가 문을 열고 나에게 아파트를 보여 주었다.

"여기라오." 노부인이 자랑스럽게 말했다. "방이 모두 여섯 개야. 이 거리에 있는 몇몇 아파트만큼 크지는 않지만 그만큼 비싸지 않으니까. 내가 가구 완비라고 말했던가."

"멋지군요." 내가 둘러보며 말했다.

"미안하지만 미처 청소할 새가 없었다오." 그녀가 사과했다. "압스

---

29. 1938년 독일에 의한 오스트리아 합병.

박사가 버려야 할 쓰레기를 잔뜩 두고 갔다니까. 그래서 언짢다는 건 아니고. 대신 한 달 치 집세를 더 주고 갔으니까." 그녀가 닫혀 있는 어떤 문을 가리켰다. "저 방에는 아직도 폭격의 흔적이 남아 있다오. 러시아 놈들이 왔을 땐 정원에 불을 지르기도 했는데 곧 원상 복구 할 거요."

"그러면 분명히 멋지겠군요." 내가 맞장구쳤다.

"그렇고말고요. 나는 먼저 갈 테니 천천히 둘러보시구려, 쿠르츠 교수님. 좋은 데라는 걸 아시게 될 거라니까. 다 보시면 문을 잠그고 우리 집 문을 두드려요."

노부인이 나간 후 나는 방들을 둘러보았다. 독신 남자치고 압스는 이례적일 만큼 많은 구호물자를 받은 것 같았다. 미제 구호 식량이었다. 뉴욕 브로드 가라는 주소와 독특한 이니셜이 쓰인 판지 상자만 오십 개가 넘었다.

구호물자라기보다 괜찮은 사업 거리처럼 보였다.

다 둘러본 후 나는 노부인에게 좀 더 큰 집을 찾는다고 말하고 아파트를 보게 해 주셔서 감사하다는 인사를 전했다. 그리고 나서 스코다 가에 있는 숙소로 천천히 걸어서 돌아왔다.

돌아오고 얼마 안 있어 문을 노크하는 소리가 들렸다.

"귄터 씨?" 병장 계급장을 단 사내가 물었다.

나는 끄덕였다.

"죄송하지만 저희와 좀 가 주셔야겠습니다."

"체포되는 거요?"

"죄송하지만 뭐라고 하셨습니까?"

독일 장송곡
—
153

나는 어눌한 영어로 그 질문을 반복했다. 미 헌병이 씹고 있던 껌을 성마르게 우물거렸다.

"헌병대 본부에서 설명해 드릴 겁니다, 선생님."

나는 옷걸이에서 재킷을 들어 걸쳤다.

"신분증을 잊지는 않으셨겠죠, 선생님?" 그가 공손하게 미소를 지었다. "그것 때문에 돌아올 수는 없으니까요."

"물론이오." 내가 모자와 코트를 챙기며 말했다. "차를 가져왔소? 아니면 걸어서?"

"현관 앞에 트럭이 있습니다."

우리가 로비로 내려오자 주인아주머니가 눈에 띄었다. 놀랍게도 그녀는 전혀 동요하는 것 같지 않았다. 자신의 투숙객들이 국제경찰에 끌려가는 모습에 익숙한 듯했다. 아니면 내가 여기서 자든 경찰 구치소에 자든 어차피 다른 사람이 숙박료를 내고 있다는 사실을 자신에게 되뇌는 중인지도 몰랐다.

트럭에 올라 북쪽으로 몇 미터 나아간 다음 오른쪽으로 급선회하여 도심에서 떨어진 레더러 가를 향해 남쪽 방면 국제 헌병대 본부로 향했다.

"캐르트너 가 쪽으로 가는 게 아니오?" 내가 물었다.

"국제경찰과는 관계없는 일입니다, 선생님." 병장이 설명했다. "이건은 미국 관할과 관계있는 겁니다. 우리는 마리아힐퍼 가에 있는 헌병대 본부로 가는 중입니다."

"누구를 만나러? 실즈나 벨린스키?"

"차차 아시게 될……."

"······거기에 가면 말이군, 좋소."

제796헌병대 본부는 마리아힐퍼 가를 면한 사 층짜리 백화점 건물의 일부를 차지하고 있었다. 반양각으로 장식된 도리아식 기둥과 바로크 양식을 흉내 낸 지붕이 달린 틸러스 백화점의 양쪽 입구 사이에 그리핀과 그리스 전사들이 다소 부자연스럽게 위치해 있었다. 우리는 이 입구의 거대한 아치를 통과하여 건물 뒤편으로 나온 뒤 연병장을 지나 병영으로 사용하고 있는 또 다른 건물로 갔다.

트럭은 몇 개의 문을 통과하여 병영 앞에 멈춰 섰다. 호위를 받으며 건물 안으로 들어간 나는 길게 이어진 두 개의 계단을 올라 크고 밝은 사무실로 들어갔다. 사무실 창으로 보이는 연병장 한쪽의 대공포 타워가 인상적이었다.

책상 뒤에 선 실즈가 치과 의사에게 인상적으로 보이려고 애쓰듯 이를 드러내며 웃고 있었다.

"이쪽으로 와서 앉으십시오." 그는 우리가 오랜 친구 양 그렇게 말했다. 실즈가 병장을 보았다. "점잖게 모셔 왔나, 진? 아니면 엉덩이라도 때려야 했나?"

방긋 미소를 지은 병장은 내가 알아듣지 못한 말을 중얼거렸다. 이들의 영어를 알아들을 수 없는 것은 전혀 놀랄 일이 아닐 터였다. 미국인들은 항상 뭔가를 씹고 있었으므로.

"잠시 여기 있는 게 좋겠군, 진." 실즈가 덧붙였다. "이 친구를 심하게 다뤄야 할지도 모르니까." 그는 짧은 웃음을 터뜨리고 바지를 추어올린 뒤 어느 일본인보다 두 배쯤은 큰 다리를 사무라이처럼 쫙 벌리고 내 정면에 앉았다.

"우선 귄터, 이 얘기를 해야겠군. 국제 본부 산하기관에 진짜 빌어먹을 영국 놈, 캔필드 중위라는 녀석이 있는데, 그자는 자신에게 봉착한 작은 문제를 도와줄 누군가를 애타게 찾고 있소. 영국 점령지에서 어떤 석공의 젖꼭지에 바위가 떨어져 죽은 것 같은데 말이오. 중위의 상관을 포함한 모든 사람이 그게 사고였을 거라고 믿고 있지. 그 중위만 유독 예민하게 받아들이고 있소. 셜록 홈스를 읽은 그 친구는 제대하면 탐정 학교에 가고 싶어 하지. 누군가가 고인의 장부에 손을 댔다는 게 그의 추리요. 그게 누군가를 죽일 충분한 동기가 되는지 아닌지 모르겠지만 난 어제 오전 린든 대위의 장례식이 끝난 다음 당신이 피흘러의 사무실로 가는 걸 본 걸 기억하고 있소." 그가 빙긋 웃었다. "젠장, 인정하시지, 귄터. 난 당신을 주시하고 있었소. 자, 내 말에 어떻게 답변하겠소?"

"피흘러가 죽었다고요?"

"약간 더 놀란 기색을 보이는 게 어떻겠소? '피흘러가 죽었다니!'라든가 '맙소사, 당신 말을 믿을 수가 없군'이라든가. 그에게 어떤 일이 있었는지 모를 테지. 아시오, 귄터?"

나는 어깨를 으쓱했다. "사업을 감당할 수가 없었던 모양이군요."

실즈가 그 말에 웃음을 터뜨렸다. 그는 웃음 강습이라도 받은 것처럼 이를 다 드러내고 웃었다. 치아의 상태는 대부분 좋지 않았고, 푸른 권투 장갑 같은 턱은 그의 벗어지기 시작한 정수리에 남은 검은 머리터럭보다 더 넓었다. 그는 대부분의 미국인과 같이, 아니 그보다 더 시끄러운 사람 같았다. 어깨는 코뿔소처럼 크고 건장했고, 그가 입은 연갈색 플란넬 정장에는 두 자루의 스위스 미늘창[30]처럼 넓고 날카로운 깃이 달려 있었다. 넥타이는 카페테라스의 테이블을 덮고도 남을 것 같았고, 진갈색 옥스퍼드 구두를 신고 있었다. 러시아 놈들이 손목시계에 환장하는 것처럼 미국인들은 튼튼한 구두를 선호하는 것 같았다. 차이점이 있다면 미국인들은 보통 그것을 가게에서 산다는 점이었다.

"솔직히 말해 난 그 중위의 문제에는 관심이 없소." 그가 말했다. "영국 뒷마당의 똥은 내가 치울 일이 아니지. 그들이 치울 일이오. 그렇고말고. 난 단지 당신이 나에게 협력해야 할 필요가 있다는 설명을 하고 있는 거요. 당신이 피흘러의 죽음과 아무런 관련이 없을지 모르지만, 분명한 건 당신은 캔필드 중위에게 그것을 설명하느라 하루를 낭비하고 싶지 않을 거란 거요. 따라서 당신이 날 도와주면 나도 당신을 돕겠소. 나는 당신이 피흘러의 가게에 들어가는 모습을 본 걸 잊어버리겠소. 내 말을 이해하겠소?"

"당신의 독일어에는 아무 문제가 없군요." 내가 말했다. 그렇긴 해도 연극조라고 느껴질 만큼 정확하게 발음하는 자음과 앙심이 느껴지는 거친 악센트가 독일어를 난폭하게 말할 필요가 있는 사람이 쓰는 언어라고 생각하는 게 아닐까 하는 느낌이 들 정도였다. "만약 내가 피흘러 씨에게 어떤 일이 있었는지 전혀 모른다고 하면 문제가 되는 겁니까?"

실즈가 변명하듯 어깨를 으쓱했다. "말했듯이 그건 영국의 문제요. 내 문제가 아니라. 아마 당신은 결백하겠지. 하지만 내 말대로 그것

30. 끝이 나뭇가지처럼 둘 또는 세 가닥으로 갈라진 창.

을 영국 친구들에게 설명하는 건 골치 아픈 일이 될 게 분명할 거요. 확신컨대 그들은 당신들 하나하나가 염병할 나치라고 생각하고 있으니까."

나는 항복의 의미로 손을 들어 올렸다. "그래서 내가 어떻게 도우면 되겠습니까?"

"당신이 린든 대위의 이별 파티에 가기 전에 교도소에서 린든을 죽인 자와 만났다는 얘기를 듣고, 난 호기심을 억누를 수가 없더군." 그의 톤이 점점 날카로워졌다. "자, 귄터. 난 당신과 베커의 일이 도대체 어떻게 돌아가고 있는지 알고 싶소."

"베커 쪽 이야기는 알고 있을 테죠."

"내 담배 케이스에 새겨진 문구만큼이나 잘 알고 있소."

"베커는 함정에 빠졌다고 믿고 있습니다. 그 친구는 내게 그 건을 조사하도록 돈을 줬죠. 그리고 그 친구는 희망하고 있습니다. 그것이 증명될 거라는 걸."

"당신이 그 사건을 조사중이라고. 그러니까 당신은 뭐 하는 사람이오?"

"개인 조사관."

"탐정? 이런, 이런." 그가 의자에서 몸을 앞으로 기울여 손가락으로 내 재킷 끝을 쥐고 옷감의 재질을 감정했다. 옷 안에 면도날을 꿰매 넣어 두지 않아서 다행이었다. "아니, 못 믿겠는데. 당신은 거짓말에 서툰 것 같군."

"서툴든 뭐든 사실입니다." 나는 지갑을 꺼내 그에게 내 허가증을 보여 주었다. 그리고 옛 경찰 배지도. "전쟁 전엔 베를린 경찰이었죠.

베커도 경찰이었다는 사실은 말하지 않아도 알겠죠. 그게 내가 그를 어떻게 아는지에 대한 답입니다." 나는 담배를 꺼냈다. "피워도 되겠습니까?"

"피우시오. 하지만 말을 멈추지는 마시오."

"전쟁 후 난 경찰로 돌아가고 싶지 않았습니다. 공산당원들뿐이었으니까." 나는 그의 비위를 맞추고 있었다. 내가 만난 미국인 가운데 공산주의를 신봉하는 사람은 한 명도 없는 것처럼 보였다. "그래서 내 사업을 시작했습니다. 실은 삼십대 중반에 경찰에서 나와서 사무실을 열었지만 개인 사업은 조금밖에 못 했습니다. 따라서 이런 게임이 처음은 아니죠. 전쟁 이후 강제 추방자들이 많이 생겼고 많은 사람이 쓸 만한 경찰을 찾았습니다. 하지만 러시아 놈들 덕분에 베를린에서는 그런 경찰은 찾기 힘들었죠."

"그래요, 그건 빈도 마찬가지요. 소련이 이곳을 맨 먼저 점령했고, 그들은 자신들의 사람들로 경찰 상층부를 꾸렸지. 오스트리아 정부는 새로운 경찰 부청장을 맡을 조연 역을 내놓기 위해 빈 소방서의 서장을 찾아야 할 만큼 상황이 나빴소." 그가 머리를 흔들었다. "당신은 베커의 옛 동료였지. 어땠소? 그는 대체 어떤 경찰이었소?"

"꼬인 부류였죠."

"이 나라가 이렇게 엉망인 것도 놀랄 일은 아니군. 당신 역시 친위대였소?"

"잠깐 동안. 어떤 일이 벌어지고 있는지 알았을 때 난 전선으로 전속을 요청했습니다. 알다시피 그런 자들도 있었죠."

"많진 않았지. 이를테면 당신 친구는 그러지 않았지."

"친구가 아닙니다."

"그럼 왜 이 건을 맡았소?"

"돈이 필요해서. 잠시 아내와 떨어져 있을 필요도 있었고."

"이유를 물어도 되오?"

나는 잠시 샤이를 두고 그 말을 입 밖으로 내는 게 이번이 처음이라는 것을 깨달았다. "아내가 다른 남자를 만나고 있었습니다. 당신네 장교 중 한 명을. 내가 잠시 떨어져 있으면 아내가 더욱 중요한 게 뭔지 결정할 거라고 생각했죠. 결혼 생활인지 애인인지."

실즈가 고개를 끄덕이더니 동정 어린 신음 소리를 냈다.

"신분증은 적법한 거겠지?"

"물론." 나는 내 신분증과 특별 출입국 허가증을 건네고 그것들을 검사하는 그를 지켜보았다.

"러시아 점령지를 통해서 입국했군. 러시아 놈들을 좋아하지 않는 사람치고 베를린에서 꽤 연줄이 좋은 것 같소."

"신뢰할 수 없는 사람 몇을 알 뿐이죠."

"신뢰할 수 없는 러시아 놈들 말이오?"

"러시아에 다른 부류도 있습니까? 분명히 몇몇에게 돈을 먹여야 했지만 그 서류들은 진짭니다."

실즈가 신분증을 돌려주었다. "당신에 관한 프라게보겐[31]은 갖고 있소?"

나는 지갑에서 비나치화 증명서를 꺼내 건넸다. 그는 거기에 기록

---

31. 질문서, 즉 비나치화 증명서를 말함.

된 133가지 문항과 답을 읽을 생각은 없는 듯 힐끗 볼 뿐이었다. "무혐의? 왜 당신은 범죄자로 분류되지 않았지? 모든 친위대는 자동적으로 체포됐는데."

"난 국방군에서 종전을 맞았습니다. 러시아 전선에서. 그리고 말했듯이 친위대에서 전속됐으니까."

실즈가 앓는 소리를 내며 프라게보겐을 돌려주었다. "친위대는 마음에 안 들어." 그가 으르렁댔다.

"동감입니다."

실즈가 털이 잔뜩 난 자신의 손가락 중 하나를 품위 없이 장식하고 있는 큼직한 반지를 쳐다보았다. "알겠지만 우린 베커의 주장을 확인했소. 믿을 만한 건 없었소."

"내 생각은 다릅니다."

"뭐가 말이오?"

"자신의 얘기가 허튼소리라면 이 건을 맡아 달라고 내게 기꺼이 오천 달러를 냈을 거라 생각합니까?"

"오천 달러?" 실즈가 엉겁결에 휘파람을 불었다.

"머리가 올가미 안에 들어갈 상황이라면 그런 돈을 낼 가치가 있죠."

"물론이오. 뭐, 우리가 그를 잡았을 때 그자가 다른 곳에 있었다는 걸 당신이 증명할 수 있다면. 그자의 친구들이 우릴 쏘지 않았다고 재판관을 설득할 수 있는 뭔가를 찾을 수 있다면 말이오. 아니면 그에게 린든을 쏜 총이 없었다는 걸 증명하거나. 그것 말고도 당신은 이미 번득이는 아이디어가 많을 테지, 탐정 양반? 아마도 피홀러를

독일 장송곡
—
161

보러 가도록 당신을 이끈 감 같은 게?"

"레클라우어 앤드 베르베 첸트랄레에 있는 누군가가 피흘러라는 이름을 말했다고 베커가 기억하고 있더군요."

"누가?"

"막스 압스 박사?"

실즈가 그 이름을 안다는 듯 고개를 끄덕였다.

"나라면 피흘러를 죽인 자가 그라고 말할 겁니다. 아마 그는 내가 다녀가고 얼마 안 돼서 피흘러를 방문했다가 자신의 친구라고 말한 사람이 몇 가지 질문을 하고 갔다는 사실을 알게 됐겠죠. 피흘러는 내가 다음에 또 오겠다고 했다고 말했을 테고. 따라서 나에 앞서 압스가 그를 죽이고 자신의 이름과 주소가 쓰인 서류들을 가져간 겁니다. 적어도 그렇게 흔적을 없앨 작정이었겠죠. 압스는 그의 주소를 알아낼 서류가 그 밖에도 있다는 것을 잊었습니다. 내가 그 주소지에 갔을 때 이미 그는 사라진 뒤였죠. 압스의 집주인 말로 유추해 보건대 그는 지금쯤 뮌헨까지 반쯤은 갔을 겁니다. 알겠지만 실즈, 부하를 시켜 그가 기차에서 내릴 때 잡으면 어떨까 하는데 말입니다."

실즈는 형편없이 면도한 턱을 어루만졌다. "잡을 수 없을지도 모르지."

그는 자리에서 일어나 책상 뒤로 돌아간 다음 전화기를 들고 여러 군데에 전화를 걸었다. 내가 알아들을 수 없는 단어와 악센트로 통화했다. 마침내 전화기를 내려놓으며 손목시계를 보고 말했다. "뮌헨까지는 열한 시간 반이 걸린다는군. 따라서 그가 기차에서 내려 우리에게 환영받을 시간은 충분하오."

전화가 울렸다. 전화를 받은 실즈가 입을 딱 벌리고 눈도 깜박이지 않은 채 나를 응시했다. 마치 지금까지 내가 한 많은 이야기를 그다지 믿을 수 없었다는 듯이. 하지만 전화기를 내려놓았을 땐 또다시 씩 웃고 있었다.

"내가 전화를 건 곳 가운데 한 곳이 베를린 서류 센터였소. 그게 뭔지 알 테지. 린든이 거기서 근무했소?"

나는 끄덕였다.

"난 막스 압스라는 친구에 관한 서류가 있는지 문의했소. 방금 온 전화가 그에 대한 그쪽의 답이었소. 그 역시 친위대원이었던 것 같군. 전범으로 지명수배되진 않았지만 뭔가 우연 같지 않소? 당신, 베커, 압스, 모두 힘러의 작은 아이비리그의 문하들이라는."

"우연일 뿐이죠." 내가 힘없이 말했다.

실즈가 의자에 몸을 파묻었다. "나는 베커가 린든을 죽인 자라고 확고히 믿고 있소. 당신네 조직은 그가 죽길 바랐지. 그가 당신들에 대한 뭔가를 찾아냈기 때문에."

"오?" 실즈의 추리에 대단한 열의를 나타내지 않으며 내가 말했다. "그 조직이란 건 뭡니까?"

"지하 늑대 인간 조직."

나는 나도 모르게 큰 소리로 웃음을 터뜨렸다. "옛 나치의 제5열 이야기 말입니까? 우리의 정복자들에게 대항해 게릴라전을 계속할 작정으로 잔류한 광신도들? 농담이겠죠, 실즈."

"아니라고 생각합니까?"

"뭐, 그렇다면 출발이 약간 늦은 것 같군요. 전쟁이 끝난 지 거의 삼 년이 지났습니다. 당신네 미국인들은 지금까지 우리 여자들을 충분히 농락했습니다. 침대에서 당신네 목을 딸 마음이 없다는 걸 알게 된 지금까지. 그 늑대 인간들은……," 나는 측은하다는 듯 고개를 저었다. "난 그런 조직은 당신네 정보요원들이 꾸며 낸 거라고 생각합니다. 이 말을 해야겠군요. 그 똥 같은 이야기를 믿는 사람이 있다는 생각은 결코 해 본 적 없다고. 이봐요, 린든은 아마 전범 몇 명을 발견했을 테고, 그들이 린든을 제거하려고 했을 겁니다. 하지만 지하 늑대 인간 조직은 아닙니다. 좀 더 독창적인 걸 생각해 보는 게 어때요?" 나는 새 담배에 불을 붙이고 실즈가 내 말을 곰곰이 생각하며 고개를 끄덕이는 모습을 바라보았다.

"린든의 업무에 대해 베를린 서류 센터는 뭐라던가요?" 내가 물었다.

"공식적으로 그는 전범 및 안보 용의자 중앙 기록소의 담당 장교가 아니라더군. 린든은 단순 관리자로 현장 요원은 아니었다고 합디다. 만약 그가 정보 요원으로 근무했다 하더라도 그쪽 친구들이 우리에게 그 얘길 해 줄 리 없소. 그들은 화성 표면보다 더 많은 비밀을 품고 있으니까."

실즈가 책상 뒤에서 일어나 창가로 갔다.

"요전 날 본 보고서에는 오스트리아인 천 명당 두 명은 소련을 위해 스파이 짓을 하고 있다고 쓰여 있더군. 지금 이 도시 인구는 백팔십만 명이 넘어요, 귄터. 만약 엉클 샘[32]이 엉클 조와 같은 수의 스파

32. 미국을 뜻함.

이를 끌어안고 있다면 우리 문가에는 칠천 명이 넘는 스파이가 존재한다는 뜻이지. 영국과 프랑스도 마찬가지일 거라는 건 말할 나위도 없고. 빈 경찰뿐 아니라 빈 주립 경찰도 공산주의가 지배하고 있소. 당연히 공산주의자들뿐이겠지. 그뿐 아니라 불과 몇 달 전만 해도 헝가리 국가경찰들이 자국의 몇몇 반체제 인사를 납치, 살해하기 위해 빈에 잠입했었소."

그가 창가에서 물러나 내 앞에 놓인 의자로 돌아왔다. 그러고는 마치 의자를 집어 올려 내 머리에 내리칠 것처럼 등받이를 움켜쥐더니 한숨을 쉬고 말했다. "내가 하고자 하는 말은 말이오, 귄터. 이곳은 썩은 도시라는 거요. 히틀러가 이곳을 진주라고 불렀던 것도 알 만하다니까. 그건 아마 죽은 개에게 남은 누렇고 다 닳은 이빨을 뜻했을 게 틀림없소. 솔직히 말해 창밖으로 보이는 이곳 풍경도 내가 도나우 강에 오줌을 눌 때 볼 수 있는 푸른빛에서 느끼는 감흥 정도요."

실즈가 몸을 일으켰다. 그러더니 몸을 숙여 내 재킷 깃을 잡고 나를 자신 쪽으로 잡아끌었다.

"빈은 날 실망시켰소, 귄터. 그리고 내 기분을 상하게 했지. 당신까지 내게 같은 짓을 하지 마시오, 친구. 만약 당신이 내가 알아야 할 단서를 잡고도 내게 와서 말하지 않는다면 나는 정말 화가 날 거요. 지금처럼 기분이 좋을 때라도 나는 이 도시 밖으로 당신의 엉덩이를 걷어차 내쫓을 수백 가지의 이유를 생각해 낼 수 있소. 내 말을 명확히 이해했소?"

"수정같이 명확히." 나는 내 재킷을 잡고 있는 그의 손을 뿌리치고 흐트러진 매무새를 바로잡았다. 문을 향해 반쯤 걸어가다 멈춰 서서 입을 열었다. "미 헌병대와의 이 새로운 협력이 당신이 내 뒤에 붙인 끄나풀까지 제거해 줄 수 있습니까?"

"누가 당신 뒤를 따라붙었다고?"

"어젯밤 나한테 따끔한 맛을 봤죠."

"이곳은 기괴한 도시니까, 귄터. 아마 당신한테 끌린 변태인가 보지."

"그래서 당신 밑에서 일하는 놈인가 보다 했죠. 그 남자는 존 벨린스키라는 미국인이었습니다."

실즈가 머리를 절레절레 흔들더니 순진한 눈을 휘둥그렇게 떴다. "들어 본 적도 없는 남자요. 맹세코 누구에게도 당신을 미행하라고 시킨 적 없소. 누가 당신을 미행했다면 그건 우리 부서와는 아무 관계 없는 일이오. 어떻게 하면 좋을지 알려 드릴까?"

"들어 봅시다."

"베를린으로 돌아가쇼. 여기서는 당신에게 이로울 게 아무것도 없으니까."

"그럴 생각도 있지만 거기라고 이로울 게 있을지 모르겠군요. 그게 내가 이곳에 온 이유 중 하나죠. 잊었습니까?"

16

나는 늦은 시간에 카사노바 클럽에 도착했다. 클럽은 프랑스인으로 꽉 차 있었고, 그들이 마시는 게 뭐든 모두 기분 좋게 취해 있었다. 결국 베로니카의 말이 맞았다. 나는 조용할 때의 카사노바가 더 좋았다. 바글거리는 사람들 속에서 베로니카를 찾는 데 실패한 나는 전날 밤 그토록 후하게 팁을 주었던 웨이터에게 그녀가 이곳에 왔는지 물었다.

"십 분, 십오 분 전까지만 해도 여기 있었습니다. 코랄레로 갔나 봅니다, 손님." 그가 목소리를 낮추고 내게 머리를 숙였다. "그녀는 프랑스인에게 그다지 관심이 없어요. 그리고 솔직히 말해 저도 그렇습니다. 영국, 미국 그리고 러시아마저도 적어도 한 가지, 우리의 패배에 일조한 군대를 파견했다는 데 있어서는 존경할 만하죠. 하지만 프랑스? 그들은 개자식들입니다. 진짭니다, 손님, 저는 압니다. 프랑스 점령 지역에 있는 제15구에 사니까요." 그가 테이블보를 폈다. "손님께 뭘 내올까요?"

"코랄레를 직접 둘러봐야 할 것 같은데. 거기가 어딘지 아나?"

"제9구에 있습니다, 손님. 베르크 가를 지나면 나오는 포르첼란 가에 있습니다. 경찰 교도소에서 가깝죠. 어딘지 아시겠습니까?"

나는 웃음을 터뜨렸다. "막 알게 됐지."

"베로니카는 멋진 여잡니다." 웨이터가 덧붙였다. "초콜레이디치
고는요."

동쪽 러시아 점령 지역에서 시작한 비가 도심으로 이동하고 있었
다. 싸늘한 밤공기에 싸락눈으로 변한 비가 카사노바 클럽 밖에 차
를 세우고 나온 국제경찰 네 명의 얼굴을 때렸다. 도어맨에게 고개를
까딱하고 한마디 말도 없이 나를 지나친 그들은 클럽 안으로 들어 갔
다. 외국이라는 장소와 굶주린 여자들 그리고 담배와 초콜릿의 무한
제공의 조합이 조장한 낯 뜨거운 성욕의 징후라는 군 범죄를 단속하
기 위해서였다.

이제는 친숙해진 쇼텐링 역에서 베링거 가 쪽으로 길을 건넜다. 대
대적인 폭격에도 큰 피해를 입지 않고 살아남은 포티프 성당의 하늘
을 찌를 듯한 쌍둥이 탑의 달빛 그림자 속에서 루스벨트 광장을 가로
질러 북쪽으로 향했다. 이날 두 번째로 베르크 가를 향해 방향을 틀
었을 때, 길 반대편 폐허가 된 빌딩에서 도움을 청하는 울부짖음이 들
렸다. 한순간 발걸음을 멈춘 나는 내가 상관할 바가 아니라고 마음속
으로 되뇌며 가던 길을 가려고 마음먹었다. 하지만 또 외침이 들렸
다. 들은 적이 있는 듯한 콘트랄토 목소리로.

피부에 무언가가 기어가는 듯한 공포를 느끼며 나는 소리가 들린
방향으로 황급히 발걸음을 옮겼다. 건물의 둥근 벽면에 맞닿아 높이
쌓인 돌무더기 꼭대기로 올라가 깨진 아치형 유리창 너머로 반원형

실내를 주시했다. 그곳은 소규모 극장 정도의 크기였다.

창 반대편 벽 쪽 달빛이 비치는 작은 공간에서 세 사람이 밀치락달치락하고 있었다. 더럽고 해진 옷차림의 둘은 러시아 군인으로, 떠들썩하게 웃으며 세 번째 인물의 옷을 강제로 벗기려는 중이었다. 세 번째 인물은 여자였다. 달빛을 향해 여자가 얼굴을 치켜들기도 전에 나는 그녀가 베로니카라는 것을 알았다. 그녀는 비명을 지르고 있었다. 러시아군이 그녀의 양팔을 한 손으로 잡고 그녀의 따귀를 갈기는 동안 그의 전우가 그녀의 발치에 무릎을 꿇고 그녀의 치마를 잡아 찢었다.

"포카지티 두시카(보여 줘, 예쁜이)." 그가 베로니카의 속옷을 무릎 아래로 끌어 내리며 깔깔거렸다. 그는 자리에 주저앉아 그녀의 벌거벗은 몸을 감탄의 눈으로 쳐다보았다. "프레크라스나야(끝내주는데)." 명화라도 감상하는 듯하더니 코를 그녀의 음모에 처박았다. "프쿠스나야, 토제(맛도 죽이는군)." 그가 목을 울렸다.

잔해가 흩어져 있는 바닥에 내 발이 닿는 소리를 들은 듯 그녀의 다리 사이에 얼굴을 처박고 있던 러시아군이 얼굴을 들고 주위를 둘러보았다. 곧 내 손에 들린 기다란 납 파이프를 보고 이제 베로니카를 밀쳐 버린 그의 친구 곁에 가서 섰다.

"여기서 나가, 베로니카." 내가 소리쳤다.

마음을 다잡은 그녀가 코트를 움켜쥐고 창문을 향해 달렸다. 하지만 그녀의 가랑이에 머리를 처박았던 러시아군은 다른 생각이었는지, 그녀의 머리를 잡아챘다. 그와 동시에 나는 파이프를 휘둘러 돌대가리 같은 그의 옆머리를 텅 소리가 날 정도로 내리쳤다. 타격의 진동으로 손이 마비되는 것 같았다. 너무 세게 친 게 아닌가 하는 생각이 머리를 스친 순간 갈비뼈에 날카로운 발길질이 느껴졌고, 사타구니로 무릎이 들어왔다. 벽돌이 널린 바닥에 파이프를 떨어뜨렸다. 입안에서 피 맛이 느껴졌다. 다시 내 몸으로 날아와 나를 끝장낼 놈의 거대한 부츠를 기다리며 나는 다리를 가슴으로 끌어올린 채 온 몸을 긴장시켰다. 하지만 그 대신 리벳 총 소리 같은, 짧고 기계적인 타격의 소리가 들렸다. 이윽고 다시 날아온 부츠는 내 머리 위의 허공을 갈랐다. 한 다리가 허공에 뜬 채, 놈은 술 취한 발레 댄서처럼 잠시 비틀거리더니 시체가 되어 내 옆에 쓰러졌다. 그의 이마에는 깔끔한 총구멍이 나 있었다. 나는 신음 소리를 내며 잠시 눈을 감았다. 팔을 짚어 몸을 일으키고 다시 눈을 뜨자 세 번째 사내가 내 앞에 쪼그리고 앉아 내 얼굴 한가운데에 소음기가 달린 루거를 겨누고 있었다.

"씹할, 크라우트." 그가 그렇게 말하더니 씩 웃고 내가 일어서도록 도왔다. "내가 직접 당신을 걷어찰 생각이었는데 이 두 러시아 놈들이 내 수고를 덜어 준 것 같군."

"벨린스키." 내가 갈비뼈에 손을 대고 쌕쌕거렸다. "당신은 뭐지? 내 수호천사인가?"

"그래, 세상은 아직 살 만하지. 괜찮나, 크라우트?"

"담배를 끊으면 숨 쉬기가 더 편해질 것 같군. 그래, 괜찮아. 도대체 어디로 들어온 거지?"

"날 못 봤다고? 대단하군. 미행에 대한 당신의 일장연설을 들은 후 미행술에 관한 책을 읽어 봤지. 당신이 눈치채지 못하도록 나치로 위장했네."

나는 주위를 둘러보았다. "베로니카가 어디로 갔는지 봤나?"

"그 말은 아는 여자라는 뜻인가?" 그는 내가 파이프로 쳐 의식을 잃고 바닥에 널브러져 있는 군인의 주위를 거닐었다. "그렇지 않아도 당신을 딱 돈키호테 타입이라고 생각했지."

"어젯밤에 처음 만났을 뿐이야."

"여자를 만난 게 나와 마주치기 전일 거라 생각했지." 벨린스키는 그 군인을 잠시 내려다보더니 놈의 뒤통수에 루거를 겨누고 방아쇠를 당겼다. "그녀는 밖으로 나갔어." 맥주병을 쏜 정도 이상의 동요도 없이 그가 말했다.

"젠장." 그 냉혈한 모습에 소름이 끼친 나는 숨을 몰아쉬었다. "특수 작전 집단이라면 당신을 환영했겠군."

"뭐라고?"

"어젯밤 전차를 놓치지 않았길 바랐다고 했네. 놈을 죽였어야 했나?"

그가 어깨를 으쓱하고 루거에서 소음기를 제거하기 시작했다. "한 놈을 살려 둬 재판장에서 증언하게 하느니 둘 다 죽이는 게 나아. 내 말 믿으라고. 내가 다 알아서 할 테니까." 그가 구두 끝으로 놈의 머리를 걷어찼다. "어쨌든, 이 러시아 놈들을 그리워할 사람은 없을 테니. 이놈들은 탈영병이야."

"어떻게 알지?"

벨린스키는 문가에 놓인 두 옷 보따리와 장비를 가리켰다. 그 옆에는 불을 피운 흔적과 남은 음식이 흩어져 있었다.

"놈들은 며칠간 이곳에 숨어 있었을 거야. 지루했던 데다……," 그가 적당한 독일어를 고르려 하다가 머리를 흔들고 영어로 문장을 마무리했다. "......섹스를 하고 싶었겠지." 그는 루거를 홀스터에 갈무리하고 소음기를 코트 주머니에 떨어뜨렸다. "쥐가 먹어 치우기 전에 저놈들이 발견된다면 현지 경찰 녀석들은 MVD 짓이라고 생각할 테지. 돈을 걸라고 하면 나는 쥐에 걸겠네. 빈은 세상에서 가장 큰 쥐로 득시글대니까. 하수관들을 통해서 나다니지. 그리고 보니, 이놈들한테서 나는 냄새로 보아 하수구에 있었던 것 같군. 주 하수관은 소비에트 군사령부와 러시아 점령 지역 바로 옆에 있는 슈타트 공원에서 지상과 연결되니까." 그는 창가로 발걸음을 옮기기 시작했다. "가지, 크라우트, 당신 여자를 찾아보자고."

베링거 가에서 조금 떨어진 곳에 서 있던 베로니카는 건물에서 두 러시아인이 나오면 곧 도망칠 태세처럼 보였다. "당신 친구가 건물로 들어가는 모습을 보고," 그녀가 설명했다. "상황이 어떻게 될지 기다렸어요."

코트 단추를 목까지 채운 그녀는 뺨에 난 희미한 멍과 눈물 자국을 빼면 간신히 강간을 면한 여자처럼은 보이지 않았다. 그녀는 무언가 묻는 듯한 눈을 하고 초조한 듯이 건물을 힐끗힐끗 돌아보았다.

"괜찮소." 벨린스키가 말했다. "놈들은 더 이상 우리를 귀찮게 하지 않을 거요."

베로니카가 자신을 구해 준 나와 나를 구해 준 벨린스키에게 감사 인사를 하고 난 뒤 벨린스키와 나는 그녀가 사는, 반쯤 폐허가 된 로텐투름 가에 있는 집을 향해 걸음을 옮겼다. 그녀는 그곳에서 재차 감사 인사를 하고 우리를 방으로 초대했지만 우리는 그 제의를 거절했다. 내게서 내일 아침에 방문하겠다는 다짐을 받은 후에야 그녀는 문을 잠그고 침대에 들라는 내 설득을 받아들였다.

"당신 모습을 보니 술이라도 한잔해야겠군." 벨린스키가 말했다. "내가 사지. 저 모퉁이를 돌면 르네상스라는 바가 있어. 조용하니까 대화를 나눌 수 있을 거야."

이제 복구가 진행중인 성슈테펜 성당 옆 징거 가에 있는 르네상스 바는 집시 음악이 흐르는 헝가리 술집을 모방한 곳이었다. 조각맞추기 퍼즐에 나올 듯한 그림 같은 곳으로 관광객들에게 인기가 있을 게 틀림없었지만 내 단순하고 음울한 취향에는 콘서티나 연주가 너무 시끄러웠다. 벨린스키의 설명에 따르면 그 소란함을 벌충할 만한 큰 이점이 있었다. 체리로 만든 헝가리 증류주 체레스녜를 마실 수 있다는 것이다. 조금 전 발길질을 당한 사람에게 그 술은 벨린스키가 장담한 맛 이상이었다.

"멋진 여자군." 그가 말했다. "하지만 빈에선 좀 더 조심했어야지. 그 문제에 있어선 당신도 마찬가지야. 빌어먹을 에롤 플린[33] 흉내를 내기에 당신은 겨드랑이의 털이 더 자라야 해."

"그 말이 맞는 것 같군." 나는 두 번째 잔을 홀짝였다. "하지만 당신한테 그런 말을 들으니 이상한데. 게다가 당신은 국제경찰인 것 같은데. 연합국 측 사람 이외에는 총 휴대가 불법이니까."

"내가 경찰이라고 누가 그러던가?" 그가 머리를 저었다. "난 CIC 소속이야. 방첩대. 헌병대는 우리가 하는 일에 대해선 쥐뿔도 몰라."

---

33. 호주 출신의 할리우드 활극 배우로 여자에게 인기가 많았다.

"스파이인가?"

"아니, 우린 엉클 샘의 호텔 경비원에 더 가깝지. 스파이 활동을 하는 게 아니라 스파이를 색출하는 게 우리 일이야. 스파이와 전범." 그는 잔에 체레스네를 좀 더 따랐다.

"그런데 왜 나를 따라다니는 거지?"

"설명하기 좀 어려워."

"독일어 사전을 좀 더 뒤적여 보지그래."

벨린스키가 주머니에서 속을 채운 파이프를 꺼내, 자신이 뜻한 바를 설명하는 동안 연기가 잘 나오도록 파이프를 뻑뻑 빨았다.

"난 린든 대위 살인 사건을 수사중이야."

"대단한 우연인데. 나도 그 건을 조사중이지."

"우린 우선 그가 왜 빈으로 갔는지 밝혀내고 싶네. 린든 대위는 모든 걸 자기 가슴에 담아 두길 좋아했지. 혼자서 하는 일이 많았어."

"그도 CIC였나?"

"그래. 독일 주둔 970방첩대. 나는 430이고. 우리는 오스트리아에 주둔하고 있지. 그는 우리 지역에 왔다는 걸 우리에게 알렸어야 해."

"그런데 그가 엽서를 보내지 않았나?"

"한마디도. 아마 왔어야 할 정당한 이유가 없었기 때문이겠지. 이 나라와 관련된 일을 하고 있었다면 우리에게 알렸어야 해." 담배 연기를 내뿜은 벨린스키가 얼굴 앞에서 손을 휘저었다. "그는 내근 조사관이었네. 주로 머리를 쓰는. 파일로 가득 찬 서가 속에서 힘러의 검안 처방전을 찾게 하는 일에 적합한 친구였지. 그런데 문제는 머리가 좋았던 친구라 남긴 서류가 없다는 점이야." 벨린스키는 파이프 손잡이 부분으로 이마를 톡톡 쳤다. "그는 모든 걸 여기에 넣어 두었어. 따라서 그가 무슨 조사를 하다가 점심으로 총알을 먹게 됐는지 밝혀내기가 어렵게 됐지."

"당신네 헌병들은 지하 늑대 인간 조직이 연루돼 있을지 모른다고 생각하는 것 같던데."

"나도 들었어." 그는 체리나무 파이프의 연소되지 않은 내용물을 점검하더니 말을 이었다. "솔직히 말해 우리는 어둠 속에서 이 건을 더듬거리고 있는 형편이야. 어쨌든 거기에 당신이 끼어든 거야. 우린 당신이 돌파구가 될지도 모른다고 생각했지. 우리에 비하면 말도 잘 통하니까 우리가 알아낼 수 없는 걸 알아낼 거라고. 만약 당신이 알아낸다면 자유 민주주의를 위해 내가 뒤를 지켜 주지."

"자유 민주주의 대리에 의한 범죄 수사인가? 그런 일이 처음은 아니겠지. 당신을 실망시키는 게 싫지만 나도 나 자신을 몰라서 말이야."

"아마 아닐걸. 이미 당신 탓에 석공이 죽었어. 내 생각엔 그게 하나의 결과야. 당신이 누군가를 화나게 만들었다는 뜻이지, 크라우트."

나는 미소를 지었다. "베르니라고 부르게."

"추측건대 베커가 당신에게 카드도 나눠 주지 않고 이 포커 게임에 끌어들이진 않았을 텐데. 피흘러라는 이름이 아마 그중 하나겠지."

"당신 말이 맞을지도 모르지." 내가 인정했다. "하지만 올인할 정도의 카드는 아니었어."

"내가 그 카드를 봐도 될까?"

"내가 왜 보여 줘야 하지?"

독일 장송곡
–
175

"당신 목숨을 구해 줬으니까, 크라우트." 그가 을러댔다.

"지나치게 감성에 호소하는군. 좀 더 현실적이 되는 게 좋겠어."

"좋아. 보여 준다면 내가 도움을 줄 수도 있어."

"좀 낫군."

"어떤 도움이 필요하지?"

"피흘러는 압스, 막스 압스라는 자에게 살해된 것 같아. 헌병대의 말에 따르면 그는 잠깐이긴 해도 친위대원이었다고 하더군. 어쨌든 그는 오늘 오후 뮌헨행 기차에 탑승했고, 헌병대가 사람을 보내 그를 잡을 생각이야. 그들이 내게 결과를 말해 주겠지. 하지만 난 압스에 대해 더 많은 정보가 필요해. 예를 들면 압스의 정체." 나는 마르틴 알베르스의 비문과 관련한 피흘러의 도안을 꺼내 벨린스키 앞 테이블에 펼쳤다. "마르틴 알베르스는 누구며, 막스 압스가 왜 기꺼이 그의 비석 값을 치렀는지 알 수 있다면, 왜 피흘러가 나에게 이야기하기 전에 압스가 그를 죽여야 한다고 생각했는지 알 수 있겠지."

"그 압스라는 녀석은 누구야? 무엇과 연결이 되는 거지?"

"그는 이곳 빈에서 광고 회사에 다녔어. 쾨니히가 운영하는 회사야. 쾨니히는 베커에게 녹색 국경을 통해 파일을 전달해 달라고 부탁한 사람이고. 그 파일들은 린든에게 보내졌지."

벨린스키가 끄덕였다.

"좋아, 그럼," 내가 말했다. "이게 내 마지막 카드야. 쾨니히에게는 카사노바에 자주 드나드는 로테라는 여자가 있어. 그녀는 거기서 초콜릿을 야금거리는 여자로 약간 유명했을 수도 있지. 잘은 몰라. 베커의 친구들은 카사노바와 그 밖의 다른 클럽에서 소란을 떨었다가 집으로 돌아가지 못했어. 베로니카를 실마리로 로테에 관해 알아볼 생각이었지. 일단 베로니카와 친해져야겠다고 생각했고. 이제 베로니카는 내가 당연히 갑옷을 입은 백마 탄 왕자로 보일 테니 일을 진척시킬 수 있겠지."

"베로니카가 그 로테라는 여자를 모른다면, 그다음은?"

"좋은 생각이 있으면 말해 보든가."

벨린스키는 어깨를 으쓱했다. "어찌 보면 일리 있는 계획이군."

"한 장의 카드가 더 있어. 베를린에서 베커의 연락책이었던 압스와 에디 홀 둘 다 뮌헨 근처 풀라흐에 있는 회사에서 일하고 있어. 남독일산업활용사. 당신은 그 회사에 관해 뭔가 알아낼 수도 있겠지. 압스와 홀이 그곳으로 옮길 마음을 먹은 이유를 포함해서."

"그 둘이 미국 점령 구역으로 옮겨 가서 사는 첫 크라우트들은 아니야." 벨린스키가 말했다. "눈치채지 못했나? 우리의 공산주의 연합국과의 관계가 점점 어려워지고 있어. 베를린에서 온 소식에 따르면 그들이 시내 동서 구역을 연결하는 많은 도로를 봉쇄하기 시작했다는군." 명백히 기운이 빠진 얼굴로 벨린스키가 덧붙였다. "하지만 난 내가 뭘 찾아낼 수 있는지 알아 보겠네. 다른 건?"

"베를린을 떠나기 전에 드렉슬러라는 아마추어 나치 사냥꾼 부부를 우연히 알게 됐지. 린든은 가끔 그들에게 구호물자를 보내곤 했어. 부부가 린든을 위해 일했다고 해도 놀랄 일은 아니지. 남에게 빚 지기 싫어하는 방첩대 방식 아닌가. 부부가 누굴 찾고 있었는지 안다면 도움이 될 테지."

"그들에게 물어보면 안 되나?"

"별로 도움이 되지 않을걸. 그들은 죽었어. 누군가가 그들의 현관 문 밑으로 지클론-B 결정체를 담은 쟁반을 밀어 넣었네."

"어쨌든 집 주소를 알려 줘." 그가 수첩과 연필을 꺼냈다.

내가 주소를 알려 주자 벨린스키는 입술을 오므리고 턱을 문질렀다. 그의 얼굴은 대단히 넓적했다. 눈구멍 위에 반원을 그린, 뿔처럼 생긴 두꺼운 눈썹, 작은 동물의 두개골처럼 생긴 코, 웃을 때 생기는 코 주위의 깊게 파인 주름, 거기다 사각 턱과 각진 콧구멍이 완벽한 칠각형 얼굴에 담겨 있었다. 전체적인 인상은 V자형 대좌에 놓인 뿔 난 양 머리 같았다.

"당신 말대로 대단한 패는 아니군. 안 그런가? 그래도 내가 가진 패보다는 나은데." 그가 인정했다.

그는 파이프를 악물고 팔짱을 낀 채 술잔을 내려다보았다. 선택한 술 때문인지, 그의 나라 사람들이 좋아하는 짧게 친 헤어스타일보다 좀 더 긴 머리 때문인지 그는 묘하게 미국인처럼 보이지 않았다.

"어디 출신인가?" 결국 나는 물었다.

"뉴욕 윌리엄스버그."

"벨린스키라." 나는 매 음절을 음미하듯 발음했다. "미국 이름 같지 않은데."

그는 어깨를 으쓱할 뿐 별 반응이 없었다. "난 이민 1세대야. 아버지는 시베리아 출신이지. 아버지는 차르의 유대인 학살을 피해 이민 왔네. 알겠지만, 러시아 놈들은 당신들만큼이나 예전부터 유대인을 배척해 왔어. 벨린스키는 개명 전 어빙 벌린[34]의 이름이었지. 미국인처럼 들리는 이름으로 바꿀까 했지만 유대인 이름이 아이젠하워 같은 크라우트 이름보다 더 안 좋게는 들리지 않을 거라고 생각했지, 안 그런가?"

"그런 것 같군."

"이름 얘기가 나와서 말인데, 다시 헌병대와 이야길 나누게 된다면 나나 CIC에 대해서는 말하지 않는 게 좋을 거야. 최근 우리가 진행중인 작전을 그자들이 망쳐 버린 일이 있었지. MVD 놈들이 헌병대 병영 본부에서 헌병대 제복을 몇 벌 훔쳐 간 일이 있었어. 놈들이 그 옷을 입고 제19구에 주둔해 있는 헌병들에게 우리 최고 정보원 중 한 명을 자신들이 체포할 수 있도록 설득했지. 며칠 뒤 또 다른 정보원에게 듣기로는 잡혀간 정보원이 모차르트 가에 있는 MVD 본부에서 심문을 당했다더군. 그리고 얼마 안 돼 총살당했다는 걸 알게 됐지. 그가 총살당하기 전 이름 몇 개를 불었네.

그래서 대단한 소동이 일었고, 고등판무관이 796헌병대의 허술한 보안의 책임을 물어야 했지. 군법회의에 회부된 중위 한 명이 병장으로 강등됐어. 그때문에 헌병대 병영 본부에서는 내가 속해 있는 CIC를 문둥병자 보듯 하지. 당신은 독일인이라 이해하기 어려운 일인지도 몰라."

"그 반대야." 내가 말했다. "우리 크라우트들이 너무 잘 이해하는 게 있다면 문둥병자 취급을 받는 거니까."

---

34. 러시아계 미국의 작사가 겸 작곡가로 〈화이트 크리스마스〉 등 많은 히트곡을 냈다.

독일 장송곡
–

17

슈타이어마르크 알프스에서 수도꼭지에까지 이른 물은 치과 의사의 손가락보다 더 청결한 맛이 났다. 나는 욕실에서 그 물을 한 잔 가득 따라 거실에서 울리고 있는 전화를 받으러 갔다. 블룸 바이스 부인이 전화를 연결하는 동안 나는 물을 조금 더 마셨다.

"잘 잤소." 실즈가 과장된 목소리로 말했다. "잠을 깨우지 않았길 바랍니다."

"방금 양치를 한 참입니다."

"오늘 컨디션은 어떻소?" 그가 계속 변죽을 울리며 말했다.

"두통이 약간 있을 뿐입니다." 나는 벨린스키가 좋아하는 술을 꽤나 마셨었다.

"뷘 탓이오." 실즈가 이따금 알프스 산을 넘어 빈에 몰아치는 열풍을 언급했다. "이 도시 사람들은 이상한 행동들을 그 탓으로 돌리더군. 하지만 내가 보기에 그 바람이 일으키는 거라곤 평상시보다 더 심한 말똥 냄새뿐이지."

"또 이야기를 나누게 돼서 반갑군요, 실즈. 용건이 뭡니까?"

"당신 친구 압스는 뮌헨으로 가지 않았소. 기차를 탄 건 확실하지만 목적지에서 그를 찾지 못했소."

"아마 중간에 내렸겠죠."

"유일한 중간 기착지는 잘츠부르크이고, 우린 그곳도 지키고 있었소."

"누가 그자를 기차 밖으로 던졌나 보군요. 기차가 움직이고 있을 때." 나는 예전 일이 눈에 훤했다.

"어쨌든 미국 점령 구역에서는 아니오."

"미국 점령 구역은 린츠에서부터죠. 이곳과 당신네 구역 사이에 있는 러시아 점령하의 오스트리아는 백 킬로미터가 넘게 이어집니다. 그자가 기차에 탄 건 확실하다면서요. 달리 남은 가능성이 있습니까?" 곧 미 헌병대의 허술한 보안에 관해 벨린스키에게서 들은 말이 떠올랐다. "물론 당신 부하들을 따돌렸을 가능성도 있죠. 그가 부하들보다 똑똑했다면."

실즈가 한숨을 쉬었다. "언제고 한번, 당신이 옛 나치 동료들과 만나느라 바쁘지 않을 때 말이오, 귄터. 내가 당신을 아우호프에 있는 난민 수용소에 데려가 우리보다 똑똑하다고 생각했던 불법 이민자들을 보여 주지." 그가 웃음을 터뜨렸다. "그러니까, 그곳의 광경이 끔찍하지 않다면 당신은 강제수용소를 경험한 사람한테도 인정받을지 모르오. 당신을 거기다 두고 오면 재밌을지도 모르겠군. 이 유대주의자들은 친위대에 대한 나 같은 유머 감각이 없겠지만."

"분명 당신의 유머 감각이 그리울 겁니다, 그래요."

은밀하게 느껴질 만큼 문을 살살 두드리는 소리가 들렸다.

"이봐요, 끊어야겠습니다."

"발걸음 조심하쇼. 만약 내가 당신 신발에서 똥 냄새라도 맡게 된다면 당신을 철창 안으로 던져 넣을 테니까."

"그러죠. 하지만 뭐, 당신이 어떤 냄새를 맡는다면 그건 퀸이 일으킨 냄새일 겁니다."

실즈가 놀이공원의 유령 열차에 타면 들리는 웃음소리 같은 소리를 내더니 전화를 끊었다.

나는 문으로 가 키가 작고 교활해 보이는 사람을 안으로 들였다. 그는 거실에 걸려 있는 클림트가 그린 초상화를 연상시켰다. 허리띠가 달린 갈색 레인코트와 흰 양말보다 더 짧아 보이는 바지 차림에, 긴 금발 머리 위에는 배지와 깃털 들로 장식된 티롤리안 모자가 간신히 걸려 있었다. 손에는 다소 어울리지 않게 큼직한 울 토시를 두르고 있었다.

"뭘 팔러 왔소?" 내가 물었다.

교활한 표정이 의혹으로 바뀌었다. "귄터, 아니오?" 그는 훔친 바순 소리만큼이나 낮은, 흔치 않은 목소리로 느릿느릿 말했다.

"긴장 풀어요." 내가 말했다. "내가 귄터요. 당신이 베커의 개인적인 총기 제작자인가 보군."

"그래요. 루디라고 하오." 주위를 둘러본 그는 마음을 놓는 듯했다. "이 물샐틈없는 곳에 혼자 있는 거요?"

"과부의 젖꼭지에 자란 한 터럭 털처럼. 나한테 선물을 갖고 왔소?"

루디는 고개를 끄덕이고 다 안다는 미소를 지으며 토시에서 한 손을 뺐다. 그의 손에 들린 리볼버가 내 아침 식사인 크루아상을 겨냥했다. 잠시 불편한 순간이 지난 뒤 그는 씩 웃더니 손잡이에서 손을 놓아 검지에 방아쇠울이 걸리게 했다.

"이 도시에 계속 머물러야 한다면 새로운 유머 감각을 파는 가게에라도 가 봐야겠군." 나는 그렇게 말하며 그에게서 리볼버를 받아 들었다. 총열이 6인치인 38구경 스미스로 검은 마감에 '밀리터리 앤드 폴리스'라는 글씨가 또렷하게 새겨 있었다. "이 총을 갖고 있던 국제 경찰이 담배 몇 갑에 당신한테 넘겼나 보군." 루디가 대답을 하려는 순간 내가 끼어들었다. "이봐, 난 베커에게 살인 사건 공판에 나올 증거물 1호가 아닌 깨끗한 총을 말했는데."

"그건 새 총이오." 루디가 분개하며 말했다. "눈을 똑바로 뜨고 총열을 보시오. 아직도 윤활유가 묻어 있지. 한 번도 발사된 적이 없소. 장담컨대 윗대가리들은 그게 없어진지도 모를 거요."

"어디서 구했소?"

"무기고. 솔직히 말해서, 귄터 씨, 그 총은 최근 출시됐다고 해도 될 만큼 깨끗한 총이오."

나는 마지못해 고개를 끄덕였다. "총알은 가져왔소?"

"안에 여섯 발이 들었소." 그는 그렇게 말하고 토시에 들어 있던 손을 빼 작은 탁자 위 트라우들이 가져온 술병들 옆에 탄약통 한 움큼을 아깝다는 듯이 내려놓았다. "그리고 이거."

"뭐요, 배급품과 교환한 거요?"

루디가 어깨를 으쓱했다. "미안하지만 우선은 구할 수 있는 게 이게 다요." 그가 보드카를 쳐다보며 입술을 핥았다.

"난 아침 식사를 끝냈지만," 내가 그에게 말했다. "알아서 따라 마셔요."

"추운 데 오래 있었으니까." 그가 그렇게 말하며 초조한 듯 한 잔 가득 따라 허겁지겁 들이켰다.

"한 잔 더 들어요. 갈증 나는 남자 옆에 서 있고 싶진 않으니까." 나는 담배에 불을 붙이고 창가로 갔다. 창밖 테라스 지붕 끝에 팬파이프 같은 고드름들이 달려 있었다. "지금처럼 추운 날에는 특히."

"고맙소." 루디가 말했다. "대단히." 엷은 미소를 띤 그가 글라스를 단단히 쥐고 두 잔째를 따라 음미하듯 천천히 마셨다. "그래서, 어떻게 돼 가고 있소? 조사 말이오."

"당신에게 좋은 아이디어가 있다면 기꺼이 듣지. 강둑으로 뛰어오른 물고기가 당장은 없소."

루디가 어깨를 풀었다. "내 생각에 그 미군 대위 말이오, 71번이 향하는 곳으로 간……,"

내가 그 말의 연관성을 생각할 동안 그는 잠시 말을 멈췄다. 71번은 중앙 묘지로 가는 전차 번호였다. 나는 그에게 계속하라고 고개를 끄덕였다.

"그는 모종의 부정한 돈벌이에 연루된 게 틀림없소. 생각해 봐요." 루디는 자신의 말에 열을 내기 시작했다. "그는 코트를 입은 어떤 녀석과 창고로 갑니다. 그곳에는 담배가 잔뜩 쌓여 있지. 그러니까 우선, 둘은 왜 거길 갔을까? 범인이 거기서 그를 쏘려고 데려간 것은 아닐 거요. 그의 은닉 장소 근처에서 그를 해치울 수는 없지. 안 그렇겠소? 물건을 살피러 갔다가 말다툼이 일어난 거요."

나는 그의 말에 일리가 있다고 인정해야 했다. 잠시 생각해 보았다. "오스트리아에서는 누가 담배를 팝니까, 루디?"

"누구나 팔 수 있다는 건 빼고 말이오?"

"주류 암거래상들 말이오."

"에밀을 빼면 러시아 놈들이 있고, 잘츠부르크 근처 성에 사는 미친 미 하사관 한 명, 이곳 빈에 사는 루마니아 유대인 하나 그리고 쿠르츠라는 오스트리아 사람이 있소. 하지만 에밀이 가장 거물이었지. 특별한 거래에 관해서는 에밀 베커의 이름을 모르는 사람이 거의 없었소."

"그들 중 하나가 경쟁 상대인 에밀을 제거할 목적으로 그에게 덫을 놓을 수도 있다고 생각하오?"

"물론이오. 하지만 그 많은 담배를 희생해 가면서 그러진 않을 거요. 사십 박스나 된단 말이오, 귄터 씨. 누구한테도 큰 손실이지."

"탈리아 가에 있는 담배 공장이 정확히 언제 털렸소?"

"한 달 전."

"헌병대가 추측하는 범인이 있었소? 용의자는?"

"한 명도. 제16구 탈리아 가는 프랑스 관할의 일부요. 프랑스 헌병대는 이 도시에서 물도 한 방울 못 잡을 거요."

"현지 경찰은 어떻소? 빈 경찰 말이오."

루디가 단호하게 머리를 저었다. "주립 경찰과 싸우기도 바쁘지. 내무성은 주립 경찰을 정규군으로 흡수하려고 애써 왔지만 러시아가 그것을 탐탁지 않아 하는 바람에 중간에서 개판을 치고 있지. 같이 망할지라도 말이오." 그가 씩 웃었다. "그래서 유감이라는 말은 못하겠소. 아무렴. 현지 경찰들은 프랑스 놈들만큼이나 형편없소. 솔직히 말해 이 도시에 쓸 만한 경찰은 미국 경찰뿐이오. 굳이 묻는다면 영국 놈들도 상당한 멍청이지."

루디는 팔목에 찬 몇 개의 손목시계 중 하나를 힐끗 보았다. "이봐요, 가야겠소. 이러다 레셀 공원 암시장의 자리를 놓치겠소. 나를 만나고 싶으면 난 매일 아침 그곳에 있으니까 찾아오쇼, 귄터 씨. 거기 아니면 오후에는 파보리텐 가의 하우스비르트 카페에 있소." 그가 잔을 비웠다. "술 고맙소."

"파보리텐 가." 나는 미간을 모으고 그 지명을 되뇌었다. "러시아 관할 아니오?"

"맞소." 루디가 말했다. "그렇다고 해서 공산당은 아니오." 그가 모자를 살짝 들어 보이며 미소를 지었다. "임기응변에 능할 뿐이지."

18

싸구려 중고처럼 보이는 베로니카의 옷차림은 말할 것도 없고, 생기 없는 눈에 두툼한 턱을 기울인 슬픈 얼굴을 보니 그녀가 매춘부로서는 그다지 적합하지 않다는 생각이 들었다. 홍등가 심장부에 그녀가 빌린 싸늘하고 동굴 같은 방에는 근근이 먹고산다는 자취 이외는 어느 것도 발견할 수 없었다.

그녀는 내 얼굴에 난 멍을 걱정스러워하면서 거듭 자신을 구해 줘서 감사하다는 말을 했다. 그리고 언젠가 예술가가 되겠다는 계획을 설명하며 계속 차를 따라 주었다. 나는 그녀가 그린 데생과 별 감흥이 느껴지지 않는 수채화를 훑어보았다.

음울한 분위기에 퍽 침울해진 나는 어쩌다 몸을 팔게 됐는지 물어보았다. 무엇보다 그녀의 도덕성을 질타하는 질문이었기 때문에 어리석은 짓이었지만 그에 대한 내 유일한 평계라면 진심으로 그녀가 안됐다고 느꼈기 때문이었다. 초콜릿 두어 개를 위해 폐허가 된 건물에서 미군의 그것을 빨아 주는 그녀의 모습을 목격한 남편이 그녀에게도 있었을까?

"내가 몸을 판다고 누가 그러죠?" 그녀가 신랄한 반응을 보였다.

독일 장송곡
_

나는 어깨를 으쓱했다. "밤잠을 못 이루는 게 커피 때문은 아니겠지."

"아마요. 그래도 매춘부를 원하는 사람들이 계단을 오르는 것만으로 쉽게 찾을 수 있는 곳에서는 날 찾을 수 없을걸요. 미 정보부나 아틀란티스 호텔 앞에서도 날 찾을 수 없긴 마찬가지예요. 초콜레이디일진 모르지만 싸구려는 아니니까요. 나는 신사만 좋아해요."

"그렇다고 해서 덜 위험한 건 아니겠지. 예를 들면 어젯밤처럼. 성병은 말할 것도 없고."

"당신이나 잘해요." 그녀가 경멸하듯 말했다. "꼭 풍기 단속반 개자식들 가운데 누구처럼 말하네요. 그들은 매춘부를 체포해서 성병 검사를 한 다음 성병의 위험에 대해 잔소리를 늘어놓죠. 당신도 경찰처럼 굴기 시작하는군요."

"아마 경찰 말이 맞겠지. 그런 생각은 안 해 봤나?"

"난 검사에 걸린 적이 없어요. 앞으로도 그럴 거고요." 그녀의 얼굴에 잠깐 미소가 퍼졌다가 사라졌다. "말했듯이 난 조심성이 많으니까요. 신사만 받으니까요. 러시아 놈들이나 깜둥이들하고는 안 한다는 뜻이에요."

"미국이나 영국인 들이 매독에 걸렸다는 얘길 못 들어 보긴 했지."

"확률 문제예요." 그녀가 째려보았다. "도대체 당신이 뭘 안다는 거죠? 날 구해 줬다고 해서 나한테 십계명을 설교할 이유는 없어요, 베르니."

"누군가에게 구명대를 던지게 할 수영 선수가 돼서는 안 되지. 난 충분히 많은 매춘부들을 봐 왔는데 대부분 처음엔 당신처럼 손님을 골라. 그러다 결국 어떤 놈에게 얻어터지고, 다음에 집주인에게 집세를 닦달당하기라도 하면 손님을 고를 만한 여유 따윈 없소. 확률 문제라. 당신이 마흔이 되면 십 실링에 입으로 해 주는 것에 확률 같은 건 따지지 않게 될 거요. 당신은 예쁜 여자요, 베로니카. 여기에 신부라도 있다면 당신에게 짧은 설교라도 해 주겠지만 불행히도 없으니 아쉬운 대로 내 말에 만족해야겠지."

그녀가 슬픈 미소를 지으며 내 머리를 쓰다듬었다. "그다지 나쁜 사람은 아니군요. 왜 나한테 그런 설교가 필요한지는 모르겠지만요. 난 정말 아무 문제 없어요. 저축도 해 왔고요. 아무 데든 예술 학교에 들어갈 만큼은 모일 거예요."

나는 그 확률이 그녀가 시스티나 성당의 벽화를 다시 그릴 계약을 따낼 가망성만큼이나 희박하다고 생각했지만 예의 바르게 낙관적인 억지 미소를 지었다. "물론 그럴 거요. 그러는 데 내가 도움이 될지도 모르겠군. 피차 도움이 될지도." 그렇게 말하는 것이 내 방문 목적이었던 주제로 이끌, 어쩔 수 없는 방법이었다.

"어쩌면요." 베로니카는 다시 차를 따라 주며 말했다. "축복을 내려 주기 전에 한 가지만 더요. 풍기 단속반이 빈에서 영업하는 오천 명이 넘는 여자들의 파일을 갖고 있어요. 하지만 실제로는 그 숫자의 배가 넘어요. 요즘엔 누구나 전에는 생각지도 못했던 일들을 해야 하죠. 아마 당신도 그럴걸요. 배고픈 데에 확률 따윈 없어요. 하물며 체코슬로바키아로 돌아가는 건 더욱 아니죠."

"당신, 체코 사람이오?"

베로니카는 차를 한 모금 마시고 요전 날 밤 내가 주었던 담뱃갑에

독일 장송곡
—
189

서 담배를 꺼내 불을 붙였다.

"신분증에는 오스트리아 태생으로 돼 있어요. 하지만 사실 체코 사람이에요. 수데텐 지방 독일계 유대인이죠. 전시 내내 화장실과 다락에서 숨어 지냈어요. 그러다가 잠시 게릴라들과 함께 지냈고, 그 후 육 개월간 난민 수용소에 있다가 녹색 국경을 넘어 탈출했죠.

비너 노이슈타트라는 곳 들어 봤어요? 못 들어 봤다고요? 빈 외곽 오십 킬로미터에 이르는 마을이에요. 소련 본국 징집 기지가 있는 러시아 관할이죠. 그곳 사람 중 육만 명이 언제 징집될지도 모른 채 대기하고 있어요. 러시아 놈들이 마을 사람들을 세 그룹으로 나눴죠. 소련 연방의 적이라고 판명된 사람들은 강제 노동 수용소로 보내져요. 확실하게 적으로 판명되지 않은 사람들은 수용소 밖에서 일하도록 보내지죠. 어느 쪽에 속해도 노예 수준의 노동에 처하게 되는 거예요. 나머지는 세 번째 그룹으로 병자나 노인이나 어린애 들이에요. 그들은 즉각 총살이죠."

그녀는 침을 삼키고 담배를 길게 한 모금 빨았다. "뭐 하나 알려 드릴까요? 난 러시아인들에게 끌려가지 않을 수만 있다면 영국군 전체와도 잘 수 있어요. 상대가 매독에 걸렸다고 해도요." 그녀는 미소를 지으려고 애썼다. "마침 다행히도 나에게 페니실린 몇 병을 준 의사 친구가 있죠. 가끔 내가 직접 나한테 주사를 놔요. 조심해서요."

"비쌀 텐데."

"말했잖아요, 친구라고. 돈을 내지 않아도 돼요." 그녀가 주전자를 들었다. "더 드실래요?"

나는 머리를 저었다. 나는 방 밖으로 나가고 싶었다. "어디든 나갑시다." 내가 제안했다.

"좋아요. 여기 있는 것보단 낫겠죠. 혹시 높은 데, 괜찮아요? 빈에서 일요일에 갈 수 있는 데라곤 한 군데뿐이에요."

대관람차, 회전목마, 롤러코스터가 있는 프라터 놀이공원은 전쟁 막판에 소련군에게 함락된 탓에 여전히 전쟁의 상흔이 또렷이 남아 있어 빈과는 다소 어울리지 않는 장소였다. 부서진 탱크와 총 들이 풀이 우거진 공터에 널려 있었고, 아우스텔룽 가를 따라 늘어서 있는, 벽이 허물어진 집들마다 키릴 문자로 '아타크비타트(수색 완료)'라고 쓰인 희미한 분필 자국이 남아 있었는데 정확한 의미는 '약탈 완료'였다.

대관람차 꼭대기에서 베로니카가 붉은 군대 다리 교각과 그 가까이에 있는 소련 오벨리스크 꼭대기의 별과 그 너머의 도나우 강을 가리켰다. 이윽고 우리를 태운 칸이 서서히 땅으로 내려가기 시작했을 때 그녀가 내 코트 안에 손을 넣어 고환을 움켜쥐었지만 불편해하는 내 숨소리에 황급히 손을 뺐다.

"당신은 나치 시절 이전의 프라터를 더 좋아했겠군요." 그녀가 뾰로통하게 말했다. "빈의 모든 미소년들이 상대를 구하러 여기 모였을 때."

"난 전혀." 내가 웃음을 터뜨렸다.

"내가 당신을 도울 수 있다고 말한 게 이런 건 줄 알았는데요."

"아니, 난 겁이 많은 타입일 뿐이오. 우리가 육십 미터 상공에 있지 않을 때 다시 시도해 보든가."

"예민하단 말인가요? 높은 데를 무서워하지 않는다고 하지 않았나요?"

"거짓말이었소. 어쨌든 당신 말이 맞아. 난 당신 도움이 필요해."

"어지럼증이 문제라면 내가 처방할 수 있는 유일한 치료법은 누워서 잠을 자는 거예요."

"난 사람을 찾고 있소, 베로니카. 카사노바 클럽을 드나들곤 했던 여자를."

"남자들이 카사노바 클럽엘 왜 가겠어요? 여자를 찾으러 가는 거죠."

"나는 특별한 여자를 찾고 있소."

"아직 모르는군요. 카사노바에 오는 여자들 중 특별한 사람은 아무도 없어요." 갑자기 날 못 믿겠다는 듯이 그녀가 나를 째려보았다. "저 꼭대기에 있을 때 어쩐지 그런 것 같았어요. 따분한 이야기들이라니. 당신, 미군과 일하고 있죠?"

"아니, 난 사립탐정이오."

"'그림자 없는 남자'[35] 같은?"

내가 끄덕이자 그녀가 웃음을 터뜨렸다.

"그런 직업은 영화에서나 나오는 건 줄 알았는데요. 그럼 당신이 지금 수사중인 일을 도와 달라는 말인가요?"

나는 다시 끄덕였다.

"나 자신을 마이어나 로이[36]라고 생각해 본 적 없는데요." 베로니카

---

35. 대실 해밋의 소설 『그림자 없는 남자』에 나오는 탐정 닉 찰스를 가리킴.
36. 미국 영화배우로 영화 〈그림자 없는 남자〉에서 닉 찰스의 아내 노라를 연기했다.

가 말했다. "하지만 내가 할 수 있는 일이라면 돕죠. 당신이 찾는 여자가 누구죠?"

"이름은 로테. 성은 모르오. 당신이 쾨니히라는 남자와 함께 있는 그녀를 봤을 수도 있소. 콧수염을 기르고 작은 테리어를 데리고 다니지."

베로니카가 천천히 끄덕였다. "네, 기억나요. 사실 난 로테를 꽤 잘 알아요. 이름은 로테 하르트만이에요. 그런데 몇 주간 눈에 띄지 않았어요."

"눈에 띄지 않았다고? 그녀는 어디에 살지?"

"잘은 몰라요. 그들은 스키 타러 갔어요. 로테와 그녀의 애인 헬무트 쾨니히. 분명 티롤 지방 어딘가에 있을 거예요."

"그게 언제였소?"

"몰라요. 이삼 주 전인가. 쾨니히는 돈이 많아 보였어요."

"언제 돌아오지?"

"모르죠. 그녀 말로는 그와 잘 풀리면 적어도 한 달간은 나가 있을 거라고 했어요. 로테를 아는데, 그건 그 남자가 그녀에게 얼마나 좋은 시간을 보내게 해 줄지에 달렸다는 걸 뜻하죠."

"그녀가 돌아오는 건 확실한가?"

"그녀가 돌아오는 걸 막으려면 눈사태라도 나야 할걸요. 로테는 귓불까지 빈 사람이에요. 다른 데서는 어떻게 살아야 할지도 모르죠. 원하신다면 열쇠 구멍에 눈을 바짝 대고 두 사람을 지켜볼게요."

"그래야 할 상황 같군. 당연히 보수는 지급하겠소."

그녀가 어깨를 으쓱했다. "됐어요." 그녀가 유리창에 코를 대고 말했다. "목숨을 구해 준 사람에겐 특별 할인을 해 드려요."

"경고를 해야겠군. 위험할 수도 있소."

"말하지 않아도 알아요." 베로니카가 심드렁하게 말했다. "쾨니히를 만난 적 있어요. 클럽에서는 모두가 부드럽고 매력이 넘치는 사람으로 알지만 난 안 속아요. 헬무트는 고백성사를 하러 갈 때도 브라스 너클[37]을 끼고 갈 부류예요."

우리가 다시 땅에 내려왔을 때, 대관람차 옆에 늘어선 가판대들 중 한 군데에서 나는 헝가리 말로 뭐라고 하는 빵 한 봉지를 사는 데 배급표 몇 개를 썼다. 마늘 소스를 뿌린 헝가리식 튀긴 빵이었다. 대단찮은 점심 식사를 마치고 릴리푸트 기차로 올림픽 경기장까지 간 다음 눈을 맞으며 하우프트 가로수 길을 따라 걸어서 돌아왔다.

한참 뒤, 우리가 다시 그녀의 방에 있게 됐을 때 그녀가 물었다. "아직도 겁이 나나요?"

그녀의 수박 같은 가슴에 손을 댔을 때, 나는 그녀의 블라우스가 땀으로 축축해진 것을 알았다. 그녀는 나를 도와 블라우스의 단추를 풀었고, 내가 손바닥으로 가슴의 무게를 즐기는 동안 스커트 지퍼를 내렸다. 나는 그녀가 스커트를 벗을 수 있도록 뒤로 물러섰다. 그녀가 스커트를 의자 등받이에 걸쳤을 때 나는 그녀의 손을 잡아 내게로 이끌었다.

잠시 나는 그녀를 세게 끌어안은 채 목에 잠깐씩 닿는 그녀의 관능적인 숨결을 즐겼다. 그리고 나서 거들에 싸인 그녀의 엉덩이 곡선을

---

37. 격투할 때 손 관절에 끼우는 쇳조각.

찾아 더듬어 내려가 가터를 두른 허벅지 사이의 부드럽고 차가운 속살에 손을 댔다. 그녀가 얼마 남지 않은 옷가지에서 몸을 빼낸 후 나는 그녀에게 키스를 했고, 그녀는 은밀한 곳의 짧은 탐험을 즐기는 겁 없는 내 손가락을 용납했다.

침대에서 내가 그녀의 깊이를 헤아리려고 분투할 때 그녀는 만면에 미소를 띠고 있었다. 자신의 쾌락을 좇으며 내 만족도 신경 쓰듯 그녀는 꿈을 꾸는 듯한 눈을 치켜뜨고 있었다. 그 모습을 본 순간 나는 내가 점잖은 사람인 체하고 있었다는 사실조차 잊었을 만큼 극도로 흥분했다는 것을 깨달았다. 마침내 그녀가 절정에 닿을 순간이 되자 내 몸놀림은 다급해졌고, 가슴까지 다리를 끌어올린 그녀가 아래로 손을 뻗어 재봉틀의 바늘에 댈 옷감을 팽팽하게 퍼듯 손가락으로 자신을 펼쳤기 때문에 나는 그녀의 몸속을 들락날락하는 내 자신을 볼 수 있었다. 잠시 후 꿈틀거리는 생명들이 독립적인 추진을 시작했을 때 나는 그녀에게서 몸을 뗐다.

밤에는 폭설이 내렸고, 하수구보다 더 바닥으로 떨어진 기온은 더 좋은 날이 오기까지 빈을 보존할 목적으로 빈 전체를 꽁꽁 얼리고 있었다. 나는 꿈을 꾸었다. 과거에서부터 이어져 영속적으로 이어질 도시가 아닌 새로운 도시를.

2 부

19

"베커 씨의 재판 날짜가 잡혔습니다." 리블이 말했다. "변론 준비를 서둘러 해야 합니다. 제가 우리 의뢰인의 말을 입증할 증거를 시급히 찾아 달라고 당신을 압박해도 이해해 주시리라 믿습니다, 귄터 씨. 탐정으로서의 당신 능력을 신뢰하고 있지만 어쨌든 지금까지의 진척 상황을 정확히 알고 싶군요. 베커 씨에게 재판에서 어떻게 처신하면 좋을지 최상의 조언을 해 주기 위해서는요."

내가 빈에 오고 나서 몇 주째 이런 대화가 이어졌다. 리블이 조사 진척 상황에 대해 나를 압박한 것이 처음은 아니었다.

우리는 슈바르첸베르크 카페에 앉아 있었는데, 전쟁 전부터 내가 꾸려 왔던 사무실에 가장 근접한 분위기를 풍기고 있었다. 빈의 커피 집은 신사 전용 클럽과 분위기가 비슷했다. 다른 점이 있다면 하루 회비가 커피 한 잔 값 정도라는 것이었다. 그 돈만 내면 있고 싶은 만큼 머무르면서 비치된 신문과 잡지를 읽고, 웨이터에게 전언을 남기고, 우편물을 수취하거나 테이블을 예약할 수 있었다. 그리고 세상모르게 사업을 진행할 수도 있었다. 미국인이 역사를 숭배하는 정도와 마찬가지로 빈 사람들은 사생활을 존중해서, 슈바르첸베르크의 손님들은 모카커피를 검지로 휘젓지 않듯 남의 어깨 너머로 코를 디밀지 않았다.

나는 전에 리블에게 진척의 정확한 개념은 탐정 수사의 세계에서는 존재하지 않는다고 말한 적이 있었다. 즉, 특정 기간 내에 틀림없이 발생할 일에 관한 분명한 행동 방침을 보고할 수 있는 종류의 사업이 아니었다. 그것이 변호사들과 부딪히는 문제였다. 그들은 전 세계가 나폴레옹 법전처럼 작동하길 기대한다. 하지만 이번처럼 특별한 경우에는 리블에게 이야깃거리가 조금 있었다.

"쾨니히의 여자친구 로테가 빈에 돌아왔습니다." 내가 말했다.

"마침내 긴 스키 휴가에서 돌아왔다고요?"

"그런 것 같습니다."

"하지만 당신은 아직 그녀를 못 만났고요."

"카사노바 클럽에서 알게 된 사람의 친구가 이틀 전에 그녀와 얘기를 나눴다더군요. 그녀가 돌아온 지 일주일쯤 됐는지도 모릅니다."

"일주일?" 리블이 내 말을 따라 했다. "그 사실을 아는 데 왜 그렇게 오래 걸렸습니까?"

"그런 일은 시간이 걸리니까." 내가 도발하듯 어깨를 으쓱했다. 나는 리블의 끊임없는 질문에 진저리가 나서 누가 봐도 태평한 태도로 리블을 놀리는 것을 아이처럼 즐겼다.

"알겠습니다." 그가 툴툴거렸다. "전에도 그렇게 말씀하시더니." 납득하지 못한 목소리였다.

"관계자들의 주소록을 갖고 있지 않으니까요. 게다가 로테 하르트만은 돌아온 이래 카사노바 근처에는 얼씬도 하지 않았습니다. 그녀와 이야기를 나눈 여자의 말에 따르면 로테는 지페링 스튜디오에서 제작하는 영화의 단역을 따내려고 애썼다더군요."

"지페링? 그래요, 제19구에 있는 스튜디오입니다. 카를 하르틀이라는 빈 사람 소유죠. 그는 제 고객이었습니다. 하르틀이 감독한 영화에는 스타들이 총출동했죠. 폴라 네그리, 리야 드 푸티, 마리아 코르다, 빌마 뱅키, 릴리언 하비. 〈집시 남작〉을 보셨습니까? 하르틀이 감독했죠."

"베커가 린든의 시체를 발견한 영화 스튜디오에 대해 하르틀이 뭔가 알지도 모른다고는 생각 안 해 봤습니까?"

"드리터만 영화사 말입니까?" 그가 멍하니 자신의 잔에 담긴 커피를 저었다. "만약 그게 합법적인 영화사라면 하르틀이 알 겁니다. 빈 영화사에서 일어나는 일이라면 하르틀은 모르는 게 없으니까요. 하지만 그건 임대차 계약서상에 쓰인 이름일 뿐입니다. 실제로 거기서는 영화가 제작되지 않아요. 확인하지 않았습니까?"

"그래요, 했죠." 나는 이 주 전 거기서 성과 없이 보낸 오후를 떠올리며 말했다. 임차 기간마저 끝난 것으로 드러났고, 스튜디오는 이제 국가가 소유하고 있었다. "당신 말이 맞습니다. 린든이 거기서 액션 연기를 한 처음이자 마지막 사람이었죠." 나는 어깨를 으쓱했다. "그냥 내 생각일 뿐입니다."

"그래서 이제 어쩔 생각이십니까?"

"지페링에 가서 로테 하르트만을 추적해야죠. 그리 어렵진 않을 겁니다. 영화에 출연하려면 연락처를 남겨야 할 테니까."

리블이 요란하게 커피를 마신 다음 돛만 한 손수건으로 입가를 우아하게 두드렸다.

"제발 그 여자의 소재를 빨리 알아내 주십시오. 이렇게 닦달해서
미안하지만 쾨니히 씨의 행방을 알아내기 전까지 우린 할 게 없습니
다. 일단 그를 찾아내면 적어도 중요 참고인으로서 그를 소환할 수
있을 겁니다."

나는 순순히 고개를 끄덕였다. 그와 할 얘기가 더 남아 있었지만
나는 그의 말투가 짜증이 난 데다 내가 말을 할수록 아직 대답할 준비
가 되지 않은 질문들이 날아올 게 뻔했다. 예를 들면 벨린스키가 나
를 구해 주고 일주일 후 슈바르첸베르크 카페의 이 자리에서 해 준 이
야기를 리블에게 해 줄 수도 있었다. 하지만 나는 아직 그 정보를 머
릿속에 담아 두면서 이해하려고 애쓰는 중이었다. 리블의 생각만큼
간단한 것은 아무것도 없었다.

"우선," 벨린스키는 설명했었다. "드렉슬러 부부는 생각했던 대로
야. 남편이 로츠 게토와 아우슈비츠에서 풀려났을 때 아내는 마트하
우젠 수용소에서 살아남았지. 두 사람은 전쟁 후 적십자 병원에서 상
봉했고, 베를린으로 가기 전에 잠시 프랑크푸르트에서 살았네. 보아
하니 두 사람은 전범 및 안보 용의자 중앙 기록소 사람들, 검찰청 사
람들과 꽤 밀접한 관계를 맺고 그에 관한 일을 하고 있었던 것 같아.
그들은 수배된 나치들의 파일을 많이 갖고 있었고, 동시에 많은 사건
들을 추적중이었네. 그런 탓에 베를린에 있는 우리 사람들도 부부의
죽음이나 린든 대위의 죽음이 어떤 조사와 관계가 있는지 알 수 없었
지. 현지 경찰은 자신들 말처럼 손을 놓은 상태야. 아마 그러고 싶은
거겠지. 솔직히 그들은 누가 드렉슬러 부부를 죽였든 크게 관심이 없

는 데다 미 헌병대도 수사 진척은 없어 보이네.

어쨌든 드렉슬러 부부가 마르틴 알베르스에게 관심을 두었던 것 같진 않아. 그자는 친위대원이었고, 1944년까지 부다페스트 소재 보안 방첩부 비밀 조직 수장이었네. 슈타우펜베르크 백작의 히틀러 암살 기도에 일조한 혐의로 체포된 뒤 1945년 4월 플로센베르크 강제수용소에서 교수형에 처해졌지. 이런 말 하긴 좀 그렇지만 자업자득이라고 할 수 있어. 들리는 말에 의하면 총통을 제거하려고 애썼음에도 불구하고 약간 개자식이었다는군. 당신도 알겠지만 많은 독일인이 꽤 오랫동안 히틀러 암살을 기도했었지. 우리 정보원은 힘러가 암살 기도를 처음부터 알고 있었고, 자신이 히틀러의 자리를 차지하길 바라며 모른 척했다고까지 생각하네.

어쨌든, 막스 압스는 알베르스의 졸개이자 운전수이자 더러운 일은 도맡아 하는 똘마니로 드러났네. 늙은 보스에게 충성을 다한 것처럼 보이는군. 알베르스의 가족이 공습 때 모두 죽어서 그의 비석을 세워 줄 사람이 아무도 없었던 것 같아."

"꽤 돈이 드는 충성이라고 생각하지 않나?"

"그렇게 생각하나? 뭐, 그런 것까지 신경 쓰고 싶지 않아, 크라우트."

그런 다음 벨린스키는 풀라흐에 있는 회사에 대해 말했다.

"미국이 후원하고 독일인이 경영하는 회사로, 미영 점령 지구에서 독일의 상업 재건을 위해 설립된 회사야. 독일을 가능한 한 빨리 경제적으로 자립시켜 엉클 샘이 당신들을 돌보지 않아도 되게 하려는 생각에서 만든 회사지. 회사는 니콜라스 캠프라고 하는 미국 재외공

관에 있네. 한 달 전까지만 해도 미군의 우편 검열 당국이 차지하고 있었지. 니콜라스 캠프는 원래 루돌프 헤스[38]와 그의 가족을 위해 지어진 광대한 부지야. 하지만 그가 무단이탈한 후 보르만[39]이 잠시 그곳을 차지했지. 그다음엔 케셀링[40]과 그의 부하들이. 이젠 우리 차지야. 캠프에는 그곳이 모종의 연구 개발 기관임을 알리는 정도의 경비 체제만 갖추고 있을 뿐이지만 장소의 역사를 생각해 보면 놀라운 일도 아니지. 어쨌든 풀라흐의 선량한 주민들은 캠프와 거리를 두고, 거기서 무슨 일이 일어나고 있는지 알고 싶어 하지도 않았네. 그것이 경제와 상업 연구처럼 무해한 활동일지라도 말이야. 다하우 수용소가 몇 킬로미터밖에 떨어져 있지 않은 곳이니 그곳 사람들은 그렇게 모른 척하는 데 능했겠지."

풀라흐는 그렇다 치고 압스는? 독일 레지스탕스(그런 게 존재한다면)의 영웅으로 기억되고 싶은 사람이 자신의 정체를 숨기기 위해 무고한 사람을 죽인다는 것은 뭔가 맞지 않았다. 압스가 정보 제공자라면 모르지만 그는 나치 사냥꾼인 린든과 어떻게 연결된 걸까? 린든과 드렉슬러 부부처럼 이미 살해됐을 수도 있을까?

나는 커피를 다 마신 다음 담배에 불을 붙이고 지금 당장은 이런저런 의문을 머릿속에 담아 두는 것으로 만족했다.

---

38. 초기 나치당의 주요 인물로 총통 대리이며 2인자의 자리까지 올랐으나 점차 권력에서 멀어졌다. 1941년 영국에 독단적으로 화평안을 전달하러 갔다가 사로잡혀 종전 때까지 억류당한다.
39. 마르틴 보르만. 루돌프 헤스의 비서 출신으로 헤스가 영국으로 날아간 뒤 그 자리를 이어 받아 히틀러의 비서를 맡는다.
40. 나치당 집권 이후의 공군 지휘관.

39번 전차는 지페링거 가를 따라 서쪽 되블링 방면으로 달려 멀리 도나우 강까지 펼쳐진 알프스 산 모퉁이에 해당하는 빈의 삼림 지역에 못 미쳐 멈췄다.

촬영소는 근면의 위대한 증거로 보이는 장소는 아니다. 장비들은 그것들을 나르기 위해 빌린 밴 몇 대에 언제까지나 나태하게 누워 있었다. 세트들은 다 지어졌다고 해도 반밖에 완성되지 못한 걸로 보였다. 보통 촬영소에는 많은 사람이 있는데, 그들은 커피를 마시거나 담배를 피우거나 그냥 서 있기만 해도 급료를 뽑아 간다. 자리를 제공받을 만큼 중요한 사람들이 아니기 때문에 서 있을 뿐이다. 낭비에 지나지 않을 일에 자금을 댈 만큼 충분히 멍청한 사람들이 있기 마련이다. 그들에게 필름은 중국 비단 이후 가장 비싼 길이 단위의 물질로 보일 것이다. 리블 박사가 돈을 댔다면 분명히 반미치광이가 되어 조바심을 냈을 게 틀림없으리라.

메모장을 들고 있는 사람에게 스튜디오 책임자가 어디 있는지 묻자 그는 일층의 작은 사무실을 가리켰다. 거기서 나는 시집 안 간 괴짜 이모 같은 느낌의 키가 크고 배가 뽈록 나온 남자와 맞닥뜨렸다. 염색한 머리에 라일락색 카디건 차림이었다. 그는 내가 그의 조카딸에게 청혼이라도 하고 있다는 듯이 한쪽 손으로 다른 손의 손등을 움켜쥐고 내 말을 경청했다.

"뭐 하는 분입니까, 일종의 경찰 같은 분입니까?" 그가 손톱으로 제멋대로 자란 눈썹을 다듬으며 물었다. 촬영소 어디에선가 몹시 시끄러운 트럼펫 소리가 들려오자 그가 눈살을 찌푸렸다.

"형사요." 나는 거짓말을 했다.

독일 장송곡
—
205

"우린 언제나 성심껏 경찰에 협조하고 있습니다. 그렇고말고요. 그 여자가 무슨 역할로 캐스팅됐는지 아십니까?"

"아니, 유감이지만 모르오. 하지만 지난 이삼 주 내에 됐을 거요."

그가 전화기를 들고 스위치를 눌렀다.

"빌리? 날세, 오토. 잠시 내 사무실로 와 주겠나?" 그가 수화기를 내려놓고 머리를 매만졌다. "빌리 라이히만이 이곳 제작 책임자입니다. 그가 도와 드릴 수 있을 겁니다."

"고맙소." 나는 그렇게 말하며 그에게 담배 한 개비를 건넸다.

그는 그 담배를 귀 뒤에 꽂았다. "친절하시군요. 나중에 피우겠습니다."

"지금 무슨 촬영을 하고 있소?" 빌리를 기다리는 동안 내가 물었다. 트럼펫을 부는 사람이 고음을 몇 소절 불었는데 음이 맞지 않는 것 같았다.

오토가 끙 하는 소리를 내더니 장난스럽게 천장을 응시했다. "〈트럼펫을 부는 천사〉라는 영화입니다." 그가 눈에 띄게 열의가 식은 모습으로 말했다. "이제 대략 마무리 촬영중이지만 감독이 완벽주의자라서요."

"카를 하르틀의 영화요?"

"네, 그를 압니까?"

"〈집시 남작〉만 봤을 뿐이오."

"오," 그가 심술궂은 목소리로 말했다. "그거."

문을 두드리는 소리가 들리고 붉은 머리의 키가 작은 남자가 사무실 안으로 들어왔다. 트롤[41]을 떠오르게 하는 사내였다.

"빌리, 이분은 귄터 씨일세. 형사님이시지. 이분이 〈집시 남작〉을 좋아하신다는 사실을 기꺼이 받아들일 수 있다면 자네가 이분께 도움이 될 수 있을지도 모르네. 여배우를 찾고 계시지. 얼마 전 오디션을 본."

빌리가 고르지 않은, 암염 같은 이를 한껏 드러내며 어색한 미소를 짓더니 고개를 끄덕이고 높은 톤으로 말했다. "제 사무실로 가시는 게 좋을 것 같군요, 귄터 씨."

"빌리를 오래 붙잡아 두지는 마십시오, 귄터 씨." 내가 빌리의 작은 체구를 따라 문 밖 복도로 향할 때 오토가 일렀다. "그는 십오 분 후에 약속이 있습니다."

빌리가 휙 돌아서더니 멍한 눈으로 스튜디오 책임자를 바라보았다. 오토가 몹시 짜증 난다는 듯이 한숨을 쉬었다. "다이어리에 뭔가를 적어 본 적이 없나, 빌리? 런던 영화사에서 영국 사람이 오기로 돼 있잖아. 미스터 런던 헤인스? 기억나나?"

빌리가 앓는 소리를 내더니 등 뒤로 문을 닫았다. 그가 나를 데리고 복도를 지나 다른 사무실로 안내했다.

"자, 그 여자 이름이 뭐죠?" 빌리가 의자를 가리키며 내게 물었다.

"로테 하르트만."

"소속된 회사 이름은 모르시겠죠?"

"모르오. 하지만 지난 몇 주 내에 그녀가 여기에 왔다는 걸 알고 있소."

---

41. 북유럽 신화에 나오는 거인 혹은 난쟁이.

그는 자리에 앉아 책상 서랍 하나를 열었다. "지난달 배역을 모집한 영화가 세 편뿐이라 찾는 게 그리 어렵지 않을 겁니다." 그가 짧은 손가락으로 파일 세 개를 끄집어내 압지 위에 올려놓고 내용을 살피기 시작했다. "그 여자에게 무슨 문제라도 있습니까?"

"아니오. 우리가 조사중인 것과 관련해서 그녀가 경찰에 도움을 줄지 모를 누군가를 알 수도 있어서 찾는 것뿐이오." 적어도 그 말은 사실이었다.

"그 여자가 지난달쯤 오디션을 봤다면 이 파일 중 하나에 있을 겁니다. 빈에는 그럴듯한 폐허가 부족할지 모르지만 여배우는 풍족하죠. 그들 중 반이 초콜레이디들입니다. 뭐, 그래요. 최고로 좋은 시절이더라도 여배우란 또 다른 이름의 초콜레이디죠." 그는 파일 하나를 다 훑고 다른 파일로 넘어갔다.

"빈에 폐허가 부족하다는 말에 안타깝다는 말을 못 하겠군." 내가 힘주어 말했다. "난 베를린에서 왔소. 우리 폐허의 규모는 방대하지."

"알고말고요. 하지만 제가 만나야 할 영국인은 이곳 빈의 모습이 폐허이길 원한답니다. 베를린처럼요. 로셀리니[42]의 영화처럼." 그가 절망적인 한숨을 내쉬었다. "하나 물어보죠. 링과 오페라 극장 주변을 제외하면 어디에 폐허가 있다는 말이죠?"

나는 공감한다는 듯이 고개를 끄덕였다.

"그가 기대하는 게 뭐요? 전쟁이 끝나고 삼 년이 흘렀소. 영국 제작진이 찾을 경우를 대비해서 복구를 늦출 거라고 기대하기라도 한 건

---

42. 로베르토 로셀리니, 이딸리아 영화감독.

가? 아마 영국은 복구가 오스트리아보다는 오래 걸릴 테지만. 영국의 수많은 요식행위를 고려하면 놀랍지도 않은 일이지. 그렇게 관료주의적인 데도 없소. 나라면 그 친구에게 이렇게 말하겠소. 촬영을 시작할 때쯤에는 깨진 유리창을 발견하기만 해도 다행일 거라고."

빌리가 책상 위로 서류 한 장을 밀어 보냈다. 서류의 왼쪽 상단에는 여권 사진 크기의 사진이 핀으로 고정돼 있었다. "로테 하르트만입니다."

나는 이름과 사진을 힐끗 보았다. "그런 것 같군."

"분명히 기억납니다. 당시에는 우리가 찾던 여자가 아니었지만 영국 프로덕션에서는 아마 원할지도 모르겠다고 내가 말한 기억이 나는군요. 외모는 꽤 괜찮은 편이죠. 하지만 솔직히 말해, 귄터 씨, 경력이 많지 않습니다. 전쟁 기간 중 부르크 극장에서 단역을 몇 번 맡은 게 답니다. 지금도 영국은 암시장을 소재로 하는 영화를 제작하고 있어서 초콜레이디들을 많이 필요로 하죠. 로테 하르트만의 특별한 경력을 고려하면 그 배역들에 적합할 겁니다."

"오? 그 특별한 경력이란 게 뭐요?"

"카사노바 클럽에서 접대부로 일했었죠. 지금은 오리엔탈 카지노의 딜러라는군요. 적어도 나한텐 그렇게 말했습니다. 아마 그곳 스트립쇼에 출연할 겁니다. 어쨌든, 그녀를 찾으신다면 이게 그녀가 말한 주소입니다."

"이 서류를 빌려 가도 되겠소?"

"그러세요."

"한 가지 더. 하르트만 양에게서 연락이 오더라도 지금 일은 덮어 두면 고맙겠소."

"새 가발을 쓴 것처럼 잘 덮어 두겠습니다."

나는 자리를 뜨려고 몸을 일으켰다. "고맙소. 큰 도움이 됐소. 오, 그리고 폐허를 잘 찾아내길 바라겠소."

그가 씩 웃었다. "그러죠. 혹시 약해 보이는 담벼락이라도 보이면 밀어뜨려 주십시오. 그러면 고맙겠군요."

그날 저녁 나는 여덟시 십오분에 시작하는 첫 쇼 시간에 맞춰 오리엔탈 카지노로 갔다. 여섯 명으로 편성된 오케스트라의 음악에 맞춰 탑 모양으로 생긴 댄스 무대 위에서 벌거벗고 춤을 추는 여자의 눈이 피흘러의 새카만 비석처럼 차갑고 딱딱해 보였다. 그녀의 작은 가슴에 새겨진 새 문신처럼 그녀는 얼굴에 드러난 경멸감을 지우지 못했다. 그녀는 몇 차례 하품을 참아야 했고, 한 번은 무대로 뛰어오를 손님을 대비해 자신을 지키는 고릴라에게 눈살을 찌푸렸다. 사십오 분 후 쇼가 끝나고 그녀가 무대 인사를 했다. 한 다리를 뒤로 빼며 무릎을 살짝 구부리는 절은 쇼를 보고 있던 사람들을 향한 조롱이었다.

나는 웨이터를 손짓으로 불러 클럽에 대한 내 관심을 알렸다. 황동 재떨이에 놓여 있던 성냥갑의 '멋진 이집트풍 나이트 카바레'라는 선전 문구처럼 오리엔탈은 중동 느낌이 강했다. 적어도 지페링 스튜디오의 상상력 없는 무대 디자이너의 눈에는 그럴 것이다. 길고 굽이진 계단이 금색 기둥, 둥근 천장, 급조한 모자이크 벽에 걸린 많은 페르시안 태피스트리 등, 무어풍으로 꾸민 지하로 이어졌다. 눅눅한 지하 냄새, 싸구려 터키 담배 연기와 진짜 오리엔트 분위기를 더해 주는 수많은 창녀들. 나는 내 목상감 테이블 위에 바그다드의 도적이 앉지 않을지 살짝 기대했다. 그 대신 뚜쟁이가 찾아왔다.

"멋진 여자를 찾습니까?"

"그랬다면 여기에 오지 않았을 거야."

뚜쟁이가 내 말을 잘못 알아듣고 이곳과 어울리지 않게 생뚱맞은 미국식 바에 앉아 있는 뚱뚱한 빨간 머리를 가리켰다. "저 여자라면 편안함을 느낄 수 있을 겁니다."

"됐소. 저 여자의 속옷 냄새가 여기까지 나는군."

"이보쇼, 피프케. 저 귀여운 초콜레이디는 너무 깔끔해서 그녀의 가랑이를 저녁 식사로 먹을 수도 있을 정도요."

"배고프지 않은데."

"그렇다면 아마 다른 걸 원하시는 모양이구먼. 걱정이 되신다면 발 자국 하나 찍히지 않은 깨끗한 눈을 찾을 수 있는 곳을 알고 있지. 무슨 말인지 알겠소?" 그가 테이블에 몸을 기울였다. "아직 학교도 마치지 않은 여자 말이오. 그런 팔딱팔딱한 건 어떻소?"

"꺼져, 주둥이를 닥치게 하기 전에."

그가 황급히 몸을 물렀다. "진정하시지그래, 피프케." 그가 경멸하 듯 말했다. "난 단지……," 그가 고통으로 비명을 질렀다. 벨린스키가 검지와 엄지로 그의 구레나룻을 잡아 그를 일으켜 세웠다.

"내 친구 말을 들었겠지." 벨린스키가 나직한 목소리로 뚜쟁이를 위협한 다음 그를 밀어내고 내 맞은편에 앉았다. "젠장, 뚜쟁이라면 질색이야." 그가 툴툴대며 머리를 저었다.

"그런 줄 몰랐는데." 나는 웨이터를 다시 손짓해 불렀다. 포주가 사라지는 모습을 보고 있던 그가 이집트 하인보다 더 굽실거리며 테이블로 다가왔다. "무엇으로 하겠나?" 내가 미국인에게 물었다.

"맥주."

"괴서 두 잔." 내가 웨이터에게 말했다.

"바로 갖다 드리겠습니다, 신사분들." 그가 대답하고 황급히 물러났다.

"이제 저 친구가 우리가 하는 말을 더욱 주의 깊게 엿듣겠구먼." 내가 말했다.

"그래. 그건 그렇고, 화려한 서비스 때문에 여기에 온 건 아닐 테고. 사람들은 테이블 위에서나 침대 위에서 돈을 잃으러 이곳에 오지."

"플로어 쇼는 어떻고? 쇼를 잊었나 보군."

"그걸 잊었군." 그가 외설스럽게 웃어 젖히더니 적어도 일주일에 한 번은 오리엔탈에서 쇼를 보려고 애썼다고 설명했다.

가슴에 문신이 있는 여자에 대해 말하자 그는 그 정도 얘기에는 별 관심 없다는 듯 고개를 저었다. 이윽고 나는 그가 극동 지방에서 본 스트립 댄서와 스트리퍼 들은 누구나 문신이 있기 때문에 크게 대수로울 게 없다는 등의 얘기를 한동안 들어야 했다. 이런 유의 대화에 별 흥미가 없었기 때문에 몇 분 뒤 벨린스키가 자신의 외설적인 일화를 마쳤을 때 나는 화제를 바꿀 수 있어서 기뻤다.

"쾨니히의 여자, 하르트만 양을 찾았네." 내가 말했다.

"그래? 어디서?"

"옆방에서. 카드를 돌리고 있지."

"딜러라고? 그을린 피부에 고드름처럼 차가운 금발머리 여자 말인가?"

내가 끄덕였다.

"그녀에게 술을 사려고 한 적이 있었지." 벨린스키가 말했다. "오히려 그냥 무시를 당하는 편이 낫겠더군. 잘 보이기가 보통 힘든 게 아니더라고, 크라우트. 너무 차가운 여자라 향수 냄새에 콧구멍이 아릴 걸세. 유괴라도 한다면 가능성이 있을지 모르지."

"그 비슷한 걸 생각중이었지. 당신은 이곳 빈에 주둔한 헌병대와 얼마나 사이가 안 좋나? 진지하게 묻는 거야."

벨린스키가 어깨를 으쓱했다. "갈 데까지 갔네. 계획을 얘기하면 확실히 말해 주지."

"이건 어떤가? 국제경찰이 어느 날 밤 이곳에 들이닥쳐서 어떤 구실로 나와 저 여자를 체포하는 거야. 그러면 그들이 우리를 캐르트너 가로 데려가겠지. 거기서 내가 체포는 실수라고 강력하게 얘기하는 거야. 저 여자가 확실히 속아 넘어가도록 그들에게 돈을 얼마쯤 쥐여 주는 것도 괜찮겠지. 어쨌든 경찰이라면 누구나 부패한 인간들이라고 사람들은 믿고 싶어 하니까. 안 그런가? 약간의 세밀한 연기를 더하면 저 여자나 쾨니히는 속을 거야. 그렇게 해서 경찰이 우리를 풀어 주면 로테 하르트만에게 이렇게 작업을 거는 거지. 당신이 너무 매력적이라 당신을 도왔다고. 그럼 당연히 저 여자는 감사의 마음을 표하고 싶을 테고. 그녀에게는 신사 남자친구가 있고 말이야. 그가 내게 뭔가 보상을 하겠지. 나에게 사업 얘기를 한다든가. 뭐 그런 거 말이야." 나는 말을 멈추고 담배에 불을 붙였다. "어떻게 생각하나?"

"우선," 벨린스키가 곰곰이 생각하며 말했다. "국제경찰은 이 가게

독일 장송곡
—
213

에 들어올 수 없어. 그 취지가 쓰인 큰 간판이 입구에 걸려 있지. 당신이 산 십 실링짜리 입장권이 이른바 비밀 클럽의 야간 회원 자격을 준 거야. 그건 국제경찰이 이 안으로 들어와 카펫을 더럽히고 꽃 같은 여성들을 훑어볼 수 없다는 뜻이지."

"좋아, 그렇다면," 내가 말했다. "그들이 밖에서 기다리고 있다가 클럽에서 나오는 사람들을 불심검문하는 거야. 그걸 막을 방법은 없겠지? 그리고는 로테와 나를 모종의 혐의로 연행하는 거지. 예를 들면 그녀에게는 초콜레이디라는 이유로, 나에게는 부정한 돈벌이를 했다는 이유로."

웨이터가 맥주를 가져왔다. 두 번째 쇼가 시작되고 있었다. 벨린스키가 맥주를 한 모금 마시고 쇼를 보기 위해 자리를 고쳐 앉았다.

"난 저 쇼가 마음에 들어." 그가 으르렁대듯 말하며 파이프에 불을 붙였다. "엉덩이가 아프리카 서해안만 한 여자가 있네. 기다려 봐. 곧 나올 테니까." 씩 웃는 잇새에 물린 파이프를 만족스럽게 뻐끔거리며 벨린스키는 브래지어를 벗는 여자를 뚫어지게 쳐다보았다.

"그 계획이 성공할지도 모르겠군." 그가 마침내 입을 열었다. "다만 미군에게 뇌물을 주는 건 잊어버려. 뇌물을 생각하고 있다면 러시아 놈이나 프랑스인들에게나 먹힐 거야. 마침 CIC가 국제경찰 내의 러시아 대위를 매수했네. 분명 미국에 잘 보이려고 열심일 테니 군 매뉴얼, 신분증명서, 기밀 같은 것을 융통해 줄 거야. 가짜 체포 정도는 그의 능력 내에서 가능한 일이지. 마침 다행히도 러시아가 이번 달 의장직을 맡게 돼서 근무중일 때 야간 불심검문 정도는 쉬운 일일 게 틀림없어."

스트립 댄서가 손바닥만 한 끈 팬티가 드러나도록 거대한 엉덩이에서 반바지를 내렸을 때 미소를 머금은 벨린스키의 입가가 넓어졌다.

"오, 저거 봤나?" 그가 호기심 많은 남학생처럼 키득거렸다. "저 여자의 엉덩이에 멋진 액자를 둘러 우리 집 벽에 걸어 놓고 싶군." 그가 맥주를 들이켠 다음 나를 보고 음탕하게 윙크했다. "당신네 크라우트에 관한 내 생각을 말해 줄까? 당신네는 자동차 못지않게 여자들도 잘 만든단 말이야."

20

옷이 이제 몸에 더 잘 맞는 것 같았다. 바지 허리둘레가 어릿광대의 판탈롱처럼 헐렁거리지 않았다. 재킷을 입은 품은 돌아가신 아버지의 맞지 않은 옷을 태연하게 입은 학생처럼 보이지 않았다. 셔츠 깃은 겁쟁이의 팔에 감긴 붕대처럼 목에 딱 맞았다. 빈에서의 두 달 체류가 체중을 늘려 준 것은 의심할 여지가 없었고, 이제는 소련 포로수용소에서 풀려난 사람처럼 보이기보다 수용소에 들어가기 전의 모습에 더 가깝게 보였다. 이것이 나를 기쁘게 한 반면 체형이 무너진 것은 변명의 여지가 없어서 슈바르첸베르크 카페에 앉아서 보내는 시간을 줄이고 운동을 하기로 마음먹었다.

바야흐로 헐벗었던 겨울나무들이 싹을 피울 때였고, 더 이상 자동적으로 오버코트에 손을 대지 않게 된 때였다. 분필로 그린 듯한 구름 한 점이 푸른 칠판 같은 하늘에 떠 있었다. 그래서 나는 따뜻한 봄 햇살에 살갗을 노출하고 링 주위를 걷기로 했다.

지나치게 커서 방에 어울리지 않는 샹들리에처럼 고압적 제국주의가 낙관적이었던 시대에 지어진 링 가의 청사들은 새 오스트리아의 지리적 현실감에 비해 너무 웅장하고 너무 화려했다. 육백만 인구의 오스트리아는 거대한 담배의 필터 부분에 지나지 않았다. 내가 걷고 있는 환상 도로 링은 장례식장의 화환 정도도 되지 못했다. 미국에 징발된 브리스톨 호텔을 지키고 있는 보초병의 얼굴이 아침 햇살에 분홍빛으로 물들어 있었다. 마찬가지로 브리스톨 호텔 옆, 러시아에 징발된 그란트 호텔을 지키고 있는 러시아 보초병은 얼굴이 너무 새카매서 마치 전 생애를 야외에서 보낸 것처럼 보였다.

슈베르트링에 다다라 공원 쪽으로 갈 생각에 링의 남쪽을 가로지르자 러시아 군사령부가 보였다. 예전에 임페리알 호텔이었던 군사령부의 입구에 붉은 군대 참모 전용차가 멈춰 서는 중이었다. 네 개의 여인상 기둥으로 장식된 입구에는 거대한 붉은 별이 걸려 있었다. 차 문이 열리고 포로쉰 대령이 내렸다.

그는 나를 보고 조금도 놀라지 않은 것 같았다. 더욱이 이곳으로 걸어온 나를 거의 예상이라도 한 것 같았고, 베를린 '작은 크렘린'에 있는 그의 사무실에서 불과 몇 시간 전에 봤다는 듯이 나를 쳐다볼 뿐이었다. 나는 멍하니 입을 벌리고 있었으리라. 잠시 후 그는 미소를 짓고 '도브로예 우트로(안녕하시오)'라고 중얼거린 다음 할 말을 잃고 멍하니 서 있는 나를 의심스러운 눈초리로 돌아보는 두 명의 하급 장교를 대동하고 군사령부로 들어갔다.

포로쉰이 지금 왜 빈에 나타났는지 적잖이 혼란해하며 슈바르첸베르크 카페로 돌아가려고 길을 건너는 순간 나를 향해 미친 듯이 벨을 울리며 달려오는, 자전거를 탄 노부인을 가까스로 피했다.

나는 늘 앉는 자리에 앉아 포로쉰의 등장을 생각하며 가벼운 식사를 주문했다. 내 새로운 운동 다짐은 이미 허사가 되었다. 난데없이 빈에 나타난 대령을 생각하는 데 커피와 케이크가 도움이 된 것 같았다. 어쨌든 그가 오지 말아야 할 이유는 없었다. MVD 대령인 그는 가고 싶은 곳이라면 어디든 갈 수 있으리라. 그는 내게 인사 이상의 말은 입에 담지 않았고, 그의 친구를 위한 내 조사가 어떻게 진행되고 있는지도 묻지 않았다. 아마 두 장교 앞에서 그 문제를 거론하고 싶지 않았기 때문이리라. 베커가 여전히 교도소에 있는지 아닌지 확인할 요량이라면 전화기를 들고 국제경찰 본부에 다이얼을 돌리기만 하면 될 뿐이었다.

베를린에서 포로쉰이 온 이유는 내 조사 때문인 게 분명했다. 그보다 더 그럴듯한 이유는 없어 보였다. 아침 식사로 말린 자두[43]를 잔뜩 먹은 사람처럼 나는 빠른 시일 내에 어떤 통지가 있으리라고 중얼거렸다.

---

43. 얼간이, 바보라는 뜻이 있다.

21

전승 4개국은 한 달씩 돌아가면서 도심부의 치안 활동을 책임지고 있었다. 벨린스키는 그것을 '의장직In the chair'이라고 표현했었다. 문제의 의자는 아우어스페르크 궁 내 연합국 본부 회의실에 있었다. 의장직은 또한 국제경찰 순찰차의 조수석에 누가 앉는가에도 영향을 끼쳤다. 비록 국제경찰이 4개국이 똑같이 관여하는 조직이라고 해도 실질적으로는 미국이 운영하고 물자를 공급했다. 모든 차량, 휘발유와 경유, 통신 장비, 예비 통신 장비, 차량과 통신 장비 유지비, 통신 네트워크 시스템과 경찰 조직의 운용은 제796 미군 부대가 책임지고 있었다. 이것은 항상 순찰차를 몰며 통신 장비를 작동하고 제1단계 정비[44]를 하는 것이 미군이라는 뜻이었다. 따라서, 적어도 순찰대에 있어서만큼은 '의장'의 생각이 다소 유동적이었다.

비록 빈 사람들이 순찰 차량을 일컬어 '지프에 탄 네 사람' 혹은 가끔 '지프에 탄 코끼리 네 마리'라고 했지만 실제로 '지프'는 순찰대원 네 명과 단파 수신기는 물론이고 죄수까지 수용하기에는 너무 좁아

44. 군사 장비의 정비 단계 중 첫 단계로 장비의 실사용자에 의한 정비를 말한다.

서 용도 폐기된 지 오래였고, 지금은 이동 수단으로 사십오 톤짜리 정찰 트럭이 사용됐다.

체포된 나는 이 모든 것을 페터스 광장에 있는 오리엔탈 카지노에서 멀지 않은 곳에 국제경찰 트럭의 주차를 지휘한 러시아 상병에게 들었다. 그리고 로테 하르트만을 태울 그의 동료를 기다리며 트럭에 앉아 있었다. 프랑스어도 영어도 못 하고 단지 단편적인 독일어만 할 수 있는 상병은 러시아어로 대화할 수 있는 상대를 만나 기뻐했다. 비록 그 상대가 체포된 사람이라 할지라도.

"당신을 체포한 이유가 암시장과 관련이 있다는 것 이외에 많은 얘기를 해 줄 수 없어서 미안합니다." 그가 사과했다. "캐르트너 가에 도착하면 자세히 알게 될 거예요. 당신이나 나나. 내가 말해 줄 수 있는 건 절차뿐이죠. 우리 대장이 체포 서류를 두 통—모든 걸 두 통씩 — 작성해서 두 통 모두 오스트리아 경찰에 넘길 겁니다. 그럼 그들이 군정 공안 담당에게 한 장을 넘기죠. 만약 당신이 군사법원에 회부되면 우리 대장이 사건 기록부를 준비할 거고, 오스트리아 법원으로 갈 경우 지방경찰에서 지시가 내려올 겁니다." 상병이 인상을 찌푸렸다. "솔직히 말해서 암시장 관련 위법은 요즘 그렇게까지 까다롭게 취급하지 않는데 말입니다. 풍기 문란도 그렇고. 우린 대개 밀수업자나 불법 이민자를 단속하죠. 우리 순찰반의 다른 세 녀석은 지금 내가 미쳐 가고 있다고 생각한다니까요. 하지만 난 명령에 따를 뿐이죠."

나는 동정을 담은 미소를 짓고 설명해 줘서 고맙다고 말했다. 내가 담배를 건네려는데 트럭 문이 열렸고, 프랑스 순찰대원이 얼굴이 매우 창백한 로테 하르트만을 트럭에 태워 내 옆자리에 앉혔다. 이내 프랑스인과 영국인이 그녀를 따라 트럭에 탄 다음 안에서 문을 잠갔다. 그녀가 풍기는 공포의 냄새는 그녀의 향수 냄새에 비하면 미미할 뿐이었다.

"저들이 우릴 어디로 데려가는 거죠?" 그녀가 나에게 속삭였다.

나는 캐르트너 가로 가는 중이라고 말해 주었다.

"대화 금지." 영국 헌병이 끔찍한 독일어로 말했다. "체포된 사람은 본부에 도착할 때까지 침묵한다."

나는 조용히 미소 지었다. 영국인이 할 수 있는 유일한 제2언어는 관료적인 말뿐이었다.

국제경찰은 국립 오페라 극장에서 담배를 튀기면 닿을 거리에 본부를 두고 있었다. 트럭이 본부 앞에 멈춰 섰고, 우리는 거대한 유리문을 지나 바로크풍 홀로 끌려갔다. 아틀라스상과 여인상으로 가득한 그곳은 빈 석공의 보편적인 솜씨가 어떤지 보여 주었다. 우리는 기차 궤도만큼이나 넓은 계단을 오른 다음 항아리들과 잊힌 귀족의 흉상들을 지나 서커스에 등장하는 키다리 아저씨의 다리보다 길쭉한 문을 두 번 통과해 전면이 유리로 된 사무실들이 죽 늘어서 있는 복도로 들어갔다. 러시아 상병이 사무실들 중 한 곳의 문을 열어 우리 둘을 안으로 들이고 기다리라고 말했다.

"저 사람이 뭐래요?" 하르트만 양이 그가 문을 닫고 사라지자 물었다.

"기다리라는군." 나는 의자에 앉아 담배에 불을 붙이고 방을 둘러보았다. 책상 하나, 의자 넷 그리고 벽에는 교회 건물 밖에서 흔히 볼 수 있는 큼직한 나무 게시판이 걸려 있었다. 분필로 이름과 숫자의 열이 그려져 있었고, 각 열의 윗부분에는 키릴 문자로 각각 '지명수배자', '결근자', '도난 차량', '긴급 연락', '1부 지령', '2부 지령'이라고 쓰여 있었다. '지명수배자'라고 쓰인 열에는 내 이름과 로테 하르트만이 적혀 있었다. 벨린스키의 신임을 받는 러시아인이 아주 그럴듯해 보이도록 신경을 쓴 것이었다.

"대체 이 모든 게 무슨 일인지 알겠어요?" 그녀가 떨리는 목소리로 물었다.

"모르겠소." 내가 거짓말했다. "당신은?"

"당연히 모르죠. 뭔가 실수일 거예요."

"분명히 그럴 거요."

"당신은 별로 걱정하지 않는 것 같군요. 우리를 여기로 데려오라고 지시한 사람이 러시아인이라는 게 무슨 의미인지 이해하지 못했을 뿐이거나요."

"러시아 말을 할 줄 압니까?"

"아니요, 당연히 모르죠." 그녀가 조바심을 내며 말했다. "날 체포한 미국 헌병이 이건 러시아 소관으로 자기들과는 상관없다고 했어요."

"그럼, 이번 달은 러시아 놈들이 의장을 맡았나 보군." 그 말이 내 입에서 반사적으로 나왔다. "프랑스인은 뭐랍디까?"

"아무 말도요. 내 드레스 가슴팍만 뚫어지게 쳐다볼 뿐이었죠."

"그랬을 거요." 내가 그녀에게 미소를 지으며 말했다. "볼 가치가 있으니까."

그녀가 내게 비아냥이 섞인 미소를 보냈다. "오두막 앞에 쌓인 장작을 보고 싶어서 날 이곳으로 데려온 것 같진 않은데요?" 그녀는 불쾌감을 뚜렷이 드러내며 말했지만 그 말을 하는 순간 내가 건넨 담배는 받아 들었다.

"더 나은 이유를 생각할 순 없겠는데."

그녀가 나지막이 욕설을 내뱉었다.

"내가 당신을 만난 적이 있던가?" 내가 말했다. "오리엔탈에서?"

"전쟁중에 뭘 했죠? 대공 정찰?"

"붙임성 있게 구는 게 좋을 거요. 내가 당신을 도울 수 있을지도 모르니까."

"본인을 먼저 돕지그래요."

"날 믿어 봐요."

마침내 사무실 문이 열리고 방 안으로 들어온 사람은 키가 크고 덩치가 큰 붉은 군대 장교였다. 그는 자신을 루스타벨리 대위라고 소개하고 책상 뒤 의자에 앉았다.

"이봐요." 로테 하르트만이 따졌다. "이 한밤중에 내가 왜 여기로 끌려왔는지 말해 주시겠어요?"

"곧 알게 될 겁니다. 프로일라인.**45**" 그가 흠 잡을 데 없는 독일어로 대답했다. "앉으십시오."

의자에 털썩 주저앉은 그녀가 그를 뚱하게 쳐다보았다. 대위는 나를 보았다.

---

45. 영어의 miss에 해당하는 독일어.

"귄터 씨입니까?"

나는 고개를 끄덕이고 독일어만 알아듣는 여자 옆에서 러시아어로 말했다. "그녀가 이해할 수 없는 말로 우리가 대화한다면 그녀는 나를 더욱 인상적인 개자식일 거라고 생각할 겁니다."

루스타벨리 대위가 나를 쌀쌀맞게 쳐다봐서 잠시 나는 뭔가 일이 잘못되어 우리의 체포가 미리 짠 일이라는 걸 벨린스키가 이 러시아 대위에게 제대로 설명하지 않은 건 아닌지 의심했다.

"그거 좋군요." 루스타벨리가 오랜 침묵 끝에 그렇게 말했다. "그래도 우리는 적어도 취조의 모션을 취해야 할 겁니다. 내가 당신의 신분증을 봐도 되겠습니까, 귄터 씨?" 그의 억양으로 나는 그가 그루지야 사람임을 알았다. 스탈린 동무처럼.

재킷 안에 손을 넣어 내 신분증명서를 건넸다. 나는 트럭에 앉아 있는 동안 신분증 주머니에 일백 달러 지폐 두 장을 끼워 두었다. 벨린스키의 제안에 따라. 루스타벨리는 눈 한 번 깜빡이지 않고 그 돈을 재빨리 군복 바지 주머니에 넣었다. 나는 눈꼬리로 턱이 무릎까지 떨어진 로테 하르트만의 모습을 보았다.

"아주 후하시군요." 그가 털북숭이 손으로 내 신분증을 돌려주며 그렇게 중얼거렸다. 그러고 나서 내 이름이 적혀 있는 파일을 펼쳤다. "불필요한 일이지만 당신인지 확인해야 하니까요."

"지금 그녀의 감정을 고려하면, 대위, 나에 대한 그녀의 편견이 뒤집히길 원하는 건 아닐 테죠?"

"물론입니다. 미인이군요. 그렇지 않습니까?"

"대단한."

"매춘부라고 생각하십니까?"

"매춘부거나 매춘부에 매우 가깝죠. 당연히 추측이지만 저 여자는 남자에게서 십 실링보다는 훨씬 많은 돈과 속옷까지 뜯어 갈 타입입니다."

"사랑에 빠질 여자는 아니라고요?"

"모루 위에 당신 꼬리를 올려놓을 타입이죠."

루스타벨리의 사무실은 따뜻했고, 로테는 러시아 장교가 자신의 풍만한 가슴골을 볼 수 있도록 재킷을 펄럭이기 시작했다.

"취조가 이렇게 즐겁기도 드물죠." 그가 그렇게 말하며 서류를 내려다보고 덧붙였다. "멋진 가슴이군요. 그것만은 사실입니다."

"당신들 러시아인들이 보기에는 대단한 게 아닐 텐데요."

"뭐, 이 작은 쇼가 어떤 성취를 이뤄 왔는지 모르지만 그녀를 손에 넣길 바라겠습니다. 그렇게 못하면 이렇게까지 고생할 이유가 없으니까요. 나요, 난 일종의 성병에 걸렸다고나 할까. 여자를 볼 때마다 꼬리가 부풀어 오르거든요."

"그 병이 당신을 꽤 전형적인 러시아인으로 만들어 준 것 같군요."

루스타벨리가 냉소를 지었다. "그건 그렇고, 러시아어가 꽤 유창하군요, 귄터 씨. 독일인치고는."

"당신도 그렇습니다, 대위. 그루지야인치곤. 어디 출신입니까?"

"트빌리시."

"스탈린의 출생지?"

"하늘에 감사하게도 아닙니다. 그 불행은 고리Gori에 돌리죠." 루스타벨리는 내 파일을 덮었다. "이 정도면 그녀에게 깊은 인상을 주기에 충분했다고 생각하지 않습니까?"

"그렇군요."

"내가 저 여자에게 무슨 말을 해야 합니까?"

"당신은 그녀가 매춘부라는 정보를 갖고 있습니다." 내가 설명했다. "당신은 마지못해 그녀를 방면해야 하는데, 내가 끼어들어서 그녀를 방면하도록 돕게 해야 합니다."

"오, 그럴듯해 보이는군요, 귄터 씨." 루스타벨리가 다시 독일어로 돌아와 말했다. "시간을 빼앗은 걸 사과드립니다. 이제 당신은 가셔도 좋습니다."

그가 내 신분증을 돌려주었고, 나는 자리에서 일어나 나갈 준비를 했다.

"나는요?" 로테가 칭얼거렸다.

루스타벨리가 머리를 저었다. "유감이지만 당신은 있어야 합니다, 프로일라인. 풍기 단속반 의사가 곧 이리로 올 겁니다. 그가 오리엔탈에서 당신이 하는 일에 관해 물을 겁니다."

"난 딜러란 말이에요." 그녀가 울먹거리며 말했다. "초콜레이디가 아니라고요."

"우리의 정보로는 그렇지 않습니다."

"무슨 정보요?"

"어떤 여자들이 당신의 이름을 언급했더군요."

"어떤 여자들이?"

"매춘부들 말입니다, 프로일라인. 아마 당신은 건강진단을 받아야 할 겁니다."

"건강? 무엇에 대한?"

"당연히 성병이죠."

"성병……?"

"루스타벨리 대위," 로테의 격렬한 항의가 이어지는 가운데 내가 말했다. "내가 이 여자를 보장할 수 있습니다. 아주 잘 안다고는 할 수 없지만 이렇게 단언할 수 있을 만큼 오래전부터 이 여자를 알아 왔습니다. 이 여자는 매춘부가 아닙니다."

"아니, 이거……," 그가 트집을 잡을 듯이 입을 열었다.

"하나만 묻죠. 이 여자가 매춘부로 보입니까?"

"솔직히 말해 몸을 팔지 않는 오스트리아 여자를 본 적이 없습니다." 그는 잠시 눈을 감고 고개를 저었다. "난 규약을 위반할 수 없습니다. 그건 중대한 책임이죠. 많은 러시아군이 감염됐습니다."

"내 기억으로 하르트만 양이 체포된 곳인 오리엔탈은 붉은 군대 출입 금지 구역일 텐데요. 당신네 군인들은 주로 발피슈 가에 있는 물랭 루즈에 간다고 알고 있는데 말입니다."

루스타벨리가 입술을 오므리고 어깨를 으쓱했다. "그건 사실이지만 그래도……,"

"만약 우리가 다시 만나게 된다면 말입니다, 대위. 우린 당신들의 조약 위반으로 내가 겪은 난처한 상황에 대해, 붉은 군대의 배상 가능성을 토의하게 될지도 모릅니다. 그러기 전에 그녀가 결백하다는 내 개인적인 보증을 받아들여 주지 않겠습니까?"

루스타벨리가 곰곰이 생각하며 까칠하게 자란 수염을 문질렀다. "좋습니다. 당신의 개인적인 보증을 믿죠. 하지만 내가 당신 주소를 가지고 있다는 사실을 명심하십시오. 당신은 언제든 다시 체포될 수도 있습니다." 그가 로테 하르트만에게 몸을 돌리고 방면하겠다고 말했다.

"하느님, 감사합니다." 그녀가 숨을 내쉬고 자리에서 발딱 일어났다.

루스타벨리가 더러운 유리문 한쪽 편에서 감시하고 서 있는 상병에게 고개를 끄덕이고 우리를 건물 밖으로 안내해 드리라고 명령했다. 그러더니 대위는 뒤꿈치를 소리 나게 붙이고 '실수'에 대해 사과했다. 로테 하르트만에게 미쳤을 그 연극 효과가 자신의 부하에게도 미치게 하기 위해.

그녀와 나는 상병 뒤를 따라 넓은 계단을 내려갔다. 우리의 발소리가 높은 천장에 화려하게 장식된 돌림띠에까지 울려 퍼졌다. 아치형 유리문을 지나 거리로 나온 상병이 배수로에 몸을 구부리고 많은 양의 침을 뱉었다.

"실수라고, 응?" 그가 쓴웃음을 지었다. "장담컨대, 내가 그 책임을 져야 할 겁니다."

"아닐 거요." 내가 그렇게 말했지만 그는 어깨를 으쓱할 뿐으로 양가죽 모자를 고쳐 쓰고 다시 본부로 터덜터덜 걸어갔다.

"당신에게 감사드려야겠군요." 로테가 재킷 칼라를 여미며 말했다.

"됐소." 나는 그렇게 말하고 링을 향해 걷기 시작했다. 그녀는 잠시 머뭇거리다가 내 뒤를 쫓아오기 시작했다.

"잠깐만요."

나는 멈춰 서서 다시 그녀를 향했다. 정면으로 본 그녀의 얼굴은 코의 길이가 두드러져 보이는 옆얼굴보다 매력적이었다. 그리고 전혀 쌀쌀맞지 않았다. 벨린스키는 잘못 알고 있었다. 냉소적인 태도를 일반적인 무관심으로 오해한 것이다. 그녀는 오히려 남자를 잘 유혹하는 타입처럼 보였다. 비록 카지노에서 본 날 밤에 든 생각이지만 그녀는 친밀함에 매달리는 욕구불만의 여자들 가운데 한 명일지도 몰랐다. 다만 친해지고 나면 몸을 빼는 타입인 듯했다.

"응? 뭐요?"

"이봐요, 당신에게 이미 신세를 지긴 했지만," 그녀가 말했다. "나를 집까지 데려다주시겠어요? 이 거리에 있기에 조신한 여자에겐 너무 늦은 시간인 데다 이렇게 늦은 시간엔 택시를 잡기도 어려울 거예요."

나는 어깨를 으쓱하고 시계를 보았다. "어디 삽니까?"

"그렇게 멀지 않아요. 영국 점령 지구 제3구요."

"좋소." 내가 눈에 띄게 열의 없이 한숨을 쉬었다. "안내해요."

우리는 계속 프란체스코 수도회만큼이나 조용한 거리를 따라 동쪽으로 걸었다.

"왜 날 도와주셨죠?" 로테가 잠시 후 고요함을 깨뜨리며 말했다.

"바다 괴물한테 안드로메다를 구한 페르세우스도 그런 말을 들었을지 궁금하군."

"당신은 분명히 그에게는 못 미치는 영웅이에요, 귄터 씨."

"아까 내가 취한 태도에 속지 않는 게 좋을 거요." 내가 그녀에게 말했다. "내 가슴을 한가득 장식했던 훈장들을 우리 동네 전당포에 맡겼으니까."

"그렇다면 감상적인 타입도 아니군요."

"아니, 난 감상적인 걸 좋아하오. 그런 건 자수나 크리스마스카드
와 잘 어울리니까. 단지 그걸 러시아 놈들의 마음에 새기긴 어렵소.
아마 당신은 내가 새기는 걸 못 봤겠지만."

"오, 난 제대로 봤어요. 당신이 그를 다루는 방법은 아주 인상적이
었어요. 난 러시아 놈들에게 뇌물이 그렇게 효과적인지 몰랐어요."

"잘 먹히는 사람을 정확히 포착해야지. 아까 그 상병은 아마 뇌물
을 먹기엔 너무 담이 작을 테고, 소령이라면 자존심이라는 게 있을 거
요. 난 당연히 전에 루스타벨리 대위를 만난 적이 있소. 그때 그는 평
범한 중위였고, 그와 그의 여자친구는 성병에 걸려 있었지. 난 그들
에게 상등품 페니실린을 주었고, 그는 아주 고마워했소."

"당신은 마음씨 착한 멍청이로 보이진 않는데요."

"난 멍청이로도 영웅으로도 보이지 않는다. 당신은 뭐요? 워너브
라더스의 캐스팅 담당이오?"

"그러면 좋겠어요." 그녀가 우물거리더니 덧붙였다. "어쨌든 당신
이 먼저 시작했어요. 그 러시아 놈에게 내가 초콜레이디처럼은 보이
지 않는다고 했잖아요. 칭찬처럼 들렸어요."

"말했듯이, 당신을 오리엔탈에서 봤고, 파는 것이라곤 기껏 나쁘
운 정도였소. 그건 그렇고, 당신이 좋은 도박사이길 바라겠소. 당신
의 자유를 위해 돌아가서 그에게 얼마쯤 건네주기로 했으니까. 시멘
트 벽 밖에서 살고 싶다면 말이오."

"얼마나 줘야 하죠?"

"이백 달러는 줘야 할 거요."

"이백 달러요?" 우리가 대분수를 지나 렌 가를 가로지를 때 그녀의 목소리가 슈바르첸베르크 광장에 울려 퍼졌다. "그런 돈을 어디서 구해야 하죠?"

"아마 당신이 선탠을 하고 멋진 재킷을 구한 곳과 같은 곳에서. 그게 아니면 대위를 클럽으로 초대해 카드 테이블 밑에서 뺀 에이스 몇 장을 그에게 쥐어 주는 거요."

"그렇게 실력이 좋다면 모르겠지만 난 그렇지 않아요."

"그거 안됐군."

그녀는 그 문제에 대해 생각하며 잠시 침묵했다. "당신이 돈을 깎도록 설득할 수 있을지 몰라요. 러시아 말을 아주 잘하는 것 같던데요."

"어쩌면." 내가 그 제안을 받아들였다.

"법정에 가서 무죄를 항변하는 건 좋은 방법이 아니겠죠?"

"러시아 놈들을 상대로 말이오?" 내가 소리 내어 웃었다. "칼리 여신에게는 호소해도 좋을 거요."

"맞아요. 그렇겠죠."

우리는 한두 골목을 지나 작은 공원 옆에 있는 아파트 밖에 멈춰 섰다.

"술 한잔하고 가겠어요?" 그녀가 열쇠를 찾기 위해 핸드백 안을 더듬거렸다. "나는 한잔해야겠어요."

"양탄자에 흘린 술이라도 핥을 수 있겠소." 나는 그렇게 말하고 그녀를 따라 아파트 정문을 지나 위층으로 올라간 뒤 튼튼한 가구가 놓인 아늑한 아파트 안으로 들어갔다. 로테 하르트만이 매력적이라는 사실은 무시할 수 없었다. 여자를 한눈에 보고 얼마나 같이 지낼 수 있을지 계산하며, 길지 않은 시간을 같이 보내는 정도에 기꺼이 만족할 만한 여자들이 있다. 일반적으로 용모가 더 나을수록 짧은 시간이라도 만족하게 마련이다. 정말 매력적인 여자는 남자들의 비슷한 바람을 여러 번 수용해야 하기 때문이리라. 로테는 제한 없는, 관능적 오 분을 함께 보낼 수 있다면 만족할 만한 부류의 여자였다. 상상 속으로 원했던 것을 할 수 있는, 단지 오 분. 꿈꿔 왔던 일이라고 해도 과언이 아니리라. 지금 그런 일이 일어났는데, 그녀는 내게 그 이상의 시간을 허락한 것처럼 보였다. 그것도 충분한 시간을. 하지만 나는 몹시 피곤한 데다 그녀의 훌륭한 위스키를 과음한 탓인지 그녀가 아랫입술에만 술을 적시고 독거미 같은 속눈썹을 통해 나를 응시하는 모습에 그다지 주의를 기울이지 못했다. 어쩌면 나는 그녀의 침대 위에서 그녀의 놀랄 만큼 푹신한 넓적다리에 코를 박고, 크고 물렁한 귀를 그녀의 손에 맡긴 채 쉬었을 수도 있었겠지만 단지 소파에서 곯아떨어졌을 뿐이었다.

22

잠든 날과 같은 날 아침, 잠에서 깬 나는 내 주소와 전화번호를 종이에 끼적여 놓고, 침대에서 자고 있는 로테를 남겨 둔 채 밖으로 나와 택시를 잡아타고 펜션으로 돌아왔다. 펜션에서 세수를 하고 옷을 갈아입은 뒤 체력을 회복하고도 남을 만큼 많은 양의 아침을 먹었다. 전화벨이 울렸을 때 나는 조간 《비너 차이퉁》을 읽고 있었다.

빈의 악센트가 거의 없는 남자 목소리가 베른하르트 귄터 씨와 통화할 수 있는지 물었다. 내가 신분을 밝히자 목소리가 말했다.

"하르트만 양의 친굽니다. 당신이 어젯밤 곤란한 상황에서 빠져나오도록 친절하게 도와주셨다고 그녀가 말하더군요."

"정확히 말씀드리자면 그녀는 아직 빠져나오지 못했습니다."

"정확히 그렇습니다. 만나서 그 문제를 논의했으면 합니다. 하르트만 양이 그 러시아 대위에게 이백 달러를 줘야 한다더군요. 그리고 당신이 그녀의 중개 역할까지 해 주셨다고요."

"내가요? 그랬을지도 모르겠군요."

"그 끔찍한 친구에게 줄 돈을 당신을 통해 주고 싶습니다. 그리고 개인적으로 사례를 하고 싶군요."

나는 이자가 쾨니히라고 확신했지만 너무 간절히 만나고 싶어 하는 것처럼 보일까 봐 잠시 침묵했다.

"듣고 계십니까?"

"어디서 만나면 되겠습니까?" 내가 마지못한 목소리로 물었다.

"로이만 광장에 있는 아말리엔 목욕탕을 아십니까?"

"찾아보죠."

"한 시간 후에 괜찮습니까? 증기탕에서?"

"좋습니다. 그런데 당신을 어떻게 알아봅니까? 당신은 아직 이름도 말하지 않았습니다."

"말씀 안 드렸죠." 그가 모호하게 말했다. "하지만 이 곡조를 휘파람으로 불고 있겠습니다." 그리고 그는 휘파람을 불기 시작했다.

"벨라, 벨라, 벨라 마리에." 그 곡을 알아듣고 내가 말했다. 몇 달 전짜증 날 만큼 어딜 가나 들렸던 노래였다.

"바로 그겁니다." 남자가 그렇게 말하고 전화를 끊었다.

마치 음모라도 꾸미는 듯 수상쩍은 만남의 방식이었지만 그가 쾨니히라면 그에게는 그렇게 조심스러울 이유가 있을 거라고 중얼거렸다.

러시아 점령지 제10구에 있는 아말리엔 목욕탕으로 가려면 67번 전차를 타고 파보리텐 가를 남하해야 했다. 그 구역은 노동자 계급 지역으로, 더럽고 낡은 공장들이 많았다. 하지만 로이만 광장에 있는 시립 목욕탕은 비교적 최근 지어진 건축물로, 지나치게 화려한 면 없이 유럽에서 가장 크고 현대적이라는 광고대로였다.

나는 목욕 요금과 타월 값을 지불하고 거스름돈을 받은 후 남자 중

기탕을 찾아갔다. 증기탕은 축구장만 한 크기의 수영장 저 끝에 있었고, 목욕 수건을 두른 소수의 빈 사람만이 그곳을 차지한 듯 보였다. 오스트리아 수도에서의 생활은 다른 곳에 비해 쉽게 살이 쪘기 때문에 그들은 땀을 내 살을 빼려고 애쓰는 중이었다. 타일이 번쩍거리는 목욕탕 저 끝에서 증기를 뚫고 누군가가 간헐적으로 휘파람을 부는 소리가 들렸다. 나는 휘파람의 원천을 향해 걸었다. 내가 다가가자 다시 휘파람 소리가 들렸다. 나는 몸뚱이는 희고 얼굴은 갈색인, 앉아 있는 남자와 조우했다. 그는 거의 흑인 분장을 한 졸슨[46]처럼 보였는데, 물론 이 색깔의 차이는 최근 다녀온 스키 휴가의 선물이었다.

"저는 이 노래를 싫어하지만," 그가 말했다. "하르트만 양이 늘 이 노래를 흥얼거려서 다른 곡은 생각할 필요도 없었습니다. 귄터 씨입니까?"

나는 마지못해 이곳에 온 것처럼 신중하게 고개를 끄덕였다.

"제 소개를 하겠습니다. 저는 쾨니히라고 합니다." 악수를 나눈 뒤 나는 그의 옆에 앉았다.

그는 짙은 색의 무성한 눈썹에 역시 무성한 콧수염을 기른 건장한 사내였다. 콧수염이 추운 북쪽 지방에서 그의 입술로 도망친 희귀종 담비처럼 보였다. 쾨니히의 입에 걸린 이 작은 검은담비는 그의 음울한 갈색 눈에서 시작된 침울한 표정을 완벽하게 표현해 주었다. 작은 개를 데리고 있지 않다는 점만 빼면 베커가 묘사한 대로였다.

---

46. 알 졸슨. 러시아 태생의 미국 배우이자 가수로 〈재즈 싱어〉에서 흑인 분장을 하고 노래를 불렀다.

"당신이 증기탕을 좋아하길 바랍니다, 귄터 씨."

"네, 청결하기만 하다면요."

"이곳을 고른 건 행운이었습니다." 그가 말했다. "디아나 목욕탕 대신 말입니다. 디아나 역시 전쟁의 피해를 입어서 갈 수 없긴 하지만 그곳은 난치병 환자들이나 잡다한 하층민에게 어울릴 만한 곳이죠. 그들은 그들에게 맞는 온천장으로 갑니다. 그곳에서는 위험을 각오하고 물에 몸을 담가야 할 겁니다. 습진을 치료하러 들어갔다가 매독에 걸려 나올 수도 있죠."

"그다지 건강을 위한 곳 같진 않군요."

"제 말이 약간은 과장일 겁니다." 쾨니히가 미소를 지었다. "당신은 빈 출신이 아니죠?"

"아닙니다, 베를린에서 왔습니다. 빈을 자주 드나들죠."

"베를린은 요즘 어떻습니까? 상황을 듣자니 점점 나빠진다던데요. 소련 대표단이 통제 위원회에서 빠졌다는데, 맞습니까?"

"맞습니다. 곧 군 항공 수송 편으로 드나들어야 할 겁니다."

쾨니히가 혀를 차더니 거대한 털투성이 가슴을 나른하게 문질렀다. "공산주의자 놈들," 그가 한숨을 쉬었다. "그들과 협상만 할라치면 그런 일이 일어나죠. 그게 그자들이 포츠담과 얄타에서 한 짓입니다. 미국은 러시아 놈들이 원하는 대로 하게 내버려 두고 있습니다. 엄청난 실수입니다. 그게 사실상 또 다른 전쟁을 일으키고 있죠."

"사람들이 또 다른 전쟁을 참을 수 있을지 모르겠군요." 나는 베를린에서 노이만에게 했던 말을 반복했다. 나로서는 자동적인 반응이었지만 나는 진정으로 그게 사실임을 믿었다.

"당장은 아니겠죠, 아마. 하지만 사람들은 쉽게 잊는 데다 때가 되면……," 그가 어깨를 으쓱했다. "무슨 일이 일어날지 누가 알겠습니까? 그 전까지 우린 우리의 삶과 일을 계속해 나가야겠죠. 최선을 다해서 말입니다." 잠시 그는 머리를 빡빡 문지르더니 덧붙였다. "무슨 일을 하십니까? 하르트만 양을 도와주신 보답을 할 수 있는 방법이 있을까 해서 여쭤보는 겁니다. 일을 좀 드리면 어떨까 해서 말이죠."

나는 머리를 저었다. "필요 없습니다. 당신이 꼭 알고 싶다면 무역일을 합니다. 하지만 솔직히 말해서, 쾨니히 씨, 그녀의 향기가 좋아서 도운 거죠."

그가 인정한다는 듯이 고개를 끄덕였다. "충분히 그럴 만합니다. 아주 사랑스러운 여자니까요." 하지만 황홀했던 표정이 천천히 당혹스러운 표정으로 바뀌었다. "그런데 좀 묘하지 않습니까? 그렇게 두 사람이 연행된 방식이 말입니다."

"당신 친구에 대해서는 잘 모르겠지만, 쾨니히 씨, 나를 제거해서 기뻐할 사업 라이벌이 내게는 늘 있어 왔습니다. 굳이 말하자면 사업상의 위험 같은 거랄까요."

"하르트만 양의 말에 따르면 당신이 충분히 감당할 만한 위험 같다더군요. 당신이 러시아 대위를 아주 능숙하게 다뤘다고 들었습니다. 무엇보다 러시아어 실력에 감탄한 모양이더군요."

"포로였습니다. 러시아 포로수용소에 수용됐었죠."

"확실히 이해가 되는군요. 그런데 정말 그 러시아인이 진지하게 한 말이라고 생각하십니까? 하르트만 양을 기소할까요?"

"유감이지만 아주 진지합니다."

독일 장송곡
—

"그가 그런 정보를 어디에서 얻는지 아십니까?"

"내 이름을 어디서 얻었는지는 모릅니다. 아마 하르트만 양에게 적이 있었는지도 모르죠."

"당신이라면 아마 그 적을 찾아내실 수 있을 테죠. 저는 당신에게 보수를 지불할 준비가 되어 있습니다."

"내 일이 아닙니다." 내가 머리를 저으며 말했다. "익명의 제보였을 가능성도 있습니다. 아마 앙심을 품고 그랬을 테죠. 그건 돈을 낭비하는 일이 될 겁니다. 조언을 하자면 그 러시아인이 바라는 대로 돈을 주십시오. 파일에서 이름을 지우는 데 이백 달러는 많은 돈이 아닙니다. 그리고 러시아 놈들이 암캐를 버리고 그냥 개를 키우기로 결정했다면 아무 문제 없이 수지 타산을 맞춰 주는 게 제일입니다."

쾨니히가 미소를 짓고 고개를 끄덕였다. "아마 당신 말이 맞겠죠. 하지만 말입니다. 불현듯 당신과 그 러시아 놈이 한통속일 수도 있다는 생각이 드는군요. 돈을 버는 데 아주 좋은 수단 같지 않습니까? 그 러시아인이 무고한 사람을 쥐어짜면 당신이 중재자로 나선다." 그는 자신이 생각해 낸 그 수법의 교묘함을 음미하며 계속 고개를 끄덕였다. "그래요, 그럴싸한 자리에 앉은 사람에겐 상당한 돈벌이가 될 수도 있겠군요."

"계속해 보십시오." 내가 웃었다. "당신이라면 계란에서 송아지를 꺼낼 수도 있겠는데요."

"내 말이 가능할 수도 있다는 걸 분명 인정하시겠죠."

"빈에서는 뭐든 게 가능하니까요. 하지만 내가 고작 이백 달러를 위해 당신에게 초콜릿을 미끼로 던져 주려고 애쓰고 있다고 생각한다면, 그건 내가 알 바 아닙니다. 깜빡하신 모양인데, 쾨니히 씨, 나에게 집까지 바래다 달라고 한 사람은 당신의 숙녀 친구분이고, 나를 이리로 부른 사람은 당신입니다. 솔직히 말해 그런 일이라면 나에겐 더 좋은 수법도 있죠." 나는 자리를 뜰 것처럼 몸을 일으켰다.

"아, 귄터 씨." 그가 말했다. "사과하겠습니다. 아마 내가 한심한 상상에 빠졌던 모양입니다. 하지만 이 일이 나에게 흥미를 불러일으켰다고 고백해야 할 것 같군요. 게다가 상황이 가장 좋을 때조차 오늘날 일어나는 많은 일이 의심스러우니까요."

"장수의 비결처럼 들리는군요." 나는 그렇게 말하며 다시 자리에 앉았다.

"내 특별한 일이 날 약간 회의적인 사람으로 만들었습니다."

"그 일이 뭡니까?"

"광고 일을 했습니다. 하지만 들이는 수고에 비해 보수도 적고, 비전도 없는 데다 쩨쩨한 사람들로 가득한 끔찍한 업계입니다. 그래서 그 사업을 접고 시세를 타는 사업으로 옮겨 탔습니다. 모든 상업에 있어서 정확한 정보의 흐름은 필수적이죠. 하지만 정보를 다룰 때는 조심해야 합니다. 이 일에 정통하길 바란다면 우선 의심하는 버릇을 들여야 하죠. 의심은 질문을 낳고 질문은 답을 구합니다. 이런 것들이 새로운 사업을 크게 일으키는 데 필수적입니다. 그리고 새로운 사업은 새로운 독일을 성장시키는 데 필수죠."

"정치가처럼 말씀하시는군요."

"정치는," 그 말을 입에 올리기도 유치하다는 듯이 그는 희미하게 미소를 지었다. "본 시합을 하기 전에 하는 오픈게임일 뿐입니다."

"본 시합이라면?"

"공산주의 대 자유세계. 자본주의가 소련의 압제에 견딜 유일한 희망이라는 생각에 동의하지 않으십니까?"

"난 러시아 놈들의 친구가 아닙니다. 하지만 자본주의에는 특정한 단점이 따르죠."

하지만 쾨니히는 거의 듣고 있지 않았다. "우린 잘못된 전쟁을 했습니다. 잘못된 적과. 우린 소련과 싸워야 했죠. 소련과만. 미국은 이제야 그 사실을 깨달았습니다. 그들은 동유럽을 러시아의 자유재량에 맡긴 게 실수였다는 걸 알게 됐습니다. 그래서 그들은 독일과 오스트리아가 동유럽의 전철을 밟게 하지 않도록 할 참이죠."

나는 열기 속에서 몸을 풀고 살짝 하품을 했다. 쾨니히는 나를 지루하게 하고 있었다.

"말했다시피," 그가 이어 말했다. "우리 회사는 당신 같은 특별한 재능을 가진 사람을 고용할 수도 있습니다. 당신 같은 배경이 있는 사람 말입니다. 친위대 어느 소속이었습니까?" 내 얼굴에 나타났어야 할 놀란 표정이 보이지 않자 그가 덧붙였다. "팔 안쪽의 흉터. 의심할 여지 없이 러시아인들의 포로가 되기 직전에 친위대 문신을 지우려고 애쓰셨겠죠." 그는 팔 안쪽에 있는, 나와 거의 동일한 흉터를 보여주려고 팔을 들어 올렸다.

"전쟁 끝 무렵에 군사정보과—아프베어—에 있었습니다." 내가 설명했다. "친위대가 아니라. 그건 훨씬 더 전 일이죠."

하지만 흉터에 대해서는 쾨니히의 말이 옳았다. 그 흉터는 자동 권총을 상박 안쪽에 대고 방아쇠를 당긴 다음 타는 듯한 극심한 고통을 견뎌 낸 끝에 문신을 지운 화상이었다. 문신이 발견될 위험을 감수하든가 러시아 비밀경찰의 손에 죽든가 둘 중 하나였었다.

쾨니히는 자신의 제거된 문신에 대해서는 아무런 설명도 하지 않았다. 대신 그는 고용 제안의 부연 설명을 이어 갔다. 기대했던 것보다 더 좋은 전개였다. 하지만 아직은 주의해야 했다. 몇 분 전까지만 해도 내가 루스타벨리 대위와 한통속이라고 생각했던 자였다.

"남의 밑에서 일하는 게 싫은 건 아닙니다." 내가 말했다. "하지만 지금은 끝내야 할 일이 있습니다." 나는 어깨를 으쓱했다. "아마 그 일이 끝나면…… 혹시 또 모르죠. 어쨌든 감사합니다."

그는 내가 그 제안을 거절한 것에 기분 나빠 하는 것 같진 않았고, 단지 달관한 사람처럼 어깨를 으쓱할 뿐이었다.

"마음이 바뀌면 당신을 어디서 찾아야 합니까?"

"오리엔탈 카지노에서 일하는 하르트만 양에게 물어보면 내 소재를 알 겁니다." 그가 허벅지 옆에 접어 둔 신문을 집어 들어 나에게 건넸다. "밖에 나가면 조심스럽게 펼쳐 보십시오. 그 러시아 놈에게 줄 이백 달러와 당신에게 폐를 끼친 사례비로 백 달러가 들어 있습니다."

그 순간 그가 신음 소리를 내며 고르게 늘어선 작은 우유병 같은 앞니와 송곳니를 드러내고 얼굴을 감싸 쥐었다. 내 치켜 올라간 눈썹을 보고 내가 걱정한다고 오해한 그가 괜찮다며 최근 박아 넣은 의치 때문이라고 설명했다.

"입안에 든 것들에 익숙해지지 않을 것 같군요." 그가 그렇게 말하며 천천히 꿈틀대는 눈먼 벌레 같은 혀로 아래윗니를 잠시 훑었다.

독일 장송곡
—
241

"게다가 거울로 내 모습을 보면 생전 처음 보는 사람이 나를 보고 씩웃는 것 같다니까요. 몹시 당황스럽습니다." 그가 한숨을 쉬고 슬프다는 듯이 머리를 저었다. "정말 유감입니다. 내 이는 항상 완벽했는데 말입니다."

그가 자리에서 일어나 수건을 고쳐 두르고 나와 악수했다.

"만나서 반가웠습니다, 귄터 씨." 그가 빈 사람다운 붙임성을 보이며 말했다.

"반가운 사람은 나였습니다." 내가 대답했다.

쾨니히가 빙그레 웃었다. "오스트리아인이 다 되셨군요, 친구." 그러더니 그는 그 듣기 싫은 곡조를 휘파람으로 불며 증기 속으로 걸어들어갔다.

23

빈 사람들이 '편안함'보다 더 사랑하는 것은 아무것도 없었다. 그들은 베이스, 바이올린, 아코디언 그리고 치터—삼사십 개의 줄이 걸린 빈 초콜릿 상자를 닮은 이상한 악기로 기타처럼 뜯는다— 사중주를 연주하는 바와 레스토랑을 통해 그 편안한 주흥을 성취한 것처럼 보였다. 내 생각에는, 어디에서나 볼 수 있는 이런 사중주의 조합은 시럽이 든 것처럼 달콤한 감상感傷과 겉치레뿐인 예의라는, 빈의 거짓된 모든 것을 구현하고 있다. 그 사중주가 나를 편안한 기분이 들게 해주었다. 그것은 내가 방부 처리된 후 납을 두른 관에 봉인되어 중앙 묘지의 대리석으로 단장된 묘들 사이에 조용히 안장된 후에나 경험할지도 모를 편안함 같은 것이었다.

나는 헤렌 가에 있는 헤렌도르프 레스토랑에서 트라우들 브라운슈타이너를 기다리는 중이었다. 그녀가 고른 장소였지만 그녀는 아직 모습을 드러내지 않았다. 마침내 도착한 그녀는 뛰어온 데다 추운 날씨 탓에 얼굴이 발갛게 상기되어 있었다.

"그렇게 어두운 곳에 앉아 계신 걸 보니 절대 가톨릭 신자는 아닌 것 같군요." 트라우들이 식탁 의자에 앉으며 말했다.

독일 장송곡
―
243

"그게 내가 일하는 방식입니다. 마을 우체국장처럼 정직해 보이는 탐정은 아무도 원치 않죠. 사업에는 어둠침침한 곳이 좋습니다."

나는 웨이터를 손짓해 불렀고, 우리는 재빨리 주문을 마쳤다.

"당신이 최근 보러 오지 않아서 에밀이 화났어요." 트라우들이 메뉴판을 웨이터에게 돌려주며 말했다.

"내가 그동안 뭘 했는지 알고 싶다면 그에게 구두를 수선한 청구서를 보내겠다고 말해 주십시오. 이 빌어먹을 도시에 안 가 본 데가 없으니까."

"다음 주에 재판이 있다는 건 알고 계시겠죠?"

"잊고 싶어도 잊을 수가 없군요. 리블이 거의 매일 전화를 해 대고 있으니."

"에밀 역시 잊지 않을 거예요." 그녀가 명백히 화난 기색으로 조용히 말했다.

"미안합니다. 실없는 얘길 했군요." 내가 말했다. "드디어 쾨니히와 만났습니다."

트라우들의 얼굴에 화색이 돌았다. "만났다고요? 언제? 어디서요?"

"오늘 아침. 아말리엔 목욕탕에서."

"뭐라던가요?"

"날 고용하고 싶어 하더군요. 증거를 찾는 데 그에게 다가서는 방법으로 나쁘지 않을 것 같습니다."

"헌병대에 쾨니히의 소재를 알려서 그를 체포하게 하면 안 돼요?"

"무슨 혐의로?" 내가 어깨를 으쓱했다. "헌병대는 이미 자신들의 범인을 손에 넣었습니다. 어쨌든 내가 그들을 설득한다 치더라도 쾨니히를 잡아넣긴 쉽지 않습니다. 미군이 그러고 싶다고 해도 러시아 점령 지역에 들어가 그를 체포할 순 없죠. 에밀의 처지에서 가장 바람직한 건 가능한 한 빨리 내가 쾨니히의 신임을 얻는 겁니다. 그게 내가 쾨니히의 제안을 거절한 이유입니다."

격분한 트라우들이 입술을 깨물었다. "하지만 왜요? 이해가 안 가는데요."

"내가 자신을 위해 일하고 싶어 하지 않는다고 쾨니히를 믿게 해야 합니다. 그는 내가 그의 여자친구를 만난 방식을 살짝 의심하고 있습니다. 그래서 이렇게 할 겁니다. 로테는 오리엔탈의 딜러죠. 오늘 밤 거기서 잃을 돈을 당신에게서 받고 싶습니다. 내가 빈털터리가 된 것처럼 보일 만큼 충분한 돈을. 그게 내가 쾨니히의 제안을 다시 생각해 보는 구실이 될 겁니다."

"그건 정당한 경비로 계산되는 건가요?"

"유감이지만 그렇습니다."

"얼마나요?"

"삼사천 실링은 잃어야겠죠."

그녀는 웨이터가 리슬링[47]을 가져올 동안 잠시 생각했다. 웨이터가 우리의 글라스를 채우자 트라우들이 몇 모금 마시고 나서 입을 열었다. "그렇다면 좋아요. 하지만 한 가지 조건이 있어요. 제가 거기서 당신이 그 돈을 잃는 걸 지켜보겠어요."

단호한 표정으로 보아 그녀가 이미 단단히 결심했다고 판단했다.

---

47. 알자스 지방에서 생산되는 최고급 백포도주.

"위험이 따르리라는 건 말하지 않아도 알겠죠. 나와 동행하는 형식으로는 안 됩니다. 당신이 에밀의 여자친구라는 걸 누군가 알아볼 수도 있으니까 우리 둘이 같이 있는 게 눈에 띄면 위험합니다. 이곳이 한산한 장소가 아니었다면 나는 우리가 당신 집에서 만나야 한다고 말했을 겁니다."

"제 걱정은 마요." 그녀가 단호히 말했다. "난 당신이 유리창이라고 여길 거니까."

나는 다시 입을 열었지만 그녀는 손으로 작은 귀를 틀어막았다.

"아니, 더 이상 듣지 않겠어요. 저는 갈 거고, 그걸로 결정 난 거예요. 어떤 일이 일어날지 보지도 않고 내가 당신에게 사천 실링을 줄거라고 생각했다면 당신은 미친 거예요."

"일리 있군요." 나는 잠시 내 글라스에 담긴 맑은 와인을 응시하다가 덧붙였다. "베커를 많이 사랑하는군요?"

트라우들은 침을 삼키고 힘차게 고개를 끄덕였다. 잠시 사이를 두고 그녀가 덧붙였다. "그의 아이를 뱄어요."

나는 한숨을 쉬고 그녀를 고무할 말을 생각해 내려고 애썼다.

"저기," 내가 웅얼거렸다. "걱정 마요. 우리가 이 아수라장에서 그를 구해 낼 테니까. 바퀴벌레처럼 살 필요는 없죠. 자, 쓰레기장에서 벗어납시다. 모든 게 아무 문제 없을 겁니다. 당신도 아기도. 날 믿어요." 내가 생각해도 꽤 엉성한 말이었다. 강한 확신이 부족해 보였다.

트라우들은 머리를 젓고 미소를 지었다. "저는 괜찮아요. 정말로요. 에밀과 여기에 마지막으로 왔을 때, 그이에게 임신했다고 말했던 걸 떠올렸을 뿐이에요. 우린 이곳에 자주 오곤 했어요. 그이와 사랑에 빠질 생각은 아니었는데."

"누구든 예상할 수 없는 일이죠." 나는 나도 모르게 그녀의 손을 잡고 있었다. "그런 일이 일어나곤 하죠. 교통사고처럼." 하지만 그녀의 요정 같은 얼굴을 보면서 과연 지금 내가 하고 있는 말에 내 자신이 동의하는지 확신할 수 없었다. 그녀의 아름다움은 아침 베갯잇을 화장품으로 얼룩지게 하는 유는 아니었지만 남자로 하여금 자신의 아이에게 이런 엄마를 갖게 했다고 뽐내고 싶은 마음이 들게 하는 아름다움이었다. 나는 이 여자를 가진 베커가 얼마나 부러운지 깨달았고, 그녀가 나와 연이 닿았다면 그녀와의 사랑을 얼마나 갈망했을지 깨달았다. 나는 그녀의 손을 놓고 재빨리 담배에 불을 붙여 연기 뒤로 숨었다.

독일 장송곡
—

24

다음 날 밤은 달력상으로 궂은 날씨가 물러갈 때였지만 살이 에일 것처럼 추운 데다 눈이 내릴 징조까지 보여 나는 베커가 부정하게 번 돈을 주머니마다 꽉꽉 채워 오리엔탈 카지노의 따뜻하고 음란한 공기 속으로 서둘러 들어갔다.

최고 액면가의 칩을 잔뜩 산 다음 바를 옮겨 다니며 카드 테이블 중 하나에 로테가 자리 잡기를 기다렸다. 술을 주문한 뒤부터 내가 한 일이라곤 내 지갑을 노리고 끊임없이 몰려드는 미녀와 초콜레이디를 물리는 일뿐이었다. 한여름에 파리와 모기가 몰려드는 말 똥구멍이 된 듯한 기분이었다. 열시가 조금 못 된 시각, 파리와 모기를 쫓는 내 꼬리가 지쳐갈 때쯤 로테가 테이블 중 하나에 모습을 드러냈다. 나는 체면상 몇 분을 더 기다렸다가 술을 들고 로테가 있는, 녹색 천이 깔린 테이블 맞은편 자리에 앉았다. 그녀는 내가 내 앞에 정갈하게 쌓은 칩 더미를 조사하고, 마찬가지로 정갈하게 입을 오므렸다. "당신에게 기벽이 있는 줄 몰랐는데요." 그녀의 말은 내가 도박꾼이었냐는 의미였다. "난 당신이 좀 더 양식 있는 사람이라고 생각했는데."

"당신 손가락이 내게 행운을 가져다줄지도 모르니까." 내가 밝은 표정을 지으며 말했다.

"아닐걸요."

"그래, 명심하리다."

나는 대단한 도박꾼이 아니다. 지금 하고 있는 게임의 이름조차 몰랐다. 그랬기 때문에 게임을 시작한 지 이십 분이 흐른 뒤에 시작할 때 갖고 있던 칩의 두 배를 땄다는 걸 알고 깜짝 놀랐다. 카드 게임으로 돈을 잃으려고 애쓰는 게 따려고 애쓰는 것과 똑같이 어렵다는 사실이 삐뚤어진 논리처럼 보였다.

로테는 카드 박스에서 다시 카드를 돌렸고, 나는 다시 한 번 돈을 땄다. 테이블에서 눈을 들자 내 맞은편에 작은 칩 더미를 앞에 둔 트라우들이 앉아 있었다. 나는 그녀가 클럽 안으로 들어오는 모습을 보지 못했지만 지금 이곳은 너무 붐벼서 리타 헤이워드가 들어온다 해도 알아채지 못할 정도였다.

"오늘 밤 행운아는 나인 것 같군." 로테가 나에게 딴 칩을 몰아 줄 때 나는 특별히 누구에게랄 것 없이 그렇게 말했다. 트라우들은 나와 초면인 양 예의 바르게 미소를 띨 뿐으로 다음 게임을 위해 대단찮은 액수를 걸 준비를 했다.

나는 술을 한 잔 더 시킨 다음, 바꾸지 말아야 할 때 카드를 바꾸고 죽어야 할 때 돈을 걸고 이용 가능한 모든 기회의 운을 피하려고 애쓰며 진짜 패자가 되는 데 성공하기 위해 열심히 집중했다. 가끔씩은 명백히 지려는 모습을 보이지 않으려고 분별 있는 플레이를 하기도 하면서. 하지만 사십 분 후 나는 내가 딴 모든 칩에 애초에 갖고 있던 돈의 반을 잃는 데 성공했고, 트라우들은 연인의 돈이 소기의 목적을 달성한 것에 만족하며 테이블을 떠났다. 나는 술을 들이켜고 분노의 한숨을 내쉬었다.

"결국 오늘 밤의 행운아는 내가 아니었던 모양이군." 내가 얼굴을 찌푸리며 말했다.

"당신의 플레이 방식에 운이 따를 리 없어요." 로테가 속삭였다. "러시아 대위를 다룰 기술은 더 능숙하길 바라요."

"오, 대위는 걱정 마시오. 잘 처리할 테니. 더 이상의 문제는 없을 거요."

"그 말을 들으니 기쁘네요."

나는 마지막 칩을 잃고, 어쩌면 결국은 쾨니히의 일거리 제안을 감사히 여겨야 할 것 같다는 말을 내뱉으며 테이블에서 일어났다. 애석한 미소를 띠고 바로 돌아가 술을 한 잔 시킨 후 오리엔탈의 재즈 밴드의 격렬한 사운드에 맞춰 라틴 아메리카 스타일을 모방한 듯한 스텝을 밟으며 춤을 추는 토플리스 댄서를 잠시 바라보았다.

눈치채지 못한 사이에 테이블을 떠난 로테가 전화를 하러 갔었던 듯, 잠시 후 쾨니히가 클럽으로 들어오는 계단을 내려오고 있었다. 그는 뒤꿈치에 바짝 따라붙은 작은 테리어와, 실러 재킷과 클럽 타이 차림의 키가 크고 기품 있는 남자를 동반했다. 이 두 번째 남자는 쾨니히가 내 시선을 잡아끄는 동안 클럽 뒷문의 주름을 헤치고 나타났다.

쾨니히는 바로 걸어가 로테에게 고개를 끄덕이며 녹색 트위드 슈트 주머니에서 뜯지 않은 담배를 꺼냈다.

"귄터 씨," 그가 웃으며 말했다. "이거, 다시 만나게 돼서 반갑군요."

"안녕하십니까, 쾨니히." 내가 말했다. "이는 어떻습니까?"

"내 이?" 내가 성병이 어떠냐고 묻기라도 했다는 듯 그의 미소가 사라졌다.

"기억 안 납니까?" 내가 설명했다. "의치에 대해 말씀하셨잖습니까."

그의 얼굴에서 긴장이 사라졌다. "그랬죠. 많이 나아졌습니다. 고맙군요." 다시 살짝 미소를 지으며 그가 덧붙였다. "저 테이블에서 악운을 만나셨다고 들었습니다."

"하르트만 양은 그렇게 말하지 않더군요. 내가 카드를 하는 방식이 운과는 전혀 상관없다던데요."

쾨니히가 사 실링짜리 코로나 시가에 불을 붙이고 싱긋 웃었다. "그렇다면 제게 술을 살 기회를 주셔야겠군요." 그가 바텐더에게 손짓했다. 자신이 마실 술로는 스카치를 주문했고, 나는 아무거나 달라고 했다. "많이 잃으셨습니까?"

"내 형편 이상으로." 나는 우울한 목소리로 말했다. "사천 실링쯤." 나는 글라스의 술을 들이켜고 다시 채워 달라는 의미로 빈 글라스를 바 끝으로 미끄러뜨렸다. "이렇게 멍청하다니. 도박 따윈 하지 말았어야 했습니다. 카드에는 전혀 소질이 없나 보군요. 그래서 이제 빈털터리죠." 나는 쾨니히와 말없이 건배한 후 보드카 몇 잔을 더 들이켰다. "그나마 호텔비를 선납해서 다행입니다. 그렇다고 해서 기쁠 일은 아니죠."

"그렇다면 멋진 쇼를 보여 드리죠." 그가 그렇게 말하고 시가를 뻑

뻑 빨았다. 그러고 나서 테리어의 머리 위로 커다란 연기 고리를 불어 보내며 말했다. "담배 한 대 피울 시간이다, 링고." 그러자 그 짐승은 주인의 홍겨운 목소리에 반응하여 펄쩍펄쩍 뛰어오르며 한심한 니코틴 중독자처럼 담배 연기를 킁킁댔다.

"이런 게 멋진 속임수라고 할 수 있겠군요." 내가 미소 지었다.

"오, 이건 속임수가 아닙니다." 쾨니히가 말했다. "링고는 거의 나만큼이나 좋은 시가를 좋아하죠." 그는 허리를 구부려 링고의 머리를 쓰다듬었다. "안 그러니, 이 녀석아?" 개가 대답하듯 짖었다.

"당신이 그걸 뭐라고 부르든 지금 당장 나한테 필요한 건 돈이지 웃음이 아닙니다. 적어도 베를린으로 돌아갈 수 있을 때까지는. 당신이 나타나 줘서 다행입니다. 여기 앉아서 당신에게 다시 그 일거리에 관해 어떻게 말을 꺼내야 할지 생각하던 중이었으니까요."

"나의 소중한 친구여, 다 때가 있는 법입니다. 소개해 드리고 싶은 사람이 있습니다. 폰 볼슈빙 남작이라는 분으로 이곳 빈에서 유엔을 위해 오스트리아 연맹의 한 부서를 맡아 운영하고 있습니다. 외스터라이히셔 페어라크라는 출판사를. 그 역시 옛 전우고, 당신 같은 사람과 만나는 데 홍미가 있죠."

쾨니히가 말한 옛 전우라는 게 친위대를 뜻한다는 걸 알았다.

"당신의 그 연구 조사 회사와 관련이 있는 사람입니까?"

"관련이 있느냐고요? 네, 관련이 있습니다." 그가 인정했다. "남작 같은 사람에게 정확한 정보는 필수적이니까요."

나는 쓴웃음을 지으며 그러냐는 듯이 고개를 끄덕였다. "대단한 도시군요. 여기서는 '장례미사'를 '고별 파티'라고 부르나 봅니다. 당신의 '연구 조사'는 내가 하는 '무역'처럼 들리는데요, 쾨니히 씨. 소박한 케이크를 감싼 화려한 리본처럼 말입니다."

"아프베어에서 복무한 사람이 이 불가피한 완곡어법을 그토록 낯설어할 수 있다는 게 믿기지 않군요, 귄터 씨. 하지만 당신이 바란다면 까놓고 말씀드리죠. 일단 자리부터 옮깁시다." 그는 나를 데리고 조용한 테이블로 가서 자리를 잡았다.

"나는 본디 독일 장교 협회의 멤버로, 그 조직의 주요 목적은 붉은 군대가 유럽의 자유에 가한 위협에 대한 조사 연구를 수집하는 것입니다. 실례했군요, 정보 수집이라고 하죠. 비록 좀처럼 계급을 따지진 않지만 그럼에도 우린 군기하에서 존재하고, 장교와 신사라는 자부심을 갖고 있습니다. 공산주의와 싸우는 것은 대단히 위험한 데다 즐겁지 않은 일도 해야 할 때가 많습니다. 하지만 민간 생활에 적응하려고 애쓰는 많은 옛 전우들은 신생 자유 독일 창조를 위해 끊임없는 봉사하고 있고, 그에 대한 만족은 봉사의 노고를 능가합니다. 거기에는 물론 후한 보상이 따르죠."

쾨니히는 이 말 혹은 이와 비슷한 말을 여러 다른 기회에 수차례나 해 온 것 같았다. 민간 생활에 적응하려고 분투하는 전우들이 군대식 규율을 기반으로 하는 행동 방식을 계속 이어 간다는 간단한 처방만으로 구제된 사례는 내가 짐작한 것보다 훨씬 많을 수도 있겠다는 생각이 들기 시작했다. 그는 더 많은 말을 했고, 그 말의 대부분을 나는 한 귀로 듣고 한 귀로 흘렸다. 잠시 후 쾨니히는 남은 술을 들이켜더니 자신의 제안에 흥미가 있다면 남작을 만나야 한다고 말했다. 내가 매우 흥미롭다고 말하자 그는 만족스럽게 고개를 끄덕이더니 나를 주렴 쪽으로 데려갔다. 우리는 복도를 따라 걷다가 계단으로 이 층을 올라갔다.

"이곳은 클럽 옆의 모자 가게 부지입니다." 쾨니히가 설명했다. "소유주는 우리 조직의 일원으로 우리에게 이곳을 구인 활동에 쓰도록 허락했습니다."

쾨니히가 점잖게 노크했다. 안에서 대답하는 소리가 들리자 그가 나를 방 안으로 안내했다. 방 안의 조명은 건물 밖 가로등 불빛뿐이었다. 하지만 창가 책상에 앉은 남자의 얼굴을 알아보기에는 그 불빛만으로도 충분했다. 깨끗이 면도를 한 그는 큰 키에 마른 체구, 검은 머리가 벗겨지는 중이었고 내 짐작으로는 마흔쯤 돼 보였다.

"앉으시오, 귄터 씨." 그가 책상 맞은편의 의자를 가리켰다.

내가 의자 위에 놓인 모자 상자 더미를 치우는 동안 쾨니히는 남작 뒤의 창가로 걸어가 창틀에 걸터앉았다.

"쾨니히 씨는 당신이 우리 회사의 판매원으로 적합할지도 모른다고 믿고 있더군요." 남작이 말했다.

"대리인을 말씀하신 거겠죠?" 내가 그렇게 말하고 담배에 불을 붙였다.

"그게 마음에 드신다면." 그의 얼굴에 미소가 떠오르는 모습을 보았다. "하지만 채용 전에 당신의 성격과 경력을 파악하지 않으면 안 됩니다. 당신이 어떤 일에 적합할지 결정해야 하니까 몇 가지 질문에 대답해 주시오."

"프라게보겐 같은 겁니까? 네, 알겠습니다."

"당신의 친위대 복무에 관한 것부터 시작합시다." 남작이 말했다.

베를린 누아르
—
254

나는 그에게 크리포와 RSHA에서 복무한 경력과 어떻게 자동적으로 친위대 장교가 됐는지에 대해 모두 말했다. 아르투르 네베의 특수 작전 집단의 일원으로 민스크에 갔지만 여자와 아이 들을 죽일 배짱이 없어서 전방으로 전속을 요청했는데, 대신 국방군 전쟁 범죄 부서로 발령을 받았다는 설명도 했다. 내 경력을 꼬치꼬치 캐묻긴 해도 정중한 태도를 잃지 않는 그는 완벽한 오스트리아 신사처럼 보였다. 가식적 겸손의 분위기를 풍기는 것 이외에도 은밀한 제스처나 말하는 방식에는 진짜 신사라면 부끄럽게 느꼈을지 모르는 무언가가 있었다.

"전쟁 범죄 부서에서 무슨 일을 했는지 말해 보시오."

"1942년 1월에서 1944년 2월까지 근무했습니다." 내가 설명했다. "경찰 중위로 복무하면서 러시아와 독일의 잔학 행위에 관한 조사를 지휘했죠."

"정확히 그 부서는 어디에 있었소?"

"베를린 블루메쇼프, 육군성 맞은편에. 가끔씩 전장으로 나가라는 요구를 받았습니다. 특히 크리미아와 우크라이나로. 이후 1943년 8월, 국방군 최고 사령부는 폭격 때문에 근거지를 토르가우로 옮겼죠."

남작이 거만한 미소를 지으며 머리를 흔들었다. "용서하시오." 그가 말했다. "국방군 내에 그런 부서가 존재했다는 사실을 전혀 몰랐소."

"1차 대전 때 프로이센 군대가 했던 것과 다를 게 없습니다. 어느 정도 인도적인 가치는 수용되어야 하니까요. 설령 전쟁중일지라도."

"그럴 거요." 남작은 한숨을 쉬었지만 그 말을 확신하는 것 같지는 않았다. "좋소. 다음에는 어떻게 됐소?"

"전쟁이 점차 확대됨에 따라 신체 건강한 남자는 러시아 전선으로 보내지게 됐습니다. 1944년 2월, 나는 대위로 승진해 백러시아에 있는 쇼르너 장군의 북군으로 가게 됐습니다. 정보장교였죠."

"아프베어 소속?"

"그렇습니다. 그때쯤에는 러시아어를 꽤 하게 됐죠. 폴란드어도 조금. 하는 일이 대개 통역이었으니까."

"그리고 결국 어디서 포로가 됐소?"

"1945년 4월 동프러시아 쾨니히스베르크에서. 우랄에 있는 구리 광산으로 보내졌습니다."

"괜찮다면 정확히 우랄 어디인지 말해 주겠소?"

"스베르들로프스크 외곽. 그곳에서 러시아어를 완벽히 익혔습니다."

"MVD 사람들에게 심문당했습니까?"

"물론. 여러 번. 정보 부서에 있었던 사람이라면 누구에게든 관심을 보이더군요."

"그래서 그들에게 무슨 얘길 했소?"

"내가 아는 건 모두 말했습니다. 전쟁 끝 무렵이었기 때문에 문제될 게 없을 것 같았죠. 당연히 그때는 국방군 최고 사령부에 있었으니까 친위대에 있었던 이야기는 뺐습니다. 친위대원은 별도의 수용소로 보내져 총살을 당하거나 자유 독일 위원회[48]에서 소련을 위해 일하도록 설득당했습니다. 독일 민간 경찰 대부분이 그렇게 모집된 것 같더군요. 아마 이곳 빈 국가경찰도 그렇겠죠."

"딱 그렇소." 그의 말투에는 짜증이 섞여 있었다. "계속하십시오, 귄터 씨."

"어느 날 우리 포로들은 오데르 강변의 프랑크푸르트로 이송될 거라는 말을 들었습니다. 1946년 12월쯤이었나. 수용소 측에서는 우리를 휴양 수용소로 보낼 거라더군요. 상상이 가시겠지만 우린 웃기는 얘기라고 생각했습니다. 뭐, 이송 열차에서 간수들이 떠드는 얘기를 우연히 들었더니 작센 지방의 우라늄 광산행이더군요. 간수 중 누구도 내가 러시아어를 할 줄 안다는 걸 모르는 눈치 같더군요."

"그곳의 이름을 기억하십니까?"

"체코와의 국경 근처, 에르체비르게 산맥 부근의 요하네스게오르겐슈타트입니다."

"감사하오." 남작이 활기차게 말했다. "어딘지 압니다."

"독일과 폴란드 국경을 넘고 얼마 안 돼 기회를 보다가 기차에서 뛰어내린 다음 베를린으로 돌아왔습니다."

"귀환 포로를 위한 수용소에는 가지 않았소?"

"슈타켄에 있었습니다. 감사하게도 거기에 오래 있지 않았습니다. 그곳 간호사들은 귀환병에 그다지 관심이 없더군요. 간호사들의 관심은 오로지 미군에 쏠려 있었습니다. 다행히 시의회 사회복지국이

---

48. 정식 명칭은 자유 독일 국민 위원회(NKFD). 소련군에 의해 사로잡힌 독일 포로들과 독일에서 망명한 공산주의자들을 주축으로 소련에서 조직된 반(反)나치 단체. 종전 후에는 동독의 건국에 큰 역할을 한다.

거의 즉각적으로 내 옛 주소에서 아내를 찾았습니다."

"매우 운이 좋으셨군요, 귄터 씨." 남작이 말했다. "몇 가지 면에서. 안 그렇소, 헬무트?"

"남작님께 말씀드린 대로 귄터 씨는 지략이 풍부한 사람입니다." 쾨니히가 버릇처럼 개를 쓰다듬으며 말했다.

"정말 그런 것 같군. 하지만 귄터 씨, 당신에게 소련에서의 경험을 보고하라고 한 사람은 아무도 없었소?"

"예를 들면 누구에게 말입니까?"

대답한 사람은 쾨니히였다. "우리 조직 일원들은 대단히 많은 귀환병을 면담해 왔습니다. 현재 우리 일원들은 사회복지사, 역사 연구가 같은 직함들을 갖고 있죠."

나는 머리를 저었다. "아마 공식적 석방이었다면 그랬을지도 모르죠. 탈출이 아니라……,"

"그렇군." 남작이 말했다. "아마 그래서 면담을 안 했을 게 틀림없소. 당신은 운이 두 배로 좋소, 귄터 씨. 당신이 공식적으로 석방됐다면 우린 조직의 안전을 위해 부득이한 예방 조치로 지금 당장 당신을 쐈을 게 거의 틀림없소. 자유 독일 위원회에서 일하도록 설득된 사람들이 있다는 건 정확히 사실이오. 이 반역자들은 대개 우선적으로 석방됐지. 당신처럼 에르체비게의 우라늄 광산으로 보내진 사람은 보통 팔 주 정도 생존했소. 러시아인들에게 총살당하는 편이 더 편했을 거요. 따라서 우린 이제 당신을 신임할 수 있을 것 같소. 당신이 러시아인들을 죽이는 걸 행복해할 거라는 사실을 알았으니까."

남작이 자리에서 일어났기 때문에 이제 면접이 확실히 끝났다는 걸 알았다. 그는 생각보다 더 키가 컸다. 쾨니히가 창턱에서 내려와 그 옆에 섰다.

나는 의자를 밀치고 일어나 말없이 남작의 내민 손을 잡은 다음 쾨니히의 손을 잡았다. 이내 쾨니히가 미소를 지으며 시가를 내밀었다. "친구," 그가 말했다. "조직에 들어온 걸 환영합니다."

25

오리엔탈 옆 모자 가게에서 다음 이틀 동안 조직의 정교한 비밀 작업 방식들을 배우기 위해 쾨니히를 수차례 만났다. 하지만 우선 나는 독일 장교의 명예를 걸고 조직 비밀 활동에 대해 누설하지 않겠다고 맹세하는 동의서에 사인을 해야 했다. 동의서에는 비밀을 누설할 시 혹독한 처벌이 따를 것이라는 내용 또한 명기되어 있었고, 쾨니히는 친구나 가족은 물론—그의 말을 그대로 전한다면— '우리의 미국 동료들에게도' 나의 새로운 고용 관계를 숨기는 편이 현명할 것이라고 말했다. 이 말과 그의 다른 발언 한두 가지로, 실제로 이 조직이 미국 정보부로부터 전적인 지원을 받고 있는 게 분명하다는 믿음이 생겼다. 내 트레이닝—아프베어에서의 내 경험에 비추어 보면 상당히 짧았다—이 끝났을 때 나는 화가 나서 벨린스키에게 가능한 한 빨리 만나자고 했다.

"문제라도 있나, 크라우트?" 내가 예약해 둔 슈바르첸베르크 카페의 조용한 구석 자리에서 우리가 만났을 때 그가 그렇게 말했다.

"문제가 있다면 당신이 내게 잘못된 지도를 보여 줬다는 거지."

"오? 어째서?" 그가 마늘 향이 나는 이쑤시개로 이를 쑤시기 시작했다.

"잘 알 텐데. 당신네 사람들이 독일 정보 조직 중 쾨니히가 소속된 조직에 돈을 대고 있을 텐데, 벨린스키. 그들에게 막 뽑힌 덕에 알게 됐지. 그러니까 나에게 사정을 알려 주든지 아니면 내가 헌병대 본부로 가서 미국이 돈을 대는 독일 스파이 조직이 린든을 살해한 것 같다고 알려 주면 어떨까."

벨린스키가 잠시 주위를 둘러보더니 테이블을 집어 들어 내 머리에 내리치기라도 할 것처럼, 두꺼운 팔로 테이블 주위를 감싸며 내 쪽으로 몸을 기울였다.

"그건 좋은 생각이 아닌 것 같은데." 그가 조용히 말했다.

"아니라고? 날 막을 수 있을 거라고 생각하나 보군. 당신이 그 러시아 군인을 막은 방식처럼. 그것도 말할지 몰라."

"그럼 내가 아마 당신을 죽이겠지, 크라우트. 그건 어렵지 않은 일이야. 난 소음기가 달린 총을 갖고 있으니까. 여기서 쏜다 해도 아무도 알아차리지 못할걸. 그게 빈 사람들의 좋은 점 중 하나지. 누군가의 뇌수가 자신들의 커피 잔에 쏟아진다 하더라도 그들은 자신들의 염병할 일에만 신경 쓸 테니까." 그가 자신의 말에 빙그레 웃더니 내가 입을 열려고 하자 머리를 가로저었다.

"하지만 어쩌다 이런 말이 나온 거지? 우리 사이가 틀어질 이유는 없어. 전혀 없지. 당신 말이 맞아. 내가 미리 설명했어야 했는지도 몰라. 하지만 그 조직에 가입하게 됐다면 분명 어쩔 수 없이 비밀 엄수 동의서에 사인을 했을 텐데. 내 말이 맞나?" 그가 말했다.

나는 고개를 끄덕였다.

독일 장송곡
—
261

"아마 당신은 그걸 진지하게 받아들이지 않았을 테지만, 우리 정부가 나에게 그 비슷한 동의서에 사인하라고 했을 때 내가 그걸 아주 진지하게 받아들였다고 한다면 적어도 내 입장을 이해해 주겠지. 이제야 당신에게 비밀을 털어놓을 수 있다는 게 아이러니한 일이군. 나는 당신이 가입한 바로 그 조직을 조사중이야. 이제 당신을 더 이상 보안상 위험인물로 다루지 않아도 돼. 약간 삐딱한 논리 같지 않나?"

"좋아. 당신 입장은 알겠군. 이제 전체 스토리를 말해 주지그래."

"전에 내가 크로캐스에 대해 말한 적 있지, 기억하나?"

"전범 조사 위원회? 그래."

"글쎄, 어떻게 말하면 좋을까? 나치를 추적하는 것과 독일 정보원의 고용이라는 것을 정확히 분리해서 생각할 수는 없네. 오래전부터 미국은 아프베어 출신을 고용해서 소련을 정탐해 왔지. 그렇게 하기 위해서 독립된 조직을 풀라흐에 만들고, 독일 고급장교를 우두머리로 앉혀서 CIC를 위해 정보를 수집하게 한 거야."

"남독일산업활용사 말인가?"

"맞아. 조직이 구성되었을 때, 그들에겐 어떤 사람을 뽑아야 할지 명확한 기준이 있었지. 확실한 공작 활동이 이루어져야 하니까. 하지만 우린 얼마 전부터 조직이 지시를 무시하고 친위대원, 친위대 방첩부 요원, 게슈타포 출신들까지 모집한다는 의심을 하고 있었네. 우린 정보요원을 원한 거야. 젠장, 전범들이 아니라. 내 임무는 이 자격 미달의 요원들이 조직 내에 얼마나 침투해 있는지 밝혀내는 거라고. 알겠나?"

나는 끄덕였다. "하지만 린든 대위는 이 이야기의 어느 지점에 끼어드는 거지?"

"전에 말했듯이 린든은 기록과 관련된 일을 했네. 미 서류 센터 내에서의 그가 맡은 직책 덕분에 그가 조직의 멤버를 구성하는 자문 역할을 했을 가능성이 있어. 사람을 뽑을 때 그자들의 복무 기록 같은 것들과 비교해 그들의 말이 맞는지 확인하는 일 말이야. 조직은 포로 수용소에서 소련의 앞잡이가 되어 버린 독일인의 조직 내 침투를 피하려고 혈안이 돼 있다는 건 말할 필요도 없겠지."

"알아. 이미 분명한 설명을 들었으니까."

"아마 린든이 그들에게 어떤 사람을 뽑아야 할지 조언을 했을 거야. 확신할 순 없지만. 그리고 당신 친구 베커가 운반한 게 뭐였는지도."

"아마 린든은 의심 가는 잠재적 조직원의 면담을 위해 그들에게 모종의 파일들을 빌려줬겠지." 내가 의견을 냈다.

"아니, 그건 있을 수 없는 일이야. 센터의 보안은 조개 똥구멍보다 더 견고해. 알겠지만 전후에 군은 당신네 독일인들이 센터의 보관물을 돌려받으려고 할까 봐 신경이 곤두서 있었어. 아니면 그것들을 말살할까 봐. 팔 한가득 파일을 들고 거기서 걸어 나올 순 없어. 모든 서면 조사는 현장에서 하게 돼 있고, 그것도 정당한 설명이 있어야 하지."

"그럼 린든은 아마 몇몇 파일들을 변조했겠지."

벨린스키가 머리를 저었다. "아니, 우린 이미 그 생각을 했고, 린든의 관람 기록을 조사해서 그가 봤던 파일 한 장 한 장을 모두 살펴봤어. 삭제되거나 파기된 흔적이 전혀 없더군. 대위가 대체 뭘 하고 있었는지 밝혀내는 최선의 방법은 당신네 조직이 얼마나 활약을 하느냐에 달린 것 같은데. 당신 친구 베커의 혐의를 풀어 줄 방법은 물론이고."

"그럴 시간이 거의 없어. 그는 다음 주 초에 재판정에 나가야 해."

벨린스키는 생각에 빠진 듯 보였다. "어쩌면 내가 당신이 새 동료들에게 쉽게 신임을 얻도록 도울 수 있을지도 몰라. 당신한테 일급 소련 정보를 제공하면 조직 내 입장이 좋아질 거야. 물론 우리 측 사람들은 이미 아는 정보지만 조직의 친구들은 그 사실을 몰라. 내가 정보의 출처를 적당히 위장하면 당신은 아주 훌륭한 스파이로 보이겠지. 어떤가?"

"좋군. 당신이 눈부신 활약을 하는 동안 날 도와줘야 할 게 한 가지 더 있어. 쾨니히가 연락 방법을 가르쳐 준 후 내 첫 임무를 주었네."

"그래? 좋아. 뭐지?"

"나더러 베커의 여자친구 트라우들을 죽이라고 하네."

"그 예쁘고 귀여운 간호사를?" 벨린스키는 분노한 것 같았다. "종합 병원에서 근무하는 그 여자? 이유가 뭐지?"

"내가 연인의 돈을 잃는지 보려고 그녀가 오리엔탈 카지노에 왔어. 내가 조심해야 한다고 경고했지만 듣지 않더군. 그게 그들을 신경 쓰이게 한 것 같아."

하지만 그게 쾨니히가 말한 이유는 아니었다.

"약간의 감상적인 지령은 종종 신입 조직원의 충성심 테스트로 사용되곤 하지." 벨린스키가 설명했다. "어떻게 처리하라고 하던가?"

"사고로 보이게 하라더군. 그래서 그녀를 가능한 한 빨리 빈 밖으로 데려가야 해. 여행증명서와 기차표를 준비해 줄 수 있나?"

"물론이지. 하지만 되도록 짐은 남겨 두고 떠나도록 그녀를 설득해야 할 거야. 우리가 차에 태우고 출입 제한 지역을 벗어나 잘츠부르크에서 기차에 태우겠네. 그녀가 행방불명된 것처럼, 어쩌면 죽은 것처럼 보이게 할 수 있지. 그러면 도움이 되겠나?"

"어쨌든 그녀를 빈에서 무사히 탈출시키자고. 만약 누군가가 위험을 감수해야 한다면 그녀가 아닌 나여야 해."

"나한테 맡겨 둬, 크라우트. 준비하는 데 몇 시간 걸리겠지만 그 귀여운 아가씨는 여기서 탈출한 거나 마찬가지야. 당신은 호텔로 돌아가서 내가 그 여자의 신분증을 갖고 올 때까지 기다리는 게 낫겠군. 그런 다음 같이 그녀를 데리러 가지. 어쨌든 그 전까지는 그녀에게 말하지 않는 게 나을 거야. 그녀는 베커 혼자 이 상황을 감당하도록 남겨 두고 떠나고 싶어 하지 않을 테니까. 우리가 그냥 차에 태우고 여기서 벗어나는 게 나을 거야. 그러면 그녀가 저항한다 해도 할 수 있는 게 많지 않겠지."

벨린스키가 필요한 준비를 하기 위해서 자리를 뜬 후 나는 곰곰이 생각해 보았다. 쾨니히가 내게 준 사진을 벨린스키가 봤더라면 그가 트라우들을 기꺼이 도왔을까. 쾨니히는 트라우들 브라운슈타이너가 MVD 요원이었다고 했다. 그녀를 아는 나로서는 그 말이 완전히 터무니없게 들렸다. 하지만 그 밖의 누군가—특히 CIC 요원들—가 MVD 대령과 빈에 있는 레스토랑에서 분명히 즐거워 보이는 트라우들의 사진을 봤다면 혼란스러워 했으리라. 그 대령의 이름은 포로쉰이었다.

독일 장송곡
–
265

26

카스피안 펜션으로 돌아오자 아내의 편지가 나를 기다리고 있었다. 체계 없는 우편 행정 탓에 이 주 만에 도착해 온통 구겨지고 때가 묻은 싸구려 우편 봉투에는 거의 아이가 쓴 것 같은 필체의 아내 글씨가 빽빽이 적혀 있었다. 나는 그 편지를 거실 맨틀피스 위에 조심스럽게 올려놓고 베를린 집의 맨틀피스 비슷한 위치에 두고 온, 아내에게 쓴 편지를 떠올리며 그 편지를 잠시 응시했다. 아내에게 독단적인 투로 편지를 남기고 온 게 후회가 됐다.

그 편지를 남기고 온 이래 나는 아내에게 두 번의 전보를 보냈을 뿐이다. 한 번은 빈에 잘 도착했다고 알리며 이곳의 주소를 남겼고, 또 한 번은 사건 해결이 처음 예상보다 조금 더 걸릴 것 같다고 전했다.

필적학자라면 키르슈텐의 필적만 보고도 내용을 간단히 분석할 터였다. 이 편지가 무심한 남편에게 무언가를 말할 마음의 준비가 되어 있는 부정한 여자의 편지라는 것을 나에게 쉽게 확신시킬 수 있으리라. 내가 아내에게 금화 이천 달러를 남기고 왔다고 한들 그녀는 나와 이혼할 작정이며, 그 돈은 핸섬한 미국 애인과 미국으로 이민 가는

데 쓰리라는 것을.

두려운 마음에 개봉하지 않은 편지를 하염없이 바라보고 있자니 전화벨이 울렸다. 실즈였다.

"오늘 기분은 어떻소?" 그는 독일어를 지나치게 또박또박 발음했다.

"아주 좋습니다, 고맙군요." 나는 그의 말투를 따라 했지만 그는 눈치채지 못하는 것 같았다. "정확히 내가 당신을 어떻게 도와 드리면 되겠습니까, 헤어 실즈?"

"음, 당신 친구 베커는 곧 재판을 받으러 갈 참인데, 솔직히 당신이 탐정 일을 어떻게 하고 있는지 모르겠소. 당신이 이 사건에 적절한 해답을 찾아낼 수 있을지 의문이오. 당신의 의뢰인은 오천 달러를 지불한 혜택을 받고 있소?"

그는 말을 멈추고 내 대답을 기다렸는데 내가 말이 없자 조금 더 조급한 투로 말을 이었다.

"어떻소? 당신 대답은 뭐요? 교수대 올가미에서 베커를 구할 결정적인 증거를 찾아냈소? 아니면 그는 교수대 밑으로 떨어지는 거요?"

"참고인을 찾아냈습니다. 당신이 뜻한 게 그거라면, 실즈. 그와 린든의 연결 고리를 아직 찾아내지 못했을 뿐이죠. 아직은."

"그럼, 서두르는 게 좋겠구려, 귄터. 이 도시에서는 재판이 열리면 빨리 마무리 짓는 경향이 있으니까. 죽은 자가 결백했다는 걸 증명하는 당신 모습을 보는 건 괴로울 거요. 모두에게 좋은 모습이 아닐 거라는 건 당신도 동의하겠지. 당신에게도 그렇고, 우리에게도 그렇겠지만 가장 안 좋은 건 목이 올가미에 걸린 남자겠지."

독일 장송곡
—

"가령 내가 참고인을 함정에 빠뜨려 중요 참고인 자격이란 명분으로 당신이 그를 체포하면 어떻겠습니까?" 거의 극단적인 제안이었지만 그럴 만한 가치가 있다고 생각했다.

"그를 법정에 세울 다른 방법은 없소?"

"없습니다. 억지로 법정에 세우면 적어도 베커가 그자를 가리킬 기회는 있을 겁니다."

"나더러 빛나는 바닥에 더러운 점을 찍으라는 거군." 실즈가 한숨을 쉬었다. "상대에게 반론의 여지도 주지 않는 건 싫소. 따라서 내가 어떻게 할지 말해 주지. 부대장 윔벌리 소령과 얘기를 나눈 후 그가 뭐라고 하는지 보겠소. 하지만 아무 약속도 할 수 없소. 소령이 이렇게 말할 가능성도 있지. 가서 유죄 판결을 받아 오고 참고인 따윈 지옥에나 보내라고. 알겠지만 우린 이곳에서 빨리 결말을 지으라는 심한 압박을 받고 있소. 여단장은 미군 장교가 이 도시에서 살해된 걸 탐탁지 않아 하지. 제796부대를 지휘하는 알렉산더 O. 고더 준장이 말이오. 한 성깔 하는 개자식이오. 연락하리다."

"고맙습니다, 실즈."

"고마워하긴 일러요, 탐정 양반."

나는 전화기를 내려놓고 편지를 집었다. 편지를 탁탁 턴 후 손으로 먼지를 닦은 다음 개봉했다.

키르슈텐은 결코 편지를 자주 쓰는 사람이 아니었다. 그녀는 그림엽서를 선호하는 편으로, 베를린에서 그림엽서가 왔다 하더라도 지금은 더 이상 받는 사람의 기분을 좋게 해 줄 그림은 없을 듯했다. 폐허가 된 카이저 빌헬름 교회의 풍경? 아니면 폭격 맞은 오페라 하우스? 플로첸제 교도소에서 집행되는 참수형 사진? 베를린에서 온 그림 엽서를 받으려면 오랜 시간이 걸려야 할 것이라는 생각이 들었다. 나는 편지를 펼쳐 읽기 시작했다.

사랑하는 베르니.

이 편지가 당신에게 닿으면 좋겠지만 형편이 여의치 않으니 닿지 않을지도 모르겠군요. 그럴 땐 당신에게 전보라도 쳐서 만사가 순조롭다고 알리면 좋을 텐데요. 소콜로프스키[49]는 소련 헌병대가 베를린에서 서부까지 이어지는 모든 교통을 통제해야 한다고 주장했어요. 그건 이 편지가 당신에게 닿지 않을 수도 있다는 뜻이죠.

이곳의 진짜 공포는, 이 상황이 베를린의 전면 봉쇄로 발전해 미국과 영국과 프랑스의 세력이 밀려들 거라는 거예요. 그래도 프랑스군의 뒤태를 감상하는 건 누구도 꺼리지 않겠지만요. 아무도 미국과 영국이 우리에게 이래라저래라 하는 것에 대해서는 뭐라 하지 않아요. 적어도 그들은 싸워서 우리를 두들겨 팼으니까요. 하지만 프랑스는? 그들은 위선자예요. 프랑스군이 승리했다는 선전은 독일인들이 참기에는 너무 힘들죠.

사람들은 미국과 영국이 러시아 놈들 손에 떨어진 베를린을 좌시하지 않을 거라고들 해요. 하지만 내 생각에 영국은 잘 모르겠어요. 그들은 지금 팔레스타인 건만으로도 벅차니까요(유대 민족운동에 관한 모

---

49. 전후 독일 주재 소련 점령군 부사령관.

든 책이 베를린의 서점과 도서관에서 사라졌는데 너무나도 익숙한 모습이죠). 영국이 그쪽 일에 더 신경을 쓰고 있다고는 하지만, 한편으로는 독일 선박을 계속 파괴하고 있다는 소문이 들려요. 바다에는 우리가 먹을 물고기가 가득한데, 그들은 배를 폭파시키고 있다니까요! 그들은 러시아의 손에서 우릴 구한 다음 굶겨 죽일 작정일까요?

한편으로는 여전히 괴소문도 들려요. 베를린에서는 이런 이야기가 떠돌아다니죠. 경찰이 신고를 받고 크로이츠베르크의 어느 집에 갔대요. 아래층 사람들 말로는 끔찍한 소동이 이는 소리가 들린 후 천장에 피가 스미는 걸 봤다는 거예요. 경찰이 윗집을 들이닥쳤더니 노부부가 피가 뚝뚝 듣는 말고기를 먹고 있었다지 뭐예요. 그 부부가 길에 있던 말을 끌고 와 돌로 쳐 죽였다나 봐요. 사실인지 아닌지 모르겠지만 내 생각엔 사실인 것 같아 오싹해요. 확실한 건 살아갈 의욕이 또다시 바닥으로 가라앉았다는 거예요. 하늘은 항공 수송기들로 가득하고 전승 4개국의 군대들은 날로 증가해 긴장이 더해 가고 있어요.

페르젠 부인의 아들 카를, 기억나요? 그가 러시아 포로수용소에서 돌아왔는데 건강이 아주 말이 아니에요. 듣기로는 의사가 폐의 기능이 다했다고 했대요. 불쌍한 사람. 아들이 러시아에서 겪은 일을 부인이 말해 줬어요. 어찌나 끔찍하게 들리던지! 왜 나한테 그런 얘길 안 했죠, 베르니? 아마 난 당신을 더 이해해 줬을 거예요. 내가 힘이 되어 주었을 텐데. 전쟁 이래 내가 그다지 좋은 아내가 아니었다는 거 알고 있어요. 그리고 당신이 여기 없는 지금 더 견디기 힘든 것 같아요. 당신이 돌아오면 당신이 남기고 간 돈―이렇게 많은 돈을!―을 쓰자고요. 은행이라도 털었어요? 휴일에 어디라도 가요. 잠시 베를린을 떠나서 같이 시간을 보내요.

당신이 없는 동안 그 돈 중 일부를 천장을 고치는 데 썼어요. 그래요, 난 당신이 그럴 계획이었다는 걸 알아요. 하지만 계속 미뤘을 거라는 것도 알죠. 어쨌든 이제 공사가 다 끝났어요. 아주 보기 좋아요.

얼른 와서 수리한 모습을 봐요. 보고 싶어요.

당신을 사랑하는 아내,
키르슈텐.

필적학자에 관한 상상은 집어치우고, 나는 행복에 겨워 트라우들이 가져온 마지막 보드카를 자작했다. 보드카는 거의 진전 사항 없는 내 수사 진행을 보고하기 위해 리블에게 전화해야 하는 짜증을 경감시켰다. 벨린스키 따윈 될 대로 되라고 중얼거리고, 참고인 확보를 위해 쾨니히를 즉각적으로 체포하는 게 베커에게 좋은 일일지 어떨지 리블의 의견을 구하기로 마음먹었다.

한참 후에 전화를 받은 리블은 층계참에서 굴러떨어진 후 막 전화를 받은 사람 같았다. 평상시 직선적이고 성마른 태도는 온데간데없었고, 목소리는 째지기 일보 직전의 아슬아슬한 상황에서 간신히 균형을 잡은 듯해 보였다.

"귄터 씨," 그렇게 입을 연 그는 보다 점잖은 목소리를 내려는 듯 말을 삼켰다. 이내 자신을 통제하려는 듯 다시 심호흡하는 소리가 들렸다. "끔찍한 사고로 브라운슈타이너 양이 죽었습니다."

"죽어요?" 내가 멍하니 그의 말을 따라 했다. "어떻게?"

"차에 치였습니다." 리블이 힘없이 말했다.

"어디서요?"

"그녀가 근무하는 병원 문간에서 치인 거나 마찬가지입니다. 순간적으로 일어난 일인 듯합니다. 그녀를 위해 해 줄 일이 전혀 없었다더군요."

"언제 일어난 일입니까?"

"두 시간 전. 근무가 끝나고 돌아가는 길에. 불행히도 운전자가 그대로 도망친 모양입니다."

그 부분은 듣지 않아도 충분히 추측할 수 있었다.

"그자는 분명 겁을 먹었을 겁니다. 아마 술에 취해 있었겠죠. 누가 알겠습니까? 오스트리아인들은 다 그렇게 운전을 못하니까."

"그…… 사고를 목격한 사람이 있습니까?" 내 입에서 나온 말에는 거의 분노가 어려 있었다.

"아직까지 나타나지 않았습니다. 하지만 검은 메르세데스가 엄청나게 빠른 속도로 알저 가를 지나쳐 가는 걸 누가 본 것 같다는 모양입니다."

"맙소사." 내가 힘없이 말했다. "바로 코앞에서 일어난 일이군. 기억을 더듬으면 급정거한 타이어가 내는 소리를 들었을지도 모르겠군요."

"그래요, 정말 그럴지도 모르죠." 리블이 중얼거렸다. "어쨌든 고통은 없었을 겁니다. 너무 빠르게 일어난 일이라 고통을 느낄 틈도 없었을 거요. 차가 등 한가운데를 쳤답니다. 의사 말로 척추가 산산조각 났다는군요. 아마 땅에 쓰러지기도 전에 죽었을 거요."

"그녀는 지금 어디 있습니까?"

"종합병원 영안실에 있습니다." 리블이 한숨을 쉬었다. 그가 담배에 불을 붙이고 길게 한 모금을 빠는 소리가 들렸다. "귄터 씨," 그가 말했다. "우린 당연히 베커 씨에게 알려야 합니다. 당신이 나보다는 그를 더 잘 아니까……."

"아, 싫습니다." 내가 황급히 말했다. "살인청부 같은 일은 아니더라도 충분히 하기 싫은 일을 하고 있습니다. 당신이 가십시오. 그녀의 보험증서와 유언장를 가지고 가면 좀 나을 겁니다."

"이 일은 어느 모로 보나 당신과 마찬가지로 나에게도 곤란한 일입니다, 귄터 씨. 이런 말을 드릴 필요도 없이……,"

"네, 그 말이 맞습니다. 미안하군요. 이봐요, 나도 이 상황에서 냉정한 말은 하기 싫지만 이 상황이 휴정을 유도할 수 있는지 봅시다."

"이 상황이 특별한 배려가 될 수 있을지는 나도 모릅니다." 리블이 웅얼거렸다. "결혼 같은 거라면 모를까."

"그녀는 그의 애를 갖고 있었습니다, 맙소사."

충격이 느껴지는 잠깐의 침묵이 흘렀다. 이윽고 리블이 더듬거리며 말했다. "몰랐습니다. 그래요, 그렇다면 물론 당신 말이 맞을 거요. 휴정할 수 있는지 알아보죠."

"그렇게 해 주십시오."

"하지만 베커 씨에게는 뭐라고 말해야 합니까?"

"그녀가 살해됐다고 말해요." 내가 말했다. 그가 말을 꺼내려고 입을 열었지만 나는 대꾸할 기분이 아니었다. "사고가 아닙니다. 내 말 믿어요. 베커에게 이런 짓을 한 자는 그의 옛 전우였다고 말하십시

독일 장송곡
—
273

오. 그대로 전해요. 그는 알 겁니다. 베커가 약간이라도 뭔가를 기억하는지 보십시오. 아마 이제 베커는 나에게 진작 말했어야 할 뭔가를 기억해 낼 겁니다. 만약 이런데도 우리에게 아는 걸 모두 말하지 않으면 교수형을 당해도 싸다고 말해 주십시오." 노크 소리가 들렸다. 트라우들의 여행증명서를 갖고 온 벨린스키이리라. "그에게 그렇게 말해요." 나는 그렇게 말을 끊고 수화기를 전화기 위에 내동댕이쳤다. 그리고 거실을 가로질러 현관문을 억지로 열었다.

벨린스키가 트라우들에겐 이제 쓸모없는 여행증명서를 가슴 앞에서 당당하게 흔들어 보이며 집 안으로 들어왔다. 내 기분을 알아차리기에 그는 너무 즐거워 보였다.

"이렇게 빨리 서류를 준비하는 건 쉽지 않은 일이야." 그가 말했다. "하지만 노련한 이 벨린스키가 그럭저럭 해냈지. 어떻게 했는지는 묻지 말게."

"그녀는 죽었네." 나는 단도직입적으로 말했고, 그가 큰 얼굴을 떨구는 모습을 보았다.

"젠장." 그가 말했다. "유감이군. 도대체 어떻게 된 거야?"

"뺑소니차." 나는 담배에 불을 붙이고 안락의자에 털썩 주저앉았다. "노골적인 살인 행위지. 방금 베커의 변호사에게 전화를 받았네. 여기서 가까운 곳에서 두 시간 전에 사고를 당했다는군."

벨린스키가 고개를 끄덕이고 내 맞은편 소파에 앉았다. 나는 그의 시선을 피했지만 그 시선이 내 머릿속을 주시하고 있다는 것을 느낄 수 있었다. 그는 한동안 머리를 젓더니 파이프를 꺼내 담배를 채우기 시작했다. 담배를 다 채운 그는 파이프에 불을 붙이고, 말하는 사이

사이 불씨를 살리려고 파이프를 빨았다. "이런 걸 물어서…… 미안하지만…… 마음이…… 바뀐 건 아닌가?"

"바뀌다니, 뭐가?" 내가 호전적으로 으르렁댔다.

그는 입에서 파이프를 빼고 다시 삐뚤빼뚤한 잇새에 물기 전에 파이프 안을 들여다보았다. "당신이 그녀를 죽인 게 아닌가 말이야."

붉으락푸르락하는 내 얼굴을 본 그가 황급히 머리를 저었다. "아니, 당연히 아니겠지. 멍청한 질문이었네. 미안하네." 그가 어깨를 으쓱했다. "그렇지만 난 물어야 했네. 지금 일이 우연한 상황이라는 건 인정하겠지? 조직이 당신에게 그녀를 사고로 위장해 죽이라고 명령하자마자 그녀가 차에 치여 죽었으니까."

"어쩌면 당신이 한 짓인지도 모르지." 나는 내 입에서 나오는 말을 들었다.

"어쩌면." 벨린스키가 소파 끝으로 내앉았다. "자, 정리해 보자고. 난 오후 내내 저 불쌍한 아가씨의 여행증명서와 오스트리아 밖으로 나갈 수 있는 서류가 나오길 기다렸네. 그런 다음 당신을 보러 이리로 오는 길에 그녀를 냉혹하게 차로 치어 죽였다는 거지. 맞나?"

"당신, 무슨 차를 몰지?"

"메르세데스."

"색깔은?"

"검은색."

"누군가가 사고 현장에서 빠르게 멀어져 가는 검은색 메르세데스를 봤다더군."

"아마 그렇겠지. 난 빈에서 천천히 달리는 차는 본 적이 없으니까.

그리고 당신이 눈치채지 못했을까 봐 하는 말인데 이 도시에서는 군용차를 제외하면 모든 차가 검은색 메르세데스야."

"그렇더라도," 나는 고집스럽게 계속했다. "앞 펜더가 찌그러지지 않았는지 확인해 봐야겠는데."

그가 막 산상수훈[50]을 들었다는 듯이 천진난만하게 양손을 펼쳐 보였다. "얼마든지. 차 도처에서 그런 자국을 찾을 수 있을 걸세. 이곳에는 조심스러운 운전을 금지하는 법이라도 있는 모양이니까." 그가 파이프를 빨아 연기를 냈다. "이봐, 베르니, 이렇게 말하면 기분 나쁠지도 모르지만 우린 도끼날 없는 도끼 자루를 휘두르고 있는 거나 같아. 트라우들의 죽음은 애석한 일이지만 그 문제로 당신과 내가 싸울 필요는 없네. 누가 알겠나? 진짜 사고였는지. 알겠지만 빈 운전자들에 관한 내 말은 사실이야. 그들은 소련인보다 더 운전을 심하게 하는 데다 누구도 그들을 능가하긴 힘들다고. 젠장, 길 위에서 전차 경주를 하는 것 같다니까. 이게 빌어먹을 우연이라는 건 인정하지만 상상력을 펼치면 불가능한 일은 아니야. 그건 인정하겠지."

나는 천천히 고개를 끄덕였다. "그래. 불가능한 게 아니란 걸 인정하지."

"어쩌면 조직이 다른 조직원에게도 지시를 내렸는지도 몰라. 당신이 실패할 경우에 대비해 다른 누군가가 그녀를 죽이도록 말이야. 그런 식의 암살은 드문 게 아니야. 어쨌든 내 경험은 아니지만." 그가 잠시 말을 끊고 파이프로 나를 가리켰다. "내 생각을 말해 줄까? 다음에

---

50. 마태복음에 실려 있는 예수의 가르침.

쾨니히를 보면 이 일에 대해서는 입을 다물고 있게. 만약 그가 먼저 말을 꺼낸다면 아마 사고인 게 틀림없을 테고, 그럼 자신 있게 당신의 공훈인 척하면 돼." 그가 재킷 주머니를 뒤지더니 누런 봉투를 꺼내 그것을 내 무릎 위에 던졌다. "이제 이건 다소 필요가 없겠지만 뭐, 어쩔 수 없지."

"이게 뭐지?"

"헝가리 국경에서 가까운 쇼프론 근처 MVD 기지에서 손에 넣은 거야. 헝가리와 오스트리아 남부에 배치된 MVD 인물들의 상세 정보지."

"이걸 어떻게 설명하면 되지?"

"그걸 우리에게 넘긴 남자를 당신이 잘 써먹을 수 있을 거라고 생각하는데. 솔직히 말해 그건 조직이 환장할 만한 물건이야. 남자의 이름은 유리. 당신은 그것만 알면 돼. 그가 사용하는 접선 장소와 위치들이 표시된 지도가 들어 있네. 마터스부르크라는 작은 마을 근처에 철교가 하나 있지. 철교에는 보도가 있고 삼분의 이쯤 되는 지점에 부서진 손잡이가 있네. 손잡이 상부 금속은 비어 있어. 당신이 할 일은 한 달에 한 번 그곳에 가서 정보를 얻고, 거기다 약간의 돈과 지시 사항을 남겨 놓으면 되는 거야."

"그 사람과는 어떤 관계라고 해야 하지?"

"아주 최근까지 유리는 빈에 배치됐었어. 당신은 그에게서 신분증을 사곤 했지. 하지만 이제 점점 그의 야망이 커져서 당신은 그가 요구하는 돈을 감당할 수 없는 거야. 따라서 당신은 그를 조직에 보고하는 거지. CIC는 이미 그에 대한 평가를 끝냈네. 우린 그에게서 얻을 수 있는 건 모두 얻었어. 적어도 단기적으로는. 만약 그가 같은 정보를 조직에 준다 해도 해가 되지 않을 걸세." 벨린스키는 내 반응을 기다리면서 다시 불을 붙인 파이프를 힘차게 빨았다.

"정말," 그가 다시 말했다. "쉬운 일이야. 이런 정도의 공작은 '첩보'라고도 할 수 없는 일이지. 내 말 믿게. 진짜 첩보 활동은 좀처럼 없어. 하지만 보통은 이런 정보원을 쥐고 한두 건의 살인만 성공해도 조직의 인정을 받지, 친구."

"열의를 보이지 못해 미안하군." 내가 건조하게 말했다. "내가 여기서 뭘 하고 있는지 잊어버렸을 뿐이야."

벨린스키가 모호하게 끄덕였다. "옛 전우의 누명을 벗겨 주려는 거 아닌가."

"내 말을 듣고 있지 않았나 보군. 베커는 내 친구였던 적이 없어. 하지만 린든 살해에 관해서는 정말 무죄라고 생각하네. 트라우들도 그렇게 생각했지. 그녀가 살아 있는 한 이 사건은 해결할 가치가 있는 것처럼 생각됐어. 베커의 결백을 증명하려고 애쓸 이유가 존재하는 것처럼 보였네. 이젠 나도 모르겠군."

"왜 이러나, 귄터." 벨린스키가 말했다. "연인 없이 산다고 해도 죽는 것보다는 낫네. 트라우들이 자네가 정말 포기하길 원할 것 같나?"

"어쩌면. 베커가 했던 쓰레기 같은 짓을 그녀가 알았다면. 그가 사람을 어떻게 취급했는지 알았다면 말이야."

"마음에도 없는 말 말게. 베커는 확실히 복사服事[51] 타입은 아니지.

---

51. 미사 때 사제의 시중을 드는 사람.

하지만 자네가 트라우들에 대해 내게 했던 말로 미뤄 볼 때 베커가 어떤 사람이었는지 알고 있었을걸세. 이제 더 이상 순수함 따윈 많이 남아 있지 않아. 특히 빈에서는."

지겨워진 나는 한숨을 쉬고 목을 주물럭거렸다. "자네 말이 맞을지도 모르지." 나는 인정했다. "내가 문제일지도 몰라. 이보다는 좀 더 명확한 일들을 해 왔으니까. 의뢰인이 나타나면 보수를 받고, 내 직감대로 움직였지. 가끔은 그런 게 사건을 해결할 때가 있네. 그러면 아주 기분이 좋아. 하지만 지금은 주위에 사람이 너무 많을뿐더러 그 사람들이 일의 방향까지 일러 주는 지경이야. 내가 마치 자립 능력을 잃은 것처럼. 이젠 사립탐정이라는 기분이 들지 않는군."

벨린스키는 상품이 매진된 상점의 주인처럼 머리를 절레절레 흔들었다. 아마 말문이 막힌 모양이었다. 그럼에도 그는 한마디 던졌다. "힘내라고. 첩보 활동이 처음은 아니잖아."

"물론. 지금까진 분명한 목적의식이 있었네. 적어도 범죄자의 모습을 상상할 순 있었지. 뭐가 옳은지도 알았네. 하지만 더 이상 명확하지 않은 데다 생각조차 하기 싫어졌네."

"영원한 건 아무것도 없어, 크라우트. 전쟁이 인간의 모든 것을 바꿨지. 사립탐정도 포함해서. 하지만 범죄자의 사진을 보고 싶다면 백 장이라도 보여 줄 수 있네. 아마 천 장도. 그들은 모두 전범이야."

"크라우트들의 사진 말인가? 이봐, 벨린스키, 자넨 미국인이자 유대인이야. 자네가 여기서 옳고 그름을 판단하는 건 너무 쉬운 일이지. 나? 난 독일인이야. 친위대원이기조차 했네. 짧으나마 더러운 순간이었지만. 내가 자네들이 말하는 전범을 만난다면 그는 아마 나와

독일 장송곡
−
279

악수하며 나를 옛 전우라고 부르겠지."

그는 내 말에 아무런 대꾸도 하지 못했다.

나는 담배 한 개비를 더 꺼내 말없이 피워 물었다. 담배를 다 피우고는 비탄에 잠겨 머리를 저었다. "아마 빈에 있어서 그럴 거야. 집에서 오래 떨어져 있어서. 아내의 편지를 받았네. 내가 베를린을 떠났을 때 우리 사이는 악화 일로였지. 솔직히 아내 곁을 떠나고 싶어 안달이 난 상태여서 무조건 이 사건을 맡았네. 어쨌든 아내는 우리가 다시 시작하길 원해. 당장 돌아가서 아내와 다시 한 번 시작해 보고 싶네. 어쩌면……," 나는 머리를 흔들었다. "어쩌면 지금 술이 필요한 건지도 모르지."

벨린스키가 만면에 미소를 지었다. "이제 얘기가 되는군, 크라우트. 이 일을 하면서 한 가지 배운 게 있지. 확신이 안 서면 알코올에 빠져라."

27

우리가 제1구에 있는 나이트클럽인 멜로디스 바에서 돌아온 것은 늦은 때였다. 벨린스키가 내 펜션 앞에 차를 세웠고, 내가 차에서 내렸을 때 근처 현관문의 그림자 안에서 한 여자가 황급히 뛰어나왔다. 베로니카 차르틀이었다. 누구와도 상대하고 싶지도 않을 만큼 취한 나는 그녀에게 억지로 미소를 지어 보였다.

"당신이 와서 다행이에요." 그녀가 말했다. "한 시간 동안 기다렸어요." 열린 차 문을 통해 벨린스키가 내뱉은 외설적인 말을 들은 그녀가 움찔했다.

"뭣 때문에?" 내가 그녀에게 물었다.

"당신 도움이 필요해요. 내 방에 어떤 남자가 있어요."

"그래, 잘 지내시오?" 벨린스키가 말했다.

베로니카가 입술을 깨물었다. "죽어 있어요, 베르니. 도와주세요."

"내가 뭘 할 수 있는지 모르겠는데." 나는 멜로디스에서 더 머무를 걸 그랬다고 생각하며 애매하게 말했다. 그리고 나서 덧붙이듯 중얼거렸다. "요즘엔 젊은 여자가 아무나 믿어선 안 되는데. 그건 경찰 일이오."

독일 장송곡

"경찰에게는 말할 수 없어요." 베로니카는 초조하게 끙끙거렸다. "그건 곧 우리 집에 풍기 단속반, 오스트리아 범죄 경찰, 공공 위생 관리과, 검시반이 줄줄이 들이닥친다는 걸 뜻한단 말이에요. 난 아마 집과 모든 걸 잃을 거라고요. 모르겠어요?"

"알았소. 알았소. 어떻게 된 일이지?"

"심장마비인 것 같아요." 그녀가 머리를 떨구었다. "귀찮게 해 드려서 죄송해요. 의지할 수 있는 사람이 아무도 없어서."

나는 내 자신을 저주하며 머리로 벨린스키의 차를 가리켰다. "이 아가씨가 우리 도움이 필요하다는군." 내가 열의 없이 앓는 소리를 했다.

"필요한 게 이것만이 아니겠지." 하지만 벨린스키는 차에 시동을 걸며 덧붙였다. "뭐 해, 타라고. 둘 다."

그가 로텐투름 가로 차를 몰아 베로니카의 방이 있는, 폭격 피해를 입은 건물 밖에 차를 세웠다. 우리가 차에서 내렸을 때 나는 스테판스 광장의 검은빛 자갈들 너머 부분적으로 복구중인 대성당을 가리켰다.

"저 현장에 방수포가 있는지 보게." 내가 벨린스키에게 말했다. "나는 방으로 올라가 살펴볼 테니 시체를 쌀 만한 적당한 게 있으면 이 층으로 가져오게."

나와 다투기에 그는 너무 취해 있었다. 대거리를 하는 대신 그가 발걸음을 돌려 대성당 벽에 세워진 비계飛階를 향해 걸어가는 동안 나는 몸을 돌려 베로니카를 따라 그녀의 방으로 올라갔다.

쉰쯤 되어 보이는 덩치가 크고 얼굴빛이 바닷가재 같은 남자가 그녀의 큼직한 떡갈나무 침대에 누워 있었다. 구토는 울혈성 심부전의 경우 매우 흔한 증상이었다. 심각한 안면 열상을 입은 것처럼 토사물이 코와 입을 덮고 있었다. 나는 남자의 축축한 목에 손가락을 갖다 댔다.

"여기에 얼마나 오래 있었지?"

"서너 시간요."

"이불을 덮어 둬서 다행이군." 내가 말했다. "저 창문을 닫아요." 나는 죽은 남자의 몸에서 침대 시트를 벗기고 상체를 일으켜 세웠다. "이리 와서 도와요." 내가 명령했다.

"뭐 하는 거예요?" 짐이 잔뜩 든 여행 가방을 닫으려고 애쓰는 사람처럼 다리 위로 몸통을 구부리느라 안간힘을 쓰고 있는 나를 그녀가 도왔다.

"이자를 이런 식으로 접어야 해." 내가 말했다. "사후경직을 늦추는 척추 지압을 약간 해 주면 이자를 차에 넣고 빼기 쉬워지지." 나는 목덜미를 강하게 누른 다음 온 힘을 다해 목을 후려치고 토사물투성이 베개들이 놓인 곳에 남자를 밀쳤다. "이 양반은 식량 배급표가 남아돌았나 보군." 나는 숨을 몰아쉬었다. "백 킬로그램 이상 나갈 것 같은데. 벨린스키를 데려온 게 다행이야."

"벨린스키는 경찰이에요?" 베로니카가 물었다.

"비슷하지만, 걱정 마시오. 범죄 검거율에 민감한 부류의 경찰은 아니니까. 벨린스키는 달리 해야 할 더 중요한 일이 있지. 그는 나치 전범을 사냥하오." 나는 죽은 남자의 팔다리를 구부리기 시작했다.

"이 사람을 어쩔 셈이죠?" 그녀가 매스꺼워하며 말했다.

독일 장송곡
—

"철도 위에 올려놔야지. 러시아 놈들이 그에게 작은 파티를 열어 준 뒤 기차에서 던진 것처럼 보이도록. 운이 좋으면 기차가 이자를 타넘어 사인을 감춰 주겠지."

"제발, 그만." 그녀가 힘없이 말했다. "……나한테 친절했는데."

나는 시체와 씨름을 끝내고 몸을 일으킨 다음 넥타이를 바로잡았다. "보드카로 저녁을 때운 데 비해 힘든 일이군. 대체 벨린스키는 어디 있는 거지?" 더러운 레이스 커튼 옆 식탁 의자의 등받이에 정갈하게 걸쳐 놓은 남자의 옷가지를 주워 모으며 내가 말했다. "이미 주머니는 뒤져 봤겠지?"

"당연히 아니죠."

"이 일을 시작한 지 얼마 안 됐소?"

"당신은 전혀 몰라요. 그는 내 좋은 친구였다고요."

"그렇겠지." 벨린스키가 문을 열고 들어오면서 말했다. 그는 흰 천을 들고 있었다. "유감이지만 이것밖에 못 찾겠더군."

"그게 뭐지?"

"제단포祭壇布[52] 같은데. 성당 안 벽장에서 찾아냈지. 쓰는 것 같지 않아 보였어."

나는 벨린스키를 도와 천으로 친구를 감싸라고 베로니카에게 이르고 주머니를 뒤졌다.

"저 친구, 아주 능숙한데." 벨린스키가 그녀에게 말했다. "그는 전에 내가 두 눈을 시퍼렇게 뜨고 있는데도 내 주머니를 뒤진 적 있지.

---

52. 제단 위에 까는 하얀 천.

이봐요, 아가씨, 일이 일어났을 때 당신과 이 뚱보가 정말 그걸 하고 있었나?"

"그녀를 내버려 둬, 벨린스키."

"죽은 자는 복이 있나니 이제로부터 주님 품에 안기는 도다." 그가 키득거렸다. "하지만 나는? 멋진 여자의 품에 안겨 죽길 바랄 뿐이지."

나는 남자의 지갑을 열고 지폐와 실링을 화장대 위에 놓았다.

"뭘 찾는 거예요?" 베로니카가 물었다.

"남자의 시체를 처리할 작정이라면 적어도 그의 속옷 색깔보다는 그에 대해 조금이라도 많은 걸 알고 싶으니까."

"그의 이름은 카를 하임이에요." 베로니카가 나직이 말했다.

나는 명함을 찾았다. "닥터 카를 하임. 치과 의사인가, 응? 당신에게 페니실린을 갖다 준 사람?"

"그래요."

"예방 조치를 좋아했겠군, 응?" 벨린스키가 웅얼거렸다. "이 방을 둘러보니 이유를 알겠어." 화장대 위의 돈을 보고 그가 고개를 끄덕였다. "그 돈을 챙기는 게 좋을 거요, 아가씨. 새로 도배라도 하라고."

하임의 지갑에는 또 다른 명함이 들어 있었다. "벨린스키," 내가 말했다. "제시 P. 브린 소령이라고 들어 봤나? 강제 이주자 심사 프로젝트DP Screening Project라는 부서에 있는?"

"알고말고." 그가 그렇게 말하며 다가와 내 손에서 명함을 빼 갔다. "DPSP는 제340부대의 특별 부서야. 브린은 CIC 조직의 현지 연락장교지. 만약 조직원들 중 누가 미 헌병대와 문제를 일으키면 브린

이 그 문제를 처리해 그들을 도와야 해. 살인 같은 정말 심각한 문제는 빼고. 피해자가 미국인이나 영국인만 아니면 살인 건이라도 능히 해결할 인물이지만. 우리의 뚱보 친구는 아무래도 자네의 옛 전우 중 한 명일 거라는 생각이 드는군, 베르니."

벨린스키가 떠드는 동안 나는 재빨리 하임의 바지 주머니를 뒤져 열쇠 한 벌을 찾았다.

"그렇다면 자네와 내가 이 훌륭한 의사의 진료소를 둘러보는 것도 좋은 생각일지 모르겠는데. 거기서 뭔가 흥미로운 것을 찾을 수 있을지도 모를 거란 감이 오는군."

우리는 도시의 러시아 지구 내 오스트 역 근처에서 뻗어 나간 철로 위에 알몸뚱이 시체를 버렸다. 나는 되도록 빨리 현장을 떠나고 싶어 안달이 났지만 벨린스키는 차 안에 앉아 기차가 일을 끝내는 모습을 보자고 주장했다. 십오 분쯤 후 부다페스트 경유 동방행 화물열차가 우르릉거리며 모습을 드러냈고, 하임의 시체는 수백 쌍의 바퀴 아래 흔적도 없이 사라졌다. "모든 육체는 풀이요," 벨린스키가 읊조렸다. "그의 모든 아름다움은 들의 꽃과 같으니, 풀은 마르고 꽃이 시드니." [53]

"그만둬 주겠나?" 내가 말했다. "거슬리니까."

"하지만 의인들의 영혼은 하느님 손안에 있어 어떠한 고통도 겪지 않을 것이다. [54] 말씀대로 합죠, 크라우트."

53. 이사야 40장 6~7절.
54. 구약 지혜서 3장 1절.

"제발 여길 뜨자고."

우리는 제18구 베링을 향해 북쪽으로 차를 몰았다. 그리고 작은 철로에 의해 양분된 적당한 크기의 공원에서 멀지 않은 튀르켄샨츠 광장에 위치한 우아한 삼 층짜리 건물 앞에 차를 세웠다.

"우리의 승객을 여기다 내려놨어도 될 뻔했군." 벨린스키가 말했다. "자기 집 앞에. 그랬다면 러시아 점령 지구까지 갈 필요도 없었을 텐데."

"여긴 미국 점령 지구야." 내가 그를 일깨웠다. "이 근방에서 열차에서 내던져지는 건 무임승차했을 때뿐일걸. 승무원들은 열차가 정차할 때까지 기다리기조차 할 거야."

"이런, 자네가 보기에 미국인들이 그렇다고? 그래, 자네 말이 맞아, 베르니. 그자는 러시아 놈들에게 맡기는 편이 나아. 그자들이 기차에서 던진 사람이 한두 명은 아니었을 테니까. 난 분명 그들의 선로공이 되긴 싫을 것 같아. 끔찍하기 그지없을 테니까."

우리는 차에서 내려 집을 향해 걸었다.

집에는 아무도 없는 듯했다. 드문드문 이가 빠진 낮은 나무 울타리 위로 흰색 치장 벽토 마감 집의 어두운 창문이 거대한 해골의 빈 눈구멍처럼 노려보고 있었다. 빈 사람들의 전형적인 허세를 보여 주듯 문설주에 붙은 변색된 놋쇠 표찰에는 알파벳이란 알파벳은 모두 사용한 것 같은 직함, '치과 전문 외과의 카를 하임 박사'라는 이름이 새겨 있었고, 두 개로 나뉜 출입구가 표시되어 있었다. 하임의 주거지와 진료소.

"집 안을 살펴보게." 나는 그렇게 말하고 열쇠로 현관문을 열었다.

"나는 이쪽 진료소를 둘러볼 테니까."

"말씀대로 합죠." 벨린스키가 오버코트 주머니에서 손전등을 꺼냈다. 손전등을 노려보는 내 눈을 본 그가 덧붙였다. "문제 있나? 어둠이 무서운 건가?" 그가 웃음을 터뜨렸다. "자, 이걸 가져가라고. 나는 깜깜한 데서도 잘 보니까. 자네가 갖춰야 할 내 특기지."

나는 어깨를 으쓱하고 손전등을 건네받았다. 이내 그는 재킷 안으로 손을 넣어 권총을 꺼냈다.

"게다가," 그가 소음기를 장착하며 말했다. "문손잡이를 돌리려면 한 손을 비워 둬야 하니까."

"아무나 쏘지 않도록 조심하게." 나는 그렇게 말하고 발걸음을 옮겼다.

집 옆을 돌아 진료소 문을 열고 안으로 들어간 나는 다시 등 뒤로 조용히 문을 닫은 후 손전등 스위치를 켰다. 이곳을 지켜볼 말 많은 이웃이 있을 경우를 대비해 불빛은 리놀륨 바닥으로 향하고 창가에서 떨어졌다.

내가 있는 곳은 접수처이자 대기실로, 화분 몇 개와 자라 몇 마리가 든 어항이 놓여 있었다. 금붕어가 아닌 게 의외라고 중얼거리고 이제 주인이 죽었다는 사실을 떠올리며 역한 냄새가 나는 먹이를 어항에 뿌려 주었다. 이것이 오늘의 두 번째 선행이었다. 자비가 약간 내 버릇이 되어 가고 있었다.

접수대 뒤로 돌아가 예약 명부를 펼치고 손전등을 갖다 댔다. 하임은 경쟁자와의 싸움에서 살아남을 만큼 많은 환자가 있는 것처럼 보이지는 않았다. 항상 그래 왔을 거라는 생각이 들었다. 요즘에는 사람들이 치아를 관리할 만큼 돈들이 많지 않았고, 하임에게는 암시장에서 약을 파는 쪽이 분명 보다 나은 돈벌이였으리라. 페이지를 넘기며 보니 일주일 평균 예약이 두세 건에 지나지 않았다. 몇 달 전 기록에서 내가 아는 두 이름이 보였다. 막스 얍스와 헬무트 쾨니히. 두 사람은 모두 며칠을 사이에 두고 이를 모두 뽑았다. 이를 전부 뽑은 환자의 명단에는 많은 이름이 적혀 있었는데 그중 내가 아는 사람은 없었다.

파일 캐비닛이 있는 곳으로 가 보니 한 캐비닛만 빼고 거의 비어 있었고, 그 캐비닛에는 1940년 이전 환자 기록이 남아 있었다. 캐비닛은 그 이래 한 번도 열리지 않은 것처럼 보였는데, 치과 의사들이 이런 일에 매우 꼼꼼한 경향이 있는 것을 감안하면 이상하다는 생각이 들었다. 1940년 이전의 하임은 성실하게 환자들의 치아 상세, 치아 하나하나에 대한 충전물과 의치를 기록했었다. 단지 게을러진 걸까? 아니면 환자가 줄어 꼼꼼하게 기록할 필요가 없어진 걸까? 그리고 왜 요즘은 이를 모두 뽑은 사람들이 많아진 걸까? 전쟁 탓에 나를 포함하여 치아가 부실해진 사람들이 상당수인 것은 사실이었다. 내 경우는 포로 생활을 하며 일 년간 굶주린 탓이었다. 하지만 그럼에도 나는 그럭저럭 치아를 하나도 잃지 않았다. 나 같은 사람도 많이 있었다. 쾨니히에게 이를 모두 뽑았어야 할 어떤 이유가 있을까? 그는 충치 하나 없었다고 했다. 아니면 단지 이가 부실해지기 전까지는 좋았다는 뜻이었을까? 이 정도 수수께끼는 코넌 도일이 단편소설로 쓰기에는 충분치 않은 소재였지만 나로서는 혼란스러웠다.

진료소는 내가 갔던 곳과 크게 다르지 않았다. 약간 더 더러울는지는 모르지만 전쟁 전과 같은 수준의 청결을 유지하는 곳은 없었다. 검은 가죽 의자 옆에 큰 마취 가스통이 있었다. 나는 가스통 옆에 붙은 꼭지를 돌려 쉿 하는 소리를 들은 다음 다시 잠갔다. 정상적으로 작동하는 것 같았다. 잠긴 문 안쪽은 작은 창고로, 나는 거기서 벨린스키와 마주쳤다.

"뭔가 찾았나?" 그가 물었다.

나는 그에게 부실한 환자 기록에 대해 말했다.

"정말 이상한데." 그가 웃음을 머금고 말했다, "전혀 독일인답지 않군."

나는 창고 안의 선반 위로 손전등을 비추었다.

"어이," 그가 말했다. "뭐가 있는지 볼까?" 그가 손을 뻗어 한쪽 면에 노란색 페인트로 H2SO4라고 쓰인 강철 드럼통을 건드렸다.

"내가 자네라면 만지지 않겠네." 내가 말했다. "학생용 화학 실험 용품이 아니야. 틀리지 않다면 그건 황산일세." 손전등으로 드럼통 한쪽 면을 비추자 역시 페인트로 '위험물 주의'라는 경고가 쓰여 있었다. "자네를 이 리터짜리 동물성 지방으로 바꾸기에 충분하지."

"유대교 율법에 따라 도축한 고기의 지방이길 바라네." 벨린스키가 말했다. "치과의가 황산 한 드럼으로 뭘 하려 했을까?"

"어쩌면 그 안에 틀니를 하룻밤 동안 담가 두려고 했는지도 모르지."

드럼 옆 선반에는 콩팥 모양의 철 쟁반이 차곡차곡 쌓여 있었다. 나는 그중 하나를 들고 손전등 불빛에 비춰 보았다. 우리는 어떤 역겨운 꼬마가 반쯤 빨아먹고 모아 둔 박하사탕 같은 것들이 한데 뭉쳐 있는 듯한 괴상한 것을 응시했다. 게다가 일부에는 피가 말라붙어 있었다.

벨린스키가 역겹다는 듯이 얼굴을 찌푸렸다. "대체 이것들은 뭐지?"

"이." 나는 그에게 손전등을 건네고 끝이 뾰족뾰족한 하얀 물체를 집어 들어 불에 비춰 보았다. "발치한 거야. 그것도 여러 명에게서."

"난 치과의가 싫네." 벨린스키가 끔찍하다는 투로 말했다. 그가 조끼 주머니를 뒤져 이쑤시개를 꺼내 입에 물었다.

"이것들이 황산 드럼통에서 최후를 맞는 것 같군."

"그래서?" 벨린스키는 내가 흥미를 보이는 걸 눈치챘다.

"이를 몽땅 뽑는 일만 하는 치과의는 어떤 부류지?" 내가 물었다. "예약 장부에는 이를 몽땅 뽑는 사람들만 예약돼 있었네." 나는 아까 집어 든 이를 돌려 보았다. "이 어금니의 어디가 얼마나 잘못된 거지? 때운 흔적도 없는데."

"전혀 아무 이상 없는 이로 보이는군." 벨린스키가 동의했다.

나는 집게손가락으로 쟁반 안의 점착성 덩어리를 휘저었다. "나머지 것들도 똑같아." 나는 그것들을 주의 깊게 관찰했다. "내가 의사는 아니지만 때우지도 않은 이를 뽑는 게 의미가 있을 성싶지 않아."

"하임은 어느 정도 가욋일을 하고 있었는지 모르지. 단지 이를 뽑는 걸 좋아했는지도 모르고."

"환자의 기록을 남기기보다 더. 최근 어떤 환자의 기록도 없네."

벨린스키가 또 다른 콩팥 모양 쟁반을 집어 들고 내용물을 살펴보았다. "이것도 꽉 차 있어." 그가 말해 주었다. 하지만 다음 쟁반에는 뭔가가 굴러다녔다. 작은 볼베어링들 같았다. "음, 이게 뭐지?" 하나를 집어 든 그가 매혹당한 것처럼 그것을 들여다보았다. "내가 크게 실수하는 게 아니라면 이 작고 정교한 것마다 청산가리가 들어 있네."

"독약 말인가?"

"그래. 이것들은 자네의 옛 전우들 중 일부에게 큰 인기가 있었지, 크라우트. 특히 러시아 놈들에게 포로가 되느니 자살을 택할 배짱이 있는 친위대원과 고위 관리와 당 간부 들에게. 이것들은 본래 독일 첩보원을 위해 개발된 것이지만 아르투르 네베와 친위대가 고급 관리들에게 훨씬 더 필요하다고 결정한 걸로 알고 있지. 치과의에게 가짜 이를 만들어 달라든가 이미 있는 충치 구멍을 이용하든가 해서 그 구멍 안에 이 귀여운 아기를 넣는 거야. 이 안에 딱 들어맞는다니까. 놀랍지 않나. 포로가 되면 우리 측 사람들이 치아 검사를 할까 봐 주머니 안에 청산가리가 든 미끼용 놋쇠 카트리지를 넣어 다니는 자들까지 있네. 그리고 적당한 때가 오면 가짜 이를 빼서 혀로 캡슐을 끄집어 낸 다음 깨무는 거지. 그럼 거의 즉사야. 힘러가 그런 식으로 자살했지."

"내가 듣기론 괴링도."

"아니," 벨린스키가 말했다. "그자는 미끼 중 하나를 이용했어. 그자가 감방에 있는 동안 어느 미군 장교가 그걸 밀반입해 그자에게 줬네. 대단하지 않나, 응? 우리 측 사람들 가운데 하나가 그런 뚱보 자식에게 관용을 베풀다니." 그가 캡슐을 쟁반에 다시 넣고 그 쟁반을 나에게 건넸다.

자세히 보려고 몇 개를 손 안에 쏟았다. 이토록 작은 게 그토록 치명적일 수 있다는 사실이 거의 믿기지 않았다. 네 사람에게 죽음을 안길 수 있는 네 개의 작은 진주알. 가짜 이든 뭐든 입안에 이런 걸 넣고 저녁을 즐길 수 있다니. 나는 그럴 수 없을 것 같았다.

"내 생각을 말해 줄까, 크라우트? 빈 전역에 이 빠진 나치 녀석들이 잔뜩 돌아다니고 있다는 거지." 나는 그를 따라 다시 진료소로 나왔다. "치과 기술이 사체 신원 확인에 도움이 된다는 걸 자네도 잘 알겠지."

"자네만큼이나 잘 알지." 내가 말했다.

"치과 기술은 전쟁이 끝나고 나서도 유용했네." 그가 말했다. "사체의 신원을 확정 짓는 가장 좋은 방법이었지. 자신들이 죽었다고 우리를 믿게 하려는 데 혈안이 되어 있던 나치들이 당연히 잔뜩 있었네. 그리고 우리를 설득하려고 엄청나게 애를 썼지. 가짜 신분증을 갖고 있던 반쯤 탄 시체들. 이런 수법은 자네도 알 거야. 당연히 우리는 우선적으로 치과의를 데려가 사체의 치아를 조사하게 했네. 사체의 치과 기록이 없다 해도 최소한 이를 조사해서 나이를 추정할 수 있으니까. 치주증, 치근흡수 등등도. 시체가 신분증의 인물과 확연히 다르다는 걸 알 수 있지."

벨린스키가 말을 끊고 진료소를 둘러보았다. "여길 다 둘러보았나?"

나는 다 조사했다고 대답하고 그에게 집 안에서 뭔가 찾았는지 물었다. 그는 머리를 저으며 별다른 게 없었다고 했다. 나는 여기서 나가는 게 좋겠다고 말했다.

독일 장송곡
—
293

우리가 차에 오를 때 그의 설명이 다시 시작됐다.

"게슈타포의 수장 하인리히 뮐러의 예를 들자면, 그는 1945년 4월 히틀러의 벙커에서 생존해 있던 모습이 마지막으로 목격됐네. 뮐러는 1945년 5월 베를린 전투에서 죽은 것으로 알려졌지. 하지만 전후 그의 시체가 발굴되고 영국 점령 지구 내 베를린 병원 턱 수술 전문 치과의는 시체의 치아가 사십사 세 남성의 것이라고는 볼 수 없다고 했네. 그는 그 시체가 스물다섯 이전에 죽은 사람이라고 추정했어."

벨린스키가 차 키를 돌려 일이 초가량 엔진을 회전한 다음 기어를 넣고 천천히 차를 굴리기 시작했다.

운전대 위로 몸을 숙인 그는 미국인치고 미숙하게 차를 몰았다. 클러치를 두 번 밟고, 기어를 잘못 넣고, 대개 필요 이상으로 운전대를 꺾었다. 운전에 모든 주의를 기울여야 함에도 그는 지나가는 오토바이 운전자를 칠 뻔했을 때조차 차분하게 설명을 이어 나갔다.

"우리가 이 개자식들 중 몇 놈을 잡았을 때 그놈들은 가짜 신분증에, 새로운 헤어스타일에, 콧수염에, 턱수염에, 안경에, 그 밖에 뭐든 할 수 있는 변장은 다 하고 있었지. 하지만 치아는 문신이나 마찬가지야. 지문도 그렇고. 따라서 그들이 이를 몽땅 뽑았다 하더라도 여전히 식별 가능한 또 다른 방법이 있는 거지. 어쨌든 친위대 번호를 지우려고 팔 밑에 총을 들이댈 수 있는 자라면 틀니를 박아 넣는 걸 꺼리겠나?'

나는 내 팔 밑의 흉터를 떠올리며 아마 그의 말이 옳으리라고 생각했다. 러시아인들에게 들키지 않기 위해서라면 나도 분명 이를 뽑았으리라. 막스 압스와 헬무트 쾨니히처럼 고통 없는 발치를 위해 같은 선택을 했을 터였다.

"자네 말대로겠지."

"단언할 수 있네. 그게 내가 하임의 예약 명부를 가져온 이유야."
그는 명부를 갈무리했으리라 여겨지는 코트의 가슴께를 토닥였다.
"충치가 있는 자들을 찾아내는 건 정말 흥미 있을 거야. 예를 들면 자
네 친구 쾨니히. 압스 막스도 그렇고. 왜 친위대 운전기사 정도밖에
안 되는 자가 입안에 그런 걸 해 박을 필요가 있었을까? 그가 친위대
상병 따위가 아니었다면 말이지." 벨린스키가 그렇게 말하며 킬킬거
렸다. "그게 내가 어둠 속에서도 잘 볼 수 있어야 할 이유일세. 자네의
옛 전우들은 사람을 어떻게 속여야 하는지 아주 잘 알아. 이 나치 녀
석들의 자식이 그들의 수발을 들 날이 올 때까지 우리가 그놈들을 쫓
고 있을 거라 해도 전혀 놀랍지 않아."

"그래도 체포가 늦어지면 늦어질수록 신원을 확인하기가 더 어렵
겠지."

"걱정 말게." 그가 분노를 드러내며 으르렁댔다. "적잖은 목격자들
이 기꺼이 나서서 이 똥 같은 자식들에 대해 증언할 테니까. 아니면
자넨 뮐러나 글로보크닉 같은 자들이 면죄를 받아야 한다고 생각하
나?"

"글로보크닉이 누구지? 그는 어떤 파티를 열었나?"

"오딜로 글로보크닉. 그자는 폴란드에 있는 죽음의 수용소 대부분
을 계획한 라인하르트 작전을 이끌었네. 1945년에 자살한 걸로 알려
졌지. 자네 생각은 어떤가? 뉘른베르크에서 지금 어떤 재판이 진행
중이네. 친위대 특수 작전 집단 중 하나의 지휘관인 오토 올렌도르

프의 재판이지. 그가 전쟁 범죄로 교수형에 처해져야 한다고 생각하나?"

"전쟁 범죄?" 내가 그 말을 힘없이 따라 했다. "이봐, 벨린스키, 난 국방군 전쟁 범죄 부서에서 삼 년간 일했네. 그러니까 염병할 전쟁 범죄에 관해서 나에게 강의할 생각은 집어치우라고."

"자네가 어떤 일을 했는지 알게 돼서 흥미롭군, 크라우트. 하여간 당신네 독일 놈들이 조사했다는 전쟁 범죄가 뭔가?"

"잔혹 행위. 적과 아군 양쪽의. 카틴 학살[55]에 대해 들어 봤나?"

"물론이지. 자네가 조사했나?"

"우리 부서가."

"어땠나?" 벨린스키는 정말 놀란 것처럼 보였다. 대부분의 사람이 같은 반응이었다.

"솔직히, 전쟁 범죄라는 명목으로 전쟁을 치르는 사람을 비난한다는 게 터무니없다고 생각되네. 여자와 아이를 죽인 자들은 당연히 처벌을 받아야지. 하지만 뮐러와 글로보크닉 같은 자들에게 살해된 사람들은 유대인과 폴란드인만이 아니었네. 그자들은 독일인들도 살해했지. 아마 만약 자네들이 우리에게 어느 정도 기회를 줬다면 우리 우리 스스로 그들을 법정에 세웠을 거야."

벨린스키는 베링거 가를 벗어나 남쪽 방면으로, 긴 종합병원 건물

---

55. 소비에트 연방 스몰렌스크 근처 그네즈도보 마을 부근 숲에서 소련 비밀경찰이 폴란드군 장교, 지식인, 예술가, 노동자, 성직자 등 이만오천여 명을 재판 없이 살해하고 암매장한 사건.

을 지나쳐 알저 가를 향했다. 그는 나와 같은 감회에 젖은 듯 아까보다는 안정적인 속도로 천천히 차를 몰았다. 내 말에 반박할 참이었던 것 같았는데, 나에게 모욕이 될 말을 하게 될 것 같아서인지 이제는 말이 없었다. 내 숙소 앞에 차를 세우며 그가 말했다. "트라우들에게 가족이 있나?"

"내가 알기론 없네. 베커뿐이었지." 그렇게 말했지만 확실치 않았다. 그녀와 포로쉰이 함께 찍힌 사진이 뇌리에서 떠나지 않았다.

"뭐, 그렇다면 됐군. 슬퍼할 사람이 베커뿐이라면, 그자가 슬퍼할 걱정 때문에 잠을 설칠 생각은 없으니까."

"자네가 잊었을까 봐 말해 두는데, 베커는 내 의뢰인이야. 난 그의 무죄를 증명하느라 자네를 돕고 있는 걸세."

"정말 무죄라고 확신하나?"

"그래."

"하지만 자네는 분명 베커가 크로캐스 리스트에 올라 있는 걸 알 텐데."

"자넨 정말 똑똑한 친구로구먼." 내가 심드렁하게 말했다. "이렇게 날 뛰게 해놓고 그런 말을 하다니. 운이 좋아서 내가 이 경기에 이긴다고 하더라도 상을 받는 것까지 허락받아야 하나?"

"자네 친구는 살인자 나치야, 베르니. 그자는 우크라이나에서 처형반을 지휘하면서 남자와 여자와 아이들을 학살했네. 난 그자가 린든을 죽였든 죽이지 않았든 목이 매달려야 마땅한 놈이라고 생각하네."

"자넨 정말 똑똑해, 벨린스키." 내가 씁쓸한 표정으로 그 말을 반복하고 차에서 몸을 내밀었다.

독일 장송곡
—
297

"하지만 나에겐 피라미에 지나지 않은 녀석이지. 내가 쫓는 놈들은 에밀 베커보다는 큰 고기니까. 자네가 도와줘야 해. 자넨 자네 나라가 입힌 손상의 일부나마 복구할 수 있네. 상징적 제스처랄까. 자네만 좋다면. 누가 알겠나. 독일인들이 이 같은 일을 충분히 해낼 수 있다면 아마 장부가 정리될 수도 있겠지."

"무슨 말이지?" 내가 차 밖에서 물었다. "무슨 장부?"

나는 차창으로 몸을 숙여 벨린스키가 입에서 파이프를 빼는 모습을 보았다.

"신의 장부." 그가 나지막이 말했다.

나는 웃음을 터뜨리고 믿을 수 없다는 듯이 머리를 흔들었다.

"왜 그러나? 신을 믿지 않나?"

"난 신과 흥정한다는 걸 믿지 않아. 마치 신이 중고차 매매라도 한다는 듯이 말을 하다니. 자넬 잘못 판단했나 보군. 자넨 내가 생각했던 것보다 더 미국인 같아."

"그게 자네의 잘못된 부분이야. 신은 흥정을 좋아해. 신이 아브라함과 맺은 계약, 노아와 맺은 계약을 보게. 신은 장사꾼이야. 독일인만이 흥정을 명령이라고 오해했지."

"요점을 말해 주겠나? 요점이 있긴 한 건가?" 그의 태도를 보니 그 요점을 충분히 암시하는 듯 보였다.

"솔직히 말해……,"

"오? 지금까진 솔직하지 않았단 말이군."

"자네한테 말한 건 모두 사실이었네."

"할 말이 더 남았다는 것뿐인가. 맞나?"

벨린스키가 고개를 끄덕이고 파이프에 불을 붙였다. 그의 입에서 파이프를 잡아채고 싶은 충동을 느꼈지만 대신 다시 차에 올라 문을 닫았다.

"자네가 선택한 진실의 취향으로 보건대, 자네는 광고 에이전시 일을 했어야겠군. 이야기를 들어 보지."

"내 말이 끝날 때까지 방해하지 않을 건가?"

나는 고개를 까딱했다.

"좋아. 먼저 우리―크로캐스―는 베커가 린든 살해범이 아니라고 믿네. 그를 죽인 총은 거의 삼 년 전에 다른 누군가를 죽인 데 사용됐지. 탄도학 전문가들은 린든을 죽인 총알과 다른 사람을 죽인 총알이 같은 종류라고 했고, 같은 총에서 발사된 거라고 했네. 처음 그 총이 누군가를 살해했을 당시 베커에게는 아주 훌륭한 알리바이가 있었지. 그는 러시아의 전쟁 포로였네. 물론 그가 그 이후 그 총을 습득했을 수도 있겠지. 하지만 흥미로운 부분은 아직 시작되지 않아. 그 부분 때문에 베커가 결백하다는 사실을 믿고 싶어졌지.

그 총은 일반적으로 친위대원에게 보급되는 발터 P38이었네. 우린 미 서류 센터에 있는 일련번호를 추적해서 그 총이 게슈타포 내 고급 장교들에게 지급된 것임을 알게 됐네. 이 특별한 무기는 하인리히 뮐러에게 지급된 거였어. 큰 기대는 안 했지만 우린 린든을 죽인 총알과, 뮐러라고 추정된 자의 시체를 발굴해서 그자에게서 나온 총알을 비교해 봤지. 어떻게 됐을 것 같나? 잭팟을 터뜨렸네. 린든을 죽인 자가 누구든 그자는 가짜 하인리히 뮐러를 땅에 묻은 자였네. 알겠나, 베르니? 우리가 거둔 최고의 수확은 게슈타포 뮐러가 여전히 살아 있다는 걸세. 그건 그자가 바로 이곳 빈에 있을지도 모른다는 뜻이고 그 조직에서 일하고 있을 수도 있다는 뜻이지. 게다가 자네는 지금 조직원일세. 그는 아직 이곳에 있을 거야.

그게 얼마나 중요한 사실인지 알겠나? 제발 생각 좀 해 보라고. 뮐러는 나치의 테러를 설계한 자야. 십 년간 그는 세계에서 가장 잔인한 비밀경찰을 통제한 자일세. 힘러와 맞먹는 힘을 가진 자였지. 그자가 고문한 사람이 얼마나 많았을지 상상이 가나? 그의 명령으로 얼마나 많은 사람이 죽었을지? 그가 살해한 유대인, 폴란드인, 심지어독일인이 얼마나 많았을지? 베르니, 이게 자네가 죽은 자들의 복수를도울 기회일세. 정의가 실현되는 걸 보는 거지."

나는 가소롭다는 듯이 웃었다. "한 남자가 저지르지도 않은 죄로목이 매달리는 게 자네가 말하는 정의인가? 내가 틀렸다면 말해 주게, 벨린스키. 베커가 교수대에 매달리는 게 자네들 계획의 일부인가?"

"당연히 난 그렇게 되길 바라지 않네. 하지만 그럴 필요가 있다면어쩔 수 없지. 헌병대가 베커의 신병을 확보하고 있는 한 뮐러는 안심하고 있을 거야. 그리고 만약 계획에 베커의 교수형까지 포함해야한다면, 어쩔 수 없다고 대답할 수밖에 없네. 에밀 베커에 대해 내가확신하는 게 있다면 그자 때문에 내가 잠 못 이룰 일은 없을 거라는거지." 그가 동의의 표시를 찾아 내 얼굴을 주의 깊게 살폈다. "이봐, 자넨 경찰이었어. 이런 일들이 어떻게 진행되는지 알잖나. 증거 불충분 때문에 누군가를 다른 죄로 연행한 적 없다는 말은 말게. 알겠지만 어차피 똑같은 거야."

"물론 그런 적이 있지. 하지만 한 사람의 목숨이 달린 일로 그런 적은 없네. 난 절대 사람의 목숨을 갖고 장난치지 않아."

"자네가 뮐러를 찾는 일을 도와준다면 우린 베커의 일은 잊어 주겠네." 파이프에서 피어오른 짧은 연기가 파이프 주인의 초조함을 암시하는 듯했다. "이봐, 내가 제의하는 건 자네가 피고석에 베커 대신 뮐러를 앉히라는 것일세."

"내가 뮐러를 찾아낸다 하더라도, 그다음은? 그자는 내가 걸어가서 자신에게 수갑을 채우게 두지 않을걸. 내 머리가 날아갈 일 없이 어떻게 그자를 데려오지?"

"그건 나한테 맡겨 둬. 자네가 할 일은 그자가 어디 있는지 정확히 알아내기만 하면 돼. 나에게 전화하면 내 크로캐스 팀이 알아서 처리할 테니까."

"내가 그자를 어떻게 알아보지?"

벨린스키가 뒷좌석으로 손을 뻗어 싸구려 가죽 서류 가방을 집어 들었다. 그리고 지퍼를 열고 봉투를 꺼내 그 안에서 여권용 사진 크기의 사진을 꺼냈다.

"이게 뮐러야. 상당히 강한 뮌헨 악센트가 남아 있기 때문에 외모를 완전히 바꿨다 하더라도 목소리로 문제없이 판단할 수 있을 걸세." 그는 가로등 불빛을 향해 치켜든 사진을 한동안 응시하는 나를 바라보았다.

"올해 마흔일곱. 키는 보통이고, 손은 농사꾼처럼 크네. 아마 지금도 결혼반지를 끼고 있을 걸세."

사진은 그자에 대해 많은 걸 말해 주지 않았다. 많은 걸 드러내는

독일 장송곡
—
301

얼굴이 아니었고, 그것이 주목할 만한 점이었다. 네모진 얼굴, 높은 이마, 긴장한 듯한 얇은 입술. 작은 사진임에도 정말 주목해야 할 것은 눈이었다. 밀러의 눈은 눈사람의 눈 같았다. 두 개의 차가운 석탄 같은 눈.

"여기 하나 더 있네." 벨린스키가 말했다. "존재한다고 알려진 그의 사진은 이 두 장뿐일세."

두 번째 것은 단체 사진이었다. 편안한 레스토랑에서 정찬이라도 들고 있는 듯 다섯 명의 남자가 떡갈나무 테이블 주위에 앉아 있었다. 세 명은 내가 아는 자들이었다. 테이블 상석에서 연필을 쥐고 앉은 하인리히 힘러가 자신의 오른쪽 자리에 앉은 아르투르 네베에게 미소를 짓고 있었다. 벨린스키의 말처럼 내 옛 전우인 아르투르 네베. 힘러의 왼쪽 자리에서 친위대 국가지도자의 말을 열심히 경청하고 있는 자는 제국 보안 본부 RSHA의 수장인 라인하르트 하이드리히로, 그는 1942년에 체코 테러리스트에게 암살당했다.

"이 사진은 언제 찍힌 거지?" 내가 물었다.

"1939년 11월." 벨린스키가 몸을 기울여 사진 속 나머지 두 사람 중 한 명을 파이프로 톡톡 두들겼다. "이게 밀러야. 하이드리히 옆에 앉은 자."

밀러가 손이 움직인 순간에 카메라 셔터가 눌린 모양이었다. 테이블 위의 명령서를 가린 순간인 듯 손의 형체가 흐릿하게 나왔지만 끼고 있는 결혼반지만은 명확히 보였다. 그는 힘러의 말에 전혀 귀 기울이고 있지 않는 것처럼 고개를 숙인 채였다. 하이드리히와 비교해 밀러의 머리는 작았다. 거의 머리 꼭대기까지 매우 짧게 깎인 머리는 정수리 부분에만 약간의 머리털을 남겨 두었다.

"뮐러 맞은편 사람은 누군가?"

"필기를 하고 있는 사람? 프란츠 요제프 후버. 그자는 이곳 빈 지부의 게슈타포 수장이었네. 필요하면 이 사진들을 가져가게. 복사본이니까."

"아직 돕겠다고 하지 않았는데."

"하지만 그럴 거잖아. 그리고 그래야 해."

"지금 당장은 꺼지라고 말하겠네, 벨린스키. 난 낡은 피아노 같아서 누군가가 두드리는 걸 그다지 좋아하지 않으니까. 피곤하기도 하고. 술도 아직 안 깼어. 아마 내일쯤이면 좀 더 명확하게 생각할 수 있겠지." 나는 차 문을 열고 다시 밖으로 나왔다.

벨린스키 말대로였다. 대형 검은색 메르세데스 차체는 움푹 들어간 데 투성이였다.

"아침에 전화하겠네." 그가 말했다.

"마음대로." 나는 그렇게 말하고 문을 쾅 닫았다.

벨린스키는 악마의 마부처럼 차를 몰고 사라졌다.

28

숙면을 취하지 못했다. 벨린스키의 말이 머릿속에서 떠나지 않아 몸을 뒤척이다 자리에 누운 지 겨우 몇 시간 뒤, 동이 트기 전 식은땀을 흘리며 잠에서 깬 다음 다시 잠을 이루지 못했다. 그가 신을 입에 올리지 않았더라면 좋았으리라.

나는 러시아에서 포로가 되기 전까지는 가톨릭 신자가 아니었다. 수용소 생활이 너무 힘들어서 죽을지도 모르겠다는 생각이 들었고, 마음 한구석에 평화가 깃들길 원했으므로 동료 포로들 중 유일한 성직자, 폴란드 신부를 찾아냈다. 나는 루터 교도로 자랐지만 그 끔찍한 곳에서 종파 따윈 하잘것없는 문제로 보였다.

죽게 되리라는 예상을 하며 가톨릭 신자가 되었지만 삶에 대한 집착은 더 강해졌고, 이후 탈출하여 베를린으로 돌아온 뒤에도 삶으로 인도한 믿음의 응답에 감사드리며 나는 계속 미사에 참석했다.

내가 새로 귀의한 종교는 나치와 좋은 관계를 맺은 적이 없었고, 현재도 전쟁과 관련된 죄의 비난에서 떨어져 있었다. 가톨릭교회에 죄가 없는 이상 그 신도들도 마찬가지라는 논리였다. 그것은 독일 전체의 죄가 아니라는 신학적 근거처럼 보였다. 신부가 말한 죄는 인간과 신의 관계에 따른 어떤 사적 개념으로, 한 나라가 다른 나라에 죄를 전가하는 것은 신의 특권을 침해하는 신성모독이었다. 이제 남은 자들이 해야 할 일은 죽은 이들을 위해, 잘못을 저지른 이들을 위해, 되도록 빨리 잊혀야 할 끔찍하고 당혹스러운 시대를 위해 기도하는 것이었다.

도덕에 반하는 먼지를 카펫 밑으로 슬쩍 쓸어 넣는 방식이 쉽지 않은 자들도 많았다. 집단 죄의식을 느끼지 못하는 나라가 있는 것은 분명했고, 따라서 개개인이 그 죄의식을 짊어져야 했다. 나는 이제야 내 죄의 본질을 깨달았고, 그것은 다른 많은 사람들의 죄의 본질과 그다지 다르지 않을 터였다. 나는 침묵했고, 나치에 대항하는 손을 치켜들지 않았다.

하인리히 뮐러에 대한 내 개인적 불만 또한 깨달았다. 게슈타포의 수장이었던 그는 어느 누구보다 더 확실히 경찰을 타락시킨 자였다. 내가 자부심을 갖고 몸담았던 경찰을. 그 타락에서 공포가 흘러넘치기 시작했다.

어쨌든 무언가를 하기에 너무 늦지는 않은 것 같았다. 내 타락뿐 아니라 베커의 타락의 상징이기도 한 뮐러를 색출하여 법정에 세우는 것이 그간 일어났던 일에 대한 내 죄책감을 덜어 내는 데 도움이 될 것이었다.

내 결정을 짐작이라도 했다는 듯 이른 아침에 전화를 걸어온 벨린스키에게 게슈타포 뮐러의 색출을 돕겠다고 말했다. 크로캐스를 위해서도 아니고 미군을 위해서도 아닌, 독일을 위해서. 하지만 무엇보다 나 자신을 위해서.

29

그날 아침 제일 먼저 쾨니히와 통화하여 벨린스키가 말한 가짜 비밀 자료를 전할 약속을 잡은 다음 베커와의 면회 약속을 잡기 위해 유덴 가에 있는 리블의 사무실을 찾아갔다.

"베커에게 사진 한 장을 보여 주고 싶습니다." 내가 말했다.

"사진?" 리블이 희망에 찬 목소리로 물었다. "증거 자료가 될 수도 있는 사진입니까?"

나는 어깨를 으쓱했다. "베커에게 달렸죠."

리블은 재빨리 전화 두 통을 걸어 약혼녀의 죽음, 새 증거 확보의 가능성, 촉박한 제판 날짜를 이용하여 즉시 면회할 수 있는 허락을 받아 냈다. 날씨가 좋아서 우리는 그곳까지 걸어갔다. 우산을 들고 걷는 리블은 황제 경호 군대의 군기 호위 하사관 같았다.

"베커에게 트라우들 소식을 전했습니까?" 내가 물었다.

"어젯밤에요."

"어떻게 받아들이던가요?"

늙은 변호사의 잿빛 머리가 자신 없게 까딱했다. "놀랍게도 말입니다, 귄터 씨. 난 우리의 의뢰인이 그 소식에 당신처럼 망연자실할 거라고 생각했습니다." 머리가 다시 까딱했다. 이번에는 좀 더 놀라움을 드러내며. "하지만 그러지 않더군요. 아니, 자신의 불행한 상황이 그의 머릿속을 독차지한 것 같았습니다. 거기다 당신의 조사 진척 상황이라든가 지지부진한 조사 상황 같은 것들도 말이죠. 베커 씨는 탐정으로서 당신의 능력을 엄청 신뢰하고 있는 것 같더군요. 솔직하게 말하면 말이오, 선생. 나는 그 능력이 거의 보이지 않는군요."

"자신의 의견을 말할 권리가 있는 법이죠, 리블 박사. 당신은 내가 만난 대부분의 변호사들과 같은 것 같군요. 여동생에게서 결혼 초대장이 와도 두 증인의 입회하에 봉인되고 서명이 된 초대장이어야 행복해할 것 같습니다. 아마 우리 의뢰인이 조금 더 협조적이라면……,"

"그가 뭔가를 감추고 있다고 생각하십니까? 그래요, 어제 당신이 전화로 그 비슷한 말을 했던 게 기억나는군요. 당신의 말을 정확히 알 수 없어서 베커 씨의……," 그는 다음 말이 타당한 말인지 아닌지 잠시 고민하다가 결정을 내린 듯 말을 이었다. "……비탄을 틈타 그런 말을 할 마음은 들지 않았는데 말입니다."

"아주 세심하시군요. 하지만 사진이 베커의 기억을 일깨울 겁니다."

"그러길 바라겠습니다. 그리고 사랑하는 여자의 죽음이 이제 가슴에 스며들었다면 보다 편하게 슬픔을 표출할 겁니다."

그는 빈 사람답게 매우 감상적으로 보였다.

하지만 우리가 베커를 만났을 때 베커는 비탄에 빠진 사람처럼 보이지 않았다. 간수에게 담배 한 갑을 건네며 우리 셋만 면회실에 남겨 두고 자리를 비켜 달라고 설득한 후 나는 베커가 왜 그런 태도를 보이는지 탐색했다.

"트라우들 일은 안됐네." 내가 말했다. "정말 사랑스러운 여자였는데."

그는 리블에게 지루한 재판 수속 절차에 관한 설명을 듣는 것처럼 무표정하게 고개를 끄덕였다.

"자넨 그 일로 마음이 상한 것 같진 않군." 내가 말했다.

"내가 아는 최선의 방법으로 대처하고 있습니다." 그가 조용히 말했다. "내가 여기서 할 수 있는 게 많지 않군요. 장례식에 참석하게 해줄 것 같지도 않고. 내 기분이 어떨 거라고 생각합니까?"

나는 리블에게 몸을 돌려 잠시 둘만 있게 해 달라고 말했다. "사적으로 베커에게 하고 싶은 말이 있습니다."

리블이 베커를 힐끗 보자 베커가 그에게 고개를 까딱했다. 우리 둘누구도 변호사 등 뒤로 문이 닫힐 때까지 아무런 말도 하지 않았다.

"말해요, 베르니." 베커가 반쯤은 하품을 하며 말했다. "무슨 생각입니까?"

"자네 여자를 죽인 건 조직에 있는 자네 친구들이야." 그의 여윈 얼굴을 주의 깊게 바라보며 감정의 동요가 있는지 살폈다. 내 말이 사실인지 아닌지 확신할 순 없었지만 내 말로 베커의 표정에서 무언가 드러나길 갈망했다. 하지만 아무것도 드러나지 않았다. "그들이 정말 나더러 그녀를 죽이라더군."

"그러니까," 그가 눈을 가늘게 뜨며 말했다. "당신이 조직원이라는 말이군요." 그의 목소리가 조심스러워졌다. "언제 그렇게 된 겁니까?"

"자네 친구 쾨니히가 날 뽑았지."

그는 약간 안심하는 것 같았다. "뭐, 시간문제일 뿐이라고 생각했습니다. 솔직히 말해 당신이 처음 빈에 왔을 땐 조직원인지 아닌지 확신할 수 없었죠. 배경을 생각하면 당신은 금세 조직원이 될 수 있는 부류죠. 조직에 든 지 얼마 안 됐다면 바빴겠어요. 대단하군요. 쾨니히가 왜 당신더러 트라우들을 죽이라고 했습니까?"

"그녀가 MVD 스파이였다는군. 포로쉰 대령과 이야기를 나누고 있는 트라우들의 사진을 보여 줬네."

베커가 씁쓸한 미소를 지었다. "그녀는 스파이가 아니었습니다." 그가 머리를 저으며 말했다. "내 애인도 아니었고. 그녀는 포로쉰의 여자였습니다. 내가 감방에 있는 동안 포로쉰과 연락을 취할 수 있도록 처음부터 그녀는 내 약혼녀인 척했습니다. 리블은 그에 대해 아무 것도 모릅니다. 포로쉰 말로 당신은 빈에 오는 걸 내켜하지 않았다더군요. 나에 대해 좋게 평가하는 것 같지 않더라는 말도. 당신이 이곳에 오래 머무를지도 미심쩍어하더군요. 그래서 그는 트라우들을 이용해 감방 밖에서 날 사랑하고 필요로 하는 누군가가 있다고 당신을 설득하면 좋을 거라고 생각했습니다. 그는 상황 판단이 빠른 사람이죠, 베르니. 자, 인정해요. 당신이 이 사건에 매달린 이유의 반이 그녀 때문이라고. 나야 어떻든 임신한 여자라면 도움을 받아야 한다고 생각했을 테니까."

이제 반응을 관찰하면서 나를 주시하고 있는 사람은 베커였다. 이상하게도 전혀 화가 나지 않았다. 어느 순간 내가 진실의 반밖에 모르고 있었다는 것을 알게 되는 데 익숙해져 있었다.

"그러니까 그녀가 간호사가 아니었단 말이군."

"오, 간호사였습니다. 날 위해 암시장에 갖다 팔 페니실린을 훔치곤 했죠. 포로쉰에게 그녀를 소개한 사람이 나였습니다." 그가 어깨를 으쓱했다. "한동안은 두 사람이 어떤 사이인지 몰랐죠. 하지만 알고 나서도 놀라지 않았습니다. 이 도시 대부분의 여자들처럼 트라우들도 쾌락을 좋아했으니까. 그녀와 나는 잠깐이지만 연인 사이이기도 했는데, 빈에서는 그런 만남이 오래 지속되지 않죠."

"자네 아내 말로는 자네가 매독에 걸린 포로쉰을 위해 페니실린을 구해 줬다는데, 사실인가?"

"그래요. 페니실린을 구해다 줬지만 그를 위해서는 아니었어요. 그의 아들을 위해서였습니다. 뇌척수열이었죠. 유행성이었습니다. 항생제가 부족했었죠. 특히 소련에서는. 소련에서는 노동력만 빼고 모든 게 다 부족했습니다.

그 이후 포로쉰은 나에게 한두 가지 부탁을 했습니다. 그런 이후 신분증을 준비해 준다든가 담배 밀반입 등을 눈감아 줬습니다. 우린 아주 친해셨습니다. 그리고 조직의 사람들이 나를 끌어들이려고 설득했을 때 그에 관해 대령에게 모든 걸 말했습니다. 못할 이유가 뭐겠습니까? 난 쾨니히와 그의 친구들이 미친놈 무리라고 생각했죠. 그들에게 돈을 받아서 좋았지만 베를린으로 이런저런 것들을 배달하는 일 이상으로 조직과 엮이는 건 그다지 내키지 않았습니다. 하지만 포로쉰은 내가 조직원들과 가까이 지내길 원했고, 내게 많은 돈을 건넸습니다. 그때 마지못해 동의했죠. 하지만 그들은 터무니없이 의심이 많더군요, 베르니. 내가 조직의 일에 흥미를 보이자 그들은 내가 친위대 시절의 임무라든가 소련 포로수용소에서의 일에 대해 심문받았을 거라고 주장하더군요. 내가 포로수용소에서 석방된 게 신경 쓰였나 봅니다. 그때는 그에 대해 일언반구도 하지 않았지만 이후 일어난 일들로 보아 그들은 나를 믿지 않기로 결정한 것 같았습니다. 그런 다음에 정리한 겁니다." 베커가 담배에 불을 붙이고 딱딱한 의자 등받이에 몸을 기댔다.

"왜 이 말을 헌병대에 하지 않았지?"

그가 웃음을 터뜨렸다. "내가 안 했다고 생각합니까? 조직에 대해 말했더니 저 멍청한 개자식들은 내가 지하 늑대 인간 조직에 대해 말한다고 생각합디다. 알겠지만 나치 테러리스트 집단 같은 똥 같은 얘기 말입니다."

"그래서 실즈가 그런 말을 했군."

"실즈?" 베커가 콧방귀를 뀌었다. "그 빌어먹을 머저리."

"좋아. 왜 나한테는 조직에 대해서 말하지 않았지?"

"말했듯이, 베르니, 당신이 베를린에서 이미 그들에게 포섭이 됐는지 확신할 수 없었으니까. 크리포와 아프베어 출신인 당신은 그들이 찾는 적임자니까. 당신이 조직원이 아니더라도 내가 그 이야길 하면 당신은 조직에 관해 물으며 빈 시내를 돌아다닐 테고, 그랬다면 결국 죽었겠죠. 내 두 사업 파트너처럼. 그리고 만약 당신이 조직원이라면 베를린에서만 활동할 거라고 생각했습니다. 이곳 빈에서는 탐정일 뿐이라고. 내가 당신을 잘 알고 믿는다 하더라도. 알겠습니까?"

나는 긍정의 신음 소리를 내고 담배를 찾았다.

"그래도 나한테 말했어야 해."

"어쩌면요." 그는 담배를 뻑뻑 빨았다. "이봐요, 베르니, 내 원래 제안은 유효합니다. 날 이 구덩이에서 끄집어내 주면 삼만 달러를 주겠다는 제안. 만약 비장의 무기라도 숨겨 두었다면……,"

"이걸 보게." 나는 그의 말을 자르고 여권용 사진 크기의 뮐러 사진을 꺼냈다. "이자를 아나?"

"모르겠는데요. 하지만 전에 이 사진을 본 적이 있습니다, 베르니. 적어도 그런 것 같은데. 당신이 빈에 오기 전에 트라우들이 보여 주더군요."

"그래? 그녀가 그걸 어디서 구했는지 말하던가?"

"포로쉰에게서 얻었겠죠." 그가 좀 더 주의를 기울여 사진을 살펴보았다. "깃에 다는 떡갈나무 계급장, 어깨 위의 은 수술. 보아하니 친위대 여단지도자 같군요. 어쨌든 누굽니까?"

"하인리히 뮐러."

"게슈타포 뮐러?"

"공식적으로는 사망한 걸로 되어 있으니까 당분간은 아무에게도 말하지 않았으면 하네. 난 린든 건에 관심이 많은 전범 조사 위원회 미국 공작원과 협력 관계에 있지. 린든도 같은 부서에서 일했었네. 보아하니 린든을 죽이는 데 사용된 총은 뮐러의 것이었고, 뮐러로 가장된 사람을 죽이는 데도 쓰인 것 같더군. 따라서 뮐러는 여전히 살아 있다는 뜻이야. 당연히 전범 조사 위원회 친구들은 무슨 수를 써서라도 뮐러를 잡으려고 안달하고 있네. 그렇다는 건, 유감이지만 적어도 당분간 자네는 이곳에서 꼼짝없이 처박혀 있어야 한다는 뜻이지."

"여기에 꼼짝없이 처박히는 거야 꺼릴 게 없죠. 그들이 염두에 두고 있는 특별한 계획이 내가 이곳에 처박히는 것에 달려 있다는 말이군요. 그게 정확히 뭘 의미하는지 말해 주시겠습니까?"

"뮐러를 겁줘서 빈에서 도망치게 할 생각이 없다는 뜻이지."

"뮐러가 이곳에 있다는 거군요."

"맞아. 이 일은 정보 공작이기 때문에 전범 조사 위원회는 헌병대를 끼워 주려 하지 않아. 만약 지금 재판이 철회되면 조직은 경계를 할 테니까."

"빌어먹을, 그래서 나는 대체 어떻게 된다는 겁니까?"

"나와 협력중인 미국 공작원이 자네 대신 뮐러를 잡아넣을 수 있다면 자네를 풀어 주겠다고 약속했네. 우린 그자를 공개재판에 세울 거야."

"잡기 전까지 내 재판은 계속 진행될 테죠. 아마 교수형까지?"

"그런 것 같아."

"재판이 진행되는 동안 당신은 나에게 입 닥치고 있어 달라고 할 거고."

"자네가 무슨 말을 할 수 있지? 린든이 삼 년 전에 죽은 자에게 살해당했을 가능성이 있다고?"

"그것참……," 베커가 면회실 구석으로 담배를 튀겼다. "……빌어먹게도 태연한 말이로군요."

"비레타[56]를 벗고 싶나? 잘 들어, 그들은 자네가 민스크에서 한 일

---

56. 가톨릭 신부가 쓰는 사각모로 여기서는 죄수모를 빗댄 말.

을 알고 있어. 자네 목숨으로 게임을 하는 건 그들에겐 장난이나 다름없어. 솔직히 말해서 그들은 자네 목이 매달리건 말건 관심도 없네. 이게 자네의 유일한 기회야."

베커가 뚱한 얼굴로 끄덕였다. "알겠습니다."

나는 나가려고 자리에서 일어났다가 문득 문으로 향하는 발걸음을 멈췄다.

"호기심에서 묻는 건데 자넨 어떻게 소련 포로수용소에서 석방됐지?"

"당신도 포로였고 그게 어떤 건지 알 테죠. 친위대원이었다는 게 드러날까 봐 항상 겁이 났죠."

"그래서 묻는 거야."

그는 잠시 주저하다 이윽고 입을 열었다. "석방 예정인 남자가 있었습니다. 아주 아파서 머지않아 죽을 사람이었죠. 그런 사람이 본국으로 간들 뭐하겠습니까?" 그가 어깨를 으쓱하고 나를 똑바로 쳐다보았다. "그래서 내가 목 졸라 죽였죠. 난 병이 나려고 좀약을 먹고—젠장 거의 죽을 뻔했다니까요— 그자 대신 석방됐죠." 그가 나를 빤히 쳐다보았다. "난 필사적이었으니까요, 베르니. 그곳이 어땠는지 잘 알 테죠."

"그래, 잘 알지." 나는 혐오감을 감추는 데 실패했다. "그 얘길 오늘 이전에 했더라면 난 네놈의 목이 매달리게 놔뒀을 거야." 나는 문손잡이로 손을 뻗었다.

"아직 시간이 있는데요. 왜 안 그러는 겁니까?"

그에게 진실을 말했더라도 베커는 내 말을 이해하지 못했을 터였다. 그는 형이상학을 암시장에 내다 팔 싸구려 페니실린을 제조하는 데 써먹는 것 정도로 생각할 것이다. 그래서 대신 나는 머리를 젓고 말했다. "누군가와 흥정했기 때문이라고만 말해 두지."

30

프랑스 점령 지역 내 링에서 가까운 굼펜도르퍼 가 슈페를 카페에서 쾨니히를 만났다. 크고 어둑어둑한 곳으로, 벽에는 아르누보 양식의 거울이 많이 걸려 있었지만 실내를 밝게 하는 데는 도움이 되지 못했고, 보통 크기의 반 정도밖에 되지 않는 당구대가 몇 개 있었다. 각 당구대 위에서 불을 밝히고 있는 것은 누런 천장에 고정된 전구로, 놋쇠 모양의 갓은 낡은 U보트에서 떼어 온 것처럼 보였다.

쾨니히의 테리어가 음반 회사 상표에 그려진 개처럼 좀 떨어져 앉아 혼자서 조용히 당구를 치고 있는 주인을 지켜보고 있었다. 나는 커피를 한 잔 시키고 당구대로 다가갔다.

그는 어떻게 칠 것인지 신중하게 검토한 다음 큐 끝에 초크를 칠하고 말없이 나에게 고개를 까딱했다.

"우리의 모차르트는 이 게임을 특히 좋아했지." 그가 당구대 높이에 눈을 맞추며 말했다. "분명 그는 이 게임이 자신의 지성의 역동성과 궤를 같이 한다고 느꼈을 거요." 그는 정조준을 하는 저격수처럼 큐볼에 눈을 고정하고 오래 주시한 뒤 흰 공을 세게 처 빨간 공을 맞힌 다음 또 다른 빨간 공을 맞혔다. 당구대를 따라 굴러간 두 번째 빨간 공이 포켓 앞에 불안정하게 멈추는 듯하다가 그의 입에서 만족의 중얼거림을 이끌어 낸 후에—중력과 운동의 법칙을 이만큼 우아하게 보여 주는 것은 존재하지 않으리라— 조용히 포켓으로 미끄러져 눈앞에서 사라졌다.

"한편으로 나는 오감을 만족시킨다는 이유로 이 게임을 즐깁니다. 공끼리 부딪히는 소리도 좋을뿐더러 아주 부드럽게 굴러가는 모습이 보기 좋죠." 그는 포켓에서 빨간 공을 꺼내 다시 한 번 만족을 느끼기 위해 당구대 위에 올려놓았다. "하지만 무엇보다도 당구대가 녹색인 게 마음에 듭니다. 켈트족들은 녹색을 불길하게 여긴다는 걸 아십니까? 모른다고요? 그들은 녹색이 검은색에서 나왔다고 믿고 있죠. 아마 잉글랜드인들이 녹색 옷을 입은 아일랜드인들을 목매달곤 했기 때문일 겁니다. 스코틀랜드인들이었든가?" 잠시 쾨니히는 거의 정신 나간 사람처럼 당구대 표면을 응시했다. 혀로 핥기라도 할 것처럼.

"저걸 보시오." 그가 나직하게 말했다. "녹색은 야망의 상징입니다. 그리고 젊음의 상징. 생명의 색이자 영원한 안식의 색이죠. 레퀴엠 에테르남 도나 에이스.[57]" 그는 마지못해 큐를 당구대 위에 내려놓고 주머니들 가운데 하나에서 마술처럼 커다란 시가를 꺼내더니 당구대를 등졌다. 테리어가 기대에 차서 몸을 일으켰다. "전화로 말한 것처럼 나에게 뭔가 줄 게 있다고요. 뭔가 중요한 걸."

나는 그에게 벨린스키가 준 봉투를 건넸다. "미안하지만 녹색 잉크로 쓰여 있진 않습니다." 그가 서류를 꺼내는 모습을 보며 내가 말했

---

57. Requiem aeternam dona eis. 그들에게 영원한 안식을 주소서.

다. "키릴 문자를 읽을 줄 압니까?"

쾨니히가 머리를 저었다. "차라리 게일어가 낫겠군요." 하지만 그는 당구대 위에 서류를 펼치고 담배에 불을 붙였다. 개가 짖자 조용히 하라고 명령했다. "내가 정확히 뭘 보고 있는지 설명해 줄 정도의 친절은 보여 주시겠지?"

"헝가리와 남부 오스트리아의 MVD 인원 배치와 조직 상세입니다." 나는 차분하게 미소를 지으며 웨이터가 내 커피를 놓고 간 가까운 테이블에 앉았다.

쾨니히가 천천히 머리를 끄덕이며 이해하지 못한 눈으로 다시 한번 서류를 응시하고는 그것을 봉투에 넣어 재킷 주머니에 갈무리했다.

"아주 흥미롭군요." 그가 그렇게 말하며 내가 앉은 테이블에 앉았다.

"일단은 이게 진짜라고 가정해 봅……,"

"아, 그 서류는 진짜가 맞습니다." 내가 재빨리 덧붙였다.

이런 정보는 적설한 입증의 긴 과정을 거쳐야 한다는 사실을 내가 모를 거라는 듯이 그는 참을성 있게 미소를 지었다. "진짜라고 가정하면," 그가 꿋꿋하게 그 말을 반복했다. "정확히 어떻게 입수했습니까?"

당구대로 두 남자가 다가오더니 게임을 시작했다. 쾨니히가 의자를 뒤로 밀치고 나에게 따라오라는 표시로 머리를 홱 기울였다. "괜찮아요." 당구를 치던 사람 중 한 명이 말했다. "치는 데 지장 없으니까." 하지만 우리는 각자의 의자를 들고 옮겼다. 테이블에서 적당히 떨어진 자리에 앉고 나서 나는 벨린스키와 미리 맞춰 둔 이야기를 그에게 들려주기 시작했다. 이제 쾨니히는 확고하게 머리를 저으며 개를 들어 올렸고, 개는 장난스럽게 주인의 귀를 핥았다.

"지금은 적절한 때도 적절한 장소도 아닌 것 같지만," 그가 말했다. "당신의 빠른 일처리에는 감명을 받았습니다." 쾨니히가 눈썹을 치켜세우고 집중이 안 된다는 듯이 당구대의 두 사내를 쳐다보았다. "오늘 아침 의료 기관에서 일하는 내 친구를 위해 당신이 석유 배급표를 입수하는 데 성공했다고 들었습니다. 종합병원에 있는 친구 말입니다." 나는 그가 트라우틀 살해에 관해 말하고 있다는 것을 알았다. "그것도 우리가 이야기를 나누고 나서 바로 말이죠. 정말 수단이 좋으시군요." 그가 무릎 위에 올려놓은 개에게 연기를 내뿜자 개가 콩콩거리다가 재채기를 했다. "요즘 빈에서는 뭐든 믿을 만한 공급원을 구하기가 힘들죠."

나는 어깨를 으쓱했다. "제대로 된 사람을 알아보기만 하면 되죠. 그거면 됩니다."

"일을 확실히 해 줬군요, 친구." 그는 벨린스키의 서류를 넣은 녹색 트위드 정장의 가슴께 주머니를 톡톡 쳤다. "이런 특별한 상황하에 당신을 회사의 어떤 분에게 소개해야 할 의무를 느낍니다. 그분이 당신이 가져온 자료의 중요성을 나보다는 더 잘 판단할 수 있을 겁니다. 마침 그분은 당신을 만나고 싶어 했던 데다 당신처럼 재주가 뛰어나고 지략이 풍부한 사람을 최대한 활용하기로 결정한 참이죠. 몇 주 더 있다가 당신을 소개하려고 했는데 이 새로운 정보가 상황을 바꿨습니다. 하지만 먼저 전화를 한 통 걸어야겠습니다. 몇 분 내로 오죠." 그는 카페를 둘러보고 비어 있는 당구대 중 하나를 가리켰다. "내가 전화를 걸고 올 동안 공이라도 치고 있겠습니까?"

"그다지 잘 치지 못해서요." 내가 말했다. "운에 의지하는 게임은 믿지 않습니다. 그게 진다고 하더라도 자책하지 않는 내 방식이죠. 과도하게 자책하는 타입이라."

쾨니히의 눈이 반짝거렸다. "내 친애하는 친구여," 그가 테이블에서 일어나며 말했다. "당신은 거의 독일인 같지 않구려."

나는 전화를 걸기 위해 카페 안쪽으로 걸어가는 쾨니히와 종종걸음으로 충직하게 그의 뒤를 쫓는 테리어의 모습을 지켜보았다. 그가 누구한테 전화를 거는지 궁금했다. 내 정보의 가치를 더 잘 판단할 수 있는 사람이라면 뮐러일 수도 있었다. 많은 걸 바라기에는 너무 이른 시기 같았지만.

몇 분 뒤에 돌아온 쾨니히는 흥분된 모습이었다. "예상대로," 그가 열정적으로 고개를 끄덕이며 말했다. "그분은 이 자료와 당신을 즉시 보고 싶어 하시더군요. 밖에 차가 있습니다. 가실까요?"

쾨니히의 차는 벨린스키의 차와 똑같은 검은색 메르세데스였다. 그리고 벨린스키처럼 아침에 비가 많이 내린 길에서 지나치게 빨리 차를 몰았다. 내가 아예 못 도착하는 것보다 늦게라도 도착하는 게 낫겠다고 말했지만 그는 들은 척도 하지 않았다. 쾨니히의 개 때문에 그렇지 않아도 불편한 마음이 더 불편했는데, 그 야수는 우리가 가는 방향을 지시라도 하듯 주인의 무릎 위에 앉아 길을 향해 내내 미친 듯이 짖어 댔다. 이 길이 지페링 스튜디오로 향하는 길이라는 걸 안 순간 길은 두 갈래로 나뉘었고, 우리는 그린칭거 길로 방향을 바꾸어 북쪽으로 향했다.

"그린칭을 압니까?" 개가 끊임없이 짖어 대는 통에 쾨니히가 고함을 질렀다. 나는 모른다고 했다. "그렇다면 당신은 진정한 빈을 모르는 겁니다." 그가 자신의 견해를 펼쳤다. "그린칭은 와인 생산으로 유명하죠. 여름이 되면 사람들이 저녁 때 이곳으로 나와 새로운 빈티지를 파는 술집들로 모여듭니다. 지나치게 마신 사람들은 슈라멜 사중주를 들으며 옛 노래들을 부르곤 하죠."

"아주 정겹게 들리는군요." 나는 건성으로 대답했다.

"네, 그래요. 여기에 내 포도밭이 두 군데 있습니다. 작지만 말입니다. 하지만 이제 시작이니까. 남자라면 땅이 좀 있어야 한다고 생각지 않습니까? 여름이 되면 이곳에 와서 새 와인을 마십시다. 빈의 생명의 피를."

그린칭은 매력적인 작은 마을로, 전혀 빈의 교외처럼 보이지 않았다. 수도와 근접해 있었기 때문에 아늑한 시골 마을의 매력은 지페링 스튜디오에 지어진 영화 세트들 중 하나처럼 다소 가짜같이 보였다. 호이리게의 옛 여관들과 작은 시골집 정원들 사이에 난 좁고 구불구불한 길을 따라 언덕으로 올라가면서 쾨니히가 이곳의 봄이 얼마나 예쁜지 말했다. 하지만 수없이 많은 동화책에서 나오는 뻔한 풍경은 도시에서 자란 나에게 별 감흥을 주지 못했고, 뚱한 신음과 관광객들에 대한 불평의 소리를 내지 않도록 자제했다. 줄곧 돌무더기 잔해만 보아 온 나에게 숲과 포도밭 일색인 그린칭은 지나치게 녹색 일변도였다. 하지만 나는 이 역겨운 색에 대한 쾨니히의 지긋지긋한 장광설을 듣고 싶지 않아서 내가 받은 인상에 대해 말하지 않았다. 그는 하루 종일 미장원에서 시간을 보낸 것처럼 보이는 정원과 노란색 페인트칠이 된 집을 둘러싼 높은 노란 벽돌담 앞에 차를 세웠다. 집은 높은 지붕창이 있는 삼 층 건물이었다. 집의 밝은 칠과는 별개로 집의 외관은 공공 기관 같은 딱딱한 분위기를 풍겼다. 다소 부유한 시청 건물처럼 보였다.

나는 쾨니히를 쫓아 여러 개의 문을 지난 다음 양끝을 깔끔하게 단장한 소로를 따라 중세 시대 도끼가 걸려 있다면 어울릴 법한, 묵직하고 화려한 금속 장식이 달린 문에 이르렀다. 우리는 곧장 집 안으로 들어가 도서관 사서에게 심장마비를 일으킬 것처럼 삐걱대는 나무 마루에 섰다.

나를 작은 거실로 안내한 쾨니히는 이곳에서 기다리라고 말한 뒤 문을 닫고 나갔다. 주위를 자세히 둘러보았지만 가구에서 느껴지는 주인의 목가적인 취향 이상의 것은 그리 눈에 띄지 않았다. 투박한 테이블이 프랑스식 창 앞에 놓여 있었고, 수직갱도만큼이나 큼직한 벽난로 앞에는 농장에서 흔히 볼 수 있는 수레바퀴가 달린 의자 두 개가 놓여 있었다. 나는 약간 더 편안해 보이는 오토만[58]에 앉아서 구두끈을 다시 묶었다. 그런 다음 올이 드러난 러그로 구두코를 닦아 광을 냈다. 쾨니히가 나를 데리러 오기까지 나는 무관심 속에 삼십 분 동안 방치돼 있어야 했다. 나무 패널을 댄 재킷을 입은 사람처럼 뻣뻣한 태도로 그는 나를 데리고 미로 같은 방과 복도를 지나 집 안쪽의

---

58. 위에 부드러운 천을 댄 기다란 상자 같은 가구로 상자 안에는 물건을 저장하고 윗부분은 의자로 사용한다.

계단을 올랐다. "옷만 갈아입으면 당신은 완벽한 집사 같겠군요." 더 중요한 인물을 만나러 가는 참이었기 때문에 내가 방금 한 말이 그에게 모욕이 됐든 말든 별로 개의치 않았다.

쾨니히는 돌아보지 않았지만 나는 그가 틀니를 드러내고 건조한 웃음을 터뜨렸음을 알 수 있었다. "그렇게 생각하신다니 기쁘군요. 난 유머를 좋아하지만 장군 앞에서는 그 유머 감각을 발휘하지 말라고 충고하고 싶습니다. 솔직히 말해 아주 까다로운 분이니까." 그가 문을 열었고, 우리는 밝고 통기성이 좋은 방 안으로 들어갔다. 빈 책장이 벽을 거의 가득 채우고 있었고, 난로에는 불이 타오르고 있었다. 큼직한 테이블 너머 머리를 짧게 깎은 회색 정장의 사내가 넓은 창을 향해 서 있다는 것을 늦게야 알아차렸다. 몸을 돌린 남자가 미소를 지었다. 오해의 여지가 없이 내가 예전부터 아는 매부리코가 보였다.

"안녕하신가, 귄터." 사내가 말했다.

미소 짓는 얼굴을 보며 할 말을 잊은 채 눈만 껌뻑거리고 있는 나를 쾨니히가 혼란스럽다는 듯이 바라보았다.

"유령을 믿습니까, 쾨니히?" 내가 말했다.

"아니, 당신은?"

"이제 믿습니다. 내가 잘못 안 게 아니라면 저 창가의 신사는 총통 살해 음모에 가담했다는 죄로 1945년에 목이 매달렸으니까."

"이제 그만 나가도 좋네, 헬무트." 창가의 남자가 말했다. 쾨니히는 고개를 까딱하고 발걸음을 돌려 방에서 나갔다.

아르투르 네베가 테이블 앞에 놓인 의자를 가리켰다. 테이블 위에는 펼쳐진 벨린스키의 서류가 안경과 만년필 옆에 놓여 있었다. "앉게." 그가 말했다. "술 한잔하겠나?" 그가 웃음을 터뜨렸다. "얼굴을 보니 한잔해야 할 것 같군."

"죽었다가 살아 돌아온 사람을 보는 게 매일 있는 일은 아니니까요." 내가 가라앉은 목소리로 말했다. "한 잔 가득 마시는 게 좋을 것 같군요."

네베가 조각 장식이 된 술 캐비닛을 열자 갖가지 병들로 꽉 찬 대리석 선반이 드러났다. 그가 보드카병과 작은 글라스 두 개를 꺼내 글라스에 술을 가득 채웠다.

"옛 전우들을 위하여." 그가 그렇게 말하며 글라스를 들어 보였다. 나는 어색한 미소를 지었다. "쭉 들이켜게. 그런다고 해서 내가 다시 사라지진 않을 테니까."

보드카를 한입에 털어 넣은 나는 술이 위장을 태우는 순간 심호흡을 했다. "죽음이 몸에 맞나 보군요, 아르투르. 좋아 보입니다."

"고맙네. 이보다 더 좋을 수가 없군."

니는 담배에 불을 붙인 다음 한동안 피우지 않고 물고만 있었다.

"민스크, 아니었나?" 그가 말했다. "1941년. 우리가 마지막으로 본 게 그때였나?"

"맞습니다. 당신이 날 전쟁 범죄 부서로 보냈을 때죠."

"전속을 요구한 죄로 자넬 처벌했어야 했어. 총살을 당하더라도."

"들리는 바에 의하면 그해 여름 총살에 열을 올리셨다고요." 네베는 못 들은 척했다. "그럼 왜 날 총살하지 않았습니까?"

"자넨 빌어먹게도 좋은 경찰이었으니까. 그게 이유지."

"당신도 그랬죠." 나는 담배를 흠빨았다. "적어도 전쟁 전에는요. 무엇 때문에 바뀐 겁니까, 아르투르?"

네베는 잠시 술을 음미하다가 단숨에 들이켰다. "좋은 보드카로 군." 거의 자신에게 말하듯 그가 나직한 목소리로 말했다. "베르니, 내게 대단한 설명은 기대 말게. 나는 명령을 수행해야 했고, 총살을 당할 사람이 그들인지 나인지 선택해야 했지. 죽느냐 죽이느냐. 그게 언제나 친위대의 방식이었네. 만, 이만, 삼만. 내 목숨을 건지기 위해 다른 사람을 죽이기로 계산했다면 그런 숫자는 크게 차이가 없지. 그게 내 마지막 해결책이었네, 베르니. 내 지속적 생존 문제에 대한 마지막 해결책. 자넨 나와 같은 계산을 하도록 요구된 적이 없으니 운이 좋았던 걸세."

"당신께 감사해야겠군요."

네베가 겸손하게 어깨를 으쓱하고 자신 앞에 펼쳐진 서류를 가리켰다. "지금 이런 것들을 보고 있자니 자네를 총살하지 않은 게 매우 다행이군. 당연히 전문가들이 평가해야 할 테지만 그냥 보기에도 자네가 잭팟을 터뜨린 것 같은데. 그래도 자네의 정보 출처에 대해 자세히 듣고 싶네."

내가 그 이야기를 반복하자 네베가 물었다.

"그자는 믿을 만한 사람인가? 자네의 러시아 친구?"

"한 번도 날 실망시킨 적 없습니다." 내가 말했다. "물론 지금까진 신분증 따위를 넘겨받았을 뿐이지만."

두 사람의 잔에 술을 채운 네베가 미간을 찡그렸다.

"문제라도 있습니까?"

"자네와 알고 지낸 지 십 년째지만 자네가 그저 그런 암거래상이라는 사실이 믿기지 않는군."

"당신이 전쟁 범죄자라는 사실을 내가 믿을 수 없는 것과 같은 거죠, 아르투르. 아니면 그 일로 당신이 죽지 않았다는 사실을 받아들여야 하는 거라든가."

네베가 미소를 지었다. "일리 있군. 하지만 수많은 강제 이주자들이 생겼는데도 불구하고 자네가 옛 장사인 탐정 일로 다시 되돌아가지 않았다는 사실은 놀라운데."

"탐정과 암시장은 통하는 데가 있죠. 좋은 정보는 페니실린이나 담배 같은 겁니다. 정보도 값어치가 있으니까. 좋은 정보일수록, 불법적인 정보일수록 값어치가 올라가죠. 언제나 그래 왔습니다. 그건 그렇고, 내 러시아 친구는 보수를 원할 겁니다."

"그들은 항상 그렇지. 가끔 러시아 놈들은 미국인 자체보다 달러를 더 신용하는 것 같다는 생각이 드네." 네베가 깍지를 끼고 양 집게손가락을 기민해 보이는 코에 얹었다. 그러더니 양 집게손가락으로 권총을 쥔 것처럼 나를 가리켰다. "일을 아주 잘해 주었네, 베르니. 정말이야. 하지만 아직도 이해가 가지 않는다고 고백해야겠군."

"암거래상으로서의 내가 말입니까?"

"자네가 트라우들 브라운슈타이너를 죽였다는 사실보다는 암거래상이라는 사실을 더 쉽게 받아들일 수 있을 것 같군."

"내가 죽인 게 아닙니다." 내가 말했다. "쾨니히에게 그런 지시를 받았을 때, 나는 그녀가 공산주의자기 때문에 죽일 수 있다고 생각했습니다. 소련 포로수용소에 있는 동안 그들을 증오하는 방법을 배웠으니까요. 여자도 충분히 살해할 수 있을 만큼. 하지만 그런 생각이 든 순간, 그 일을 할 수 없을 거라는 사실을 깨달았죠. 난 냉혈한이 아니니까. 아마 죽여야 할 사람이 남자였다면 해치웠겠지만 여자는 아닙니다. 오늘 아침에 쾨니히에게 그 말을 할 생각이었는데 그가 일을 마친 걸 축하해 주길래 입 닥치고 그 공을 가로채자고 마음먹었죠. 돈이라도 주지 않을까 생각했습니다."

"그럼 다른 누군가가 그녀를 죽였군. 아주 흥미로운데. 짐작 가는 사람이 있나?"

나는 머리를 저었다.

"그렇다면 미스터리로군."

"당신의 부활처럼 말입니다, 아르투르. 어떻게 그런 겁니까?"

"유감이지만 내 공이 아닐세. 정보부 녀석들이 생각해 낸 거지. 전쟁이 끝나기 몇 달 전 그들은 친위대 고급장교와 고위급 인사들의 복무 기록을 조작해서 우리가 죽었다는 인상을 주었지. 우리 대부분은 슈타우펜베르크 백작의 총통 암살 모의와 관계있다는 이유로 처형된 걸로 됐네. 이미 천여 명이나 오른 처형 명단에 백 명쯤 더 더해진다고 해서 달라질 게 있나? 그리고 우리 중 일부는 폭격으로 죽었거나 베를린에서 전투중에 죽은 것으로 리스트에 올라 있네. 그리고 후에 이 모든 기록이 미국인들 손에 떨어지도록 했지.

친위대는 그 기록들을 뮌헨 근방 제지 공장으로 옮기고, 공장 소유주―훌륭한 나치지―에게 미군이 공장 코앞까지 올 때까지 기다린 다음 기록을 파괴하라고 일러 주었네." 네베가 웃음을 터뜨렸다. "미국이 자화자찬했다는 기사를 읽은 기억이 나는군. 미국인들은 자신

들이 대단한 성과를 올렸다고 생각했지. 물론 그들이 손에 넣은 대다
수는 진짜였네. 하지만 그들의 터무니없는 전범 조사의 표적이 될 위
험이 제일 높았던 우리에게는 그 조사가 숨 돌릴 틈을 제공해 새로운
신분을 만들기에 충분한 시간을 주었지. 약간의 여유가 필요할 때는
죽는 게 최고야." 그가 다시 웃음을 터뜨렸다. "어쨌든 그들의 미 서
류 센터는 아직도 우리를 위해 일하는 중일세."

"무슨 말입니까?" 린든이 살해된 이유에 대한 해명의 실마리를 던
져 줄 어떤 말을 들은 게 아닌가 싶었다. 혹시 린든은 연합군의 손에
떨어지기 전에 기록이 조작된 사실을 알아차린 걸까? 그것이 과연 그
를 죽여야 할 만큼 충분히 타당한 이유가 될까?

"일단은 그 정도로 해 두지." 네베가 보드카를 들이켜고 음미하듯
입술을 핥았다. "우리는 흥미로운 시대에 살고 있네, 베르니. 되고 싶
다면 누구라도 될 수 있네. 날 보게. 내 새 이름은 놀데, 아르투르 놀
데고 이곳에서 와인을 생산하고 있네. 자네 말처럼 부활해서 말이야.
뭐, 크게 틀린 말은 아니지. 우리 죽은 나치는 썩지 않고 일어났을 뿐
일세. 우린 다른 사람이라네, 친구. 검은 모자를 쓰고 이곳을 접수하
려고 하는 자들은 이제 러시아인들이지. 이제 우린 미국인들을 위해
일하는 좋은 사람들이야. 슈나이더 박사—CIC의 도움으로 조직을 만
든 사람일세—는 풀라흐에 있는 우리 본부에서 미국인들과 정기적으
로 회의를 해 왔지. 그는 미 국무 장관을 만나러 미국에 가기까지 했
네. 상상이 가나? 독일 고급장교가 미국 대통령의 오른팔과 일한다는
게? 지금 같은 시대에 이보다 더 청렴할 수 없지."

"이런 말 해서 미안하지만," 내가 말했다. "미국인을 성인聖人으로

여기는 사고방식을 받아들이기 어렵군요. 내가 러시아에서 돌아왔을 때 아내는 미군 대위에게서 특별 배급을 받고 있었습니다. 가끔 그자들은 러시아 놈들과 다를 게 없다는 생각이 듭니다."

네베가 어깨를 으쓱했다. "그렇게 생각하는 자가 조직에서 자네 하나뿐은 아니야. 하지만 나는 러시아 놈들이 여자의 허락을 구했다든가 일단 초콜릿 몇 개라도 줬다는 말은 들어 본 적이 없네. 그자들은 짐승이야." 어떤 생각을 떠올렸는지 그는 미소를 지었다. "그럼에도 난 일부 여자들은 러시아인들에게 감사해야 한다고 생각하네. 그자들이 아니었으면 남자 품이 좋은 것인지도 결코 몰랐을 여자들 말이야."

천박하고 허튼 농담이었지만, 어쨌든 나는 그를 따라 웃었다. 아직 네베의 신경을 거스를 때가 아니었다.

"그래서 아내와 그 미군 대위를 어떻게 했나?" 웃음이 가라앉자 그가 물었다.

대답하기 전에 왠지 생각을 해야 할 것 같았다. 아르투르 네베는 영리한 남자였다. 전쟁 전 경찰 수장이었던 그는 독일 최고의 경찰이었다. 미군 대위를 죽이고 싶었다는 뉘앙스를 풍기면 너무 위험할 것 같았다. 네베는 보통 사람이라면 변덕스러운 신의 손길이라고밖에 보지 않는 것에서 조사할 만한 가치가 있는 공통분모를 보는 사람이었다. 내가 지휘했던 살인 사건 수사 팀에 그가 베커를 배정했었다. 그가 그것을 잊었을 리 없었다. 베커에게 영향을 미친 미군 장교의 죽음과 나에게 영향을 미친 미군의 행동 사이에, 그게 우연이든 아니든 두 가지가 연결되어 있다는 암시를 받는다면 네베는 나를 죽이라는 명령을 내릴 것이다. 미군 장교 하나만으로도 충분히 피곤한 상황이었다. 그게 둘이 되면 우연이 지나치게 많아진다. 그래서 나는 어깨를 으쓱하고 담배에 불을 붙인 후 입을 열었다. "어쩌겠습니까? 놈이 아닌 아내의 뺨을 후려치는 수밖에. 미군 장교는 당연히 얻어맞는 걸 싫어할 테니까요. 특히 크라우트에게는. 패배한 적에게서 어떤 모욕도 받아들이지 않는 건 정복자의 작은 특전 중 하나랄까요. 그걸 잊어버리시다니 믿을 수 없군요, 지도자 나리. 다른 사람도 아닌 당신이."

나는 그가 각별한 호기심을 보이며 이를 드러내고 웃는 모습을 보았다. 늙은 여우에게서나 볼 만한 교활한 미소였지만 그의 이는 진짜처럼 보였다.

"아주 현명했군. 미국인들을 죽이고 다니지 않았다니." 내 경계심을 확인한 그가 긴 침묵 끝에 덧붙였다. "에밀 베커를 기억하나?"

시간을 오래 끄는 체하는 것은 바보짓일 듯했다. 그는 그런 태도를 훤히 알고 있었다.

"물론이죠." 내가 말했다.

"쾨니히가 죽이라고 한 사람이 베커의 여자였네. 어쨌든 그의 여자친구들 중 하나였지."

"하지만 쾨니히는 그 여자가 MVD 사람이었다고 하던데요." 내가 눈살을 찌푸렸다.

"그렇기도 했지. 베커도 마찬가지고. 그는 미군 장교를 죽였네. 하지만 그 전에 조직에 잠입하려고 했었지."

나는 천천히 머리를 가로저었다. "베커가 사기꾼일지는 모르지만,"

내가 말했다. "러시아 놈의 스파이는 아닐 겁니다." 네베는 계속 고개를 끄덕였다. "이곳 빈에 있습니까?" 그가 다시 끄덕였다. "그가 당신이 살아 있다는 걸 압니까?"

"당연히 모르네. 가끔 사소한 배달 일을 시키곤 했지. 그게 실수였어. 베커는 자네처럼 암거래상이었네. 공교롭게도 그 일로 꽤 성공했지. 하지만 조직에서의 자신의 가치에 대해 착각을 했네. 자신이 큰 연못 한가운데 있다고 생각한 거지. 하지만 그는 연못 근처에도 있지 않았네. 아주 솔직히 말하자면, 연못 한가운데에 운석이 떨어졌다 해도 베커는 파문을 알아차리지조차 못했을 걸세."

"그를 어떻게 찾아냈습니까?"

"그의 아내가 말해 줬지." 네베가 말했다. "그가 소련 포로수용소에서 돌아왔을 때, 베를린에 있는 조직이 그를 조직원으로 포섭할 수 있는지 알아보려고 조직원들을 그의 집으로 보냈네. 그런데 만나지 못했어. 그들이 베커의 아내에게 그의 거처를 물었을 무렵 그는 집에서 나와 이곳 빈에서 생활하고 있었지. 아내가 베커와 MVD 대령과의 관계에 대해 말해 주었네. 하지만 한두 가지 이유로—정말 무능하기 짝이 없는 일처리라는 이유였네— 그 정보가 이곳 빈 지부에 있는 우리에게 닿기까지 엄청 시간이 걸렸지. 그리고 그때는 우리의 인사 담당자 한 명이 이미 그를 뽑은 뒤였네."

"그래서 그는 지금 어디 있습니까?"

"이곳 빈에. 감옥에 있네. 미국인들이 그를 살인 혐의로 재판에 회부했고, 이변이 없는 한 교수형에 처해질 걸세."

"당신에겐 아주 잘된 일이겠군요." 내가 목을 살짝 내밀며 말했다.

독일 장송곡
-
331

"내 생각엔 지나치게 잘된 것 같은데요."

"직업적 본능인가, 베르니?"

"감이라고 하는 게 더 좋을 것 같군요. 그게 내가 틀리더라도 아마 추어처럼 보이게 하진 않을 테니까요."

"아직도 직감을 믿나, 응?"

"다시 굶주리지 않게 된 지금은 특히요, 아르투르. 베를린에 비하면 빈은 살진 도시니까요."

"그래서 자넨 우리가 그 미국인을 죽였다고 생각하나?"

"그가 누군지에 달렸겠죠. 그리고 그럴 만한 이유가 있었다면. 죽였어야 했다면 누군가에게 그 죄를 확실히 덮어씌워야겠죠. 방해물이 되는 누군가에게. 파리채를 한 번 휘둘러 파리의 두 날개를 뜯을 수 있는 방법으로. 그렇지 않습니까?"

네베가 머리를 한쪽으로 살짝 기울였다. "어쩌면. 하지만 그걸 증명할 만큼 어리석은 행동을 함으로써 자네가 얼마나 훌륭한 탐정인지 나에게 자랑할 생각은 말게. 이 구역의 어떤 자들은 그 건을 건드리면 매우 아파할 테니까. 그러니까 자넨 그 일에 코를 디밀지 않는 게 최선이야.

자네가 정말 탐정 놀이를 하고 싶다면 실종된 우리 조직원 하나를 찾는 데 조언을 해 주는 게 좋을 걸세. 이름은 카를 하임이고 치과의네. 조직원 두 명이 오늘 아침 일찍 그를 데리러 갔었는데, 집으로 찾아갔더니 없었다고 하더군. 물론 왕진을 간 것뿐일지도 모르지." 네베의 그 말은 술집 순례를 뜻했다. "하지만 이 도시에서는 늘 납치가 횡행하니 러시아 놈들이 그를 납치했을 가능성이 있네. 러시아가 암시장 담배의 판매권을 양보한 대가로 러시아인들을 위해 일하는 두 개 조직이 있지. 우리가 알아낸 바에 의하면 그 두 조직은 베커가 아는 러시아 대령 관리하에 있네. 베커가 얻은 매물의 대부분은 아마 그 러시아 대령에게서 받은 걸 거야."

"그렇겠죠." 나는 베커가 포로쉰 대령과 연루돼 있다는 그의 마지막 말에 불안을 느끼며 말했다. "내가 어떻게 하길 바라십니까?"

"쾨니히에게," 네베가 지시했다. "하임을 찾아낼 방법을 알려 주게. 시간이 괜찮다면 자네가 도와주든지."

"얼마든지요. 다른 건?"

"있지. 내일 아침 여기로 다시 왔으면 하네. MVD와 관련한 모든 문제에 정통한 조직원이 하나 있네. 자네가 가져온 이 정보에 관해 그가 특히 자네에게 하고 싶은 말이 있을 거라는 생각이 드는군. 열시에, 괜찮겠나?"

"열시, 좋습니다." 내가 반복했다.

자리에서 일어난 네베가 나와 악수하기 위해 테이블을 돌아 나왔다. "그리운 얼굴을 보게 돼서 좋군, 베르니. 내 양심을 일깨우는 얼굴이라 해도 말이야."

나는 희미한 미소를 지으며 그의 손을 잡았다. "과거는 과거일 뿐이죠."

"맞는 말이야." 그가 내 손을 놓고 내 어깨 위에 손을 올리며 말했다. "그럼, 내일 보세. 쾨니히가 자넬 마을까지 데려다줄 걸세." 네베가 문을 열고 집 앞으로 이어지는 뒤쪽 계단으로 안내했다. "아내 문제를 들으니 유감이군. 자네가 원한다면 그녀에게 PX 물품을 보내도록 주선해 보지."

"신경 쓰지 마십시오." 나는 재빨리 대답했다. 조직원이 베를린의 내 아파트에 찾아가 아내가 대답하기 곤란할 질문을 퍼부을 일만큼은 피하게 되었다. "아내는 미국인 카페에서 일하고 있고, 필요한 만큼 PX 물품을 구할 수 있습니다."

우리는 복도에서 개와 장난치고 있는 쾨니히를 만났다.

"여자들이란." 네베가 웃음을 터뜨렸다. "쾨니히에게 개를 사 준 사람도 여자였지. 안 그런가, 헬무트?"

"맞습니다, 장군님."

네베가 허리를 구부려 개의 배를 만지며 간지럼을 태웠다. 개는 몸을 동그랗게 말며 네베의 손가락에 복종심을 나타냈다.

"왜 여자가 쾨니히에게 개를 사 줬는지 아나?" 나는 쾨니히의 다소 당혹스러워하는 미소를 보고 네베가 농담을 할 참이라는 걸 알았다. "남자에게 복종을 가르치기 위해서."

나는 두 사람을 따라 웃음을 터뜨렸다. 쾨니히와 가까워진 지 겨우 며칠째지만 나는 오히려 로테 하르트만이 연인에게 곧 유대교 율법을 가르치지 않을까 생각했다.

31

숙소로 돌아왔을 때는 하늘이 어둑어둑했다. 프랑스 창을 두드리는 빗소리가 들리더니 몇 초 후에 번개가 번쩍한 다음 하늘을 찢을 듯한 천둥이 치자 테라스에 있던 비둘기가 비를 피할 곳을 찾아 날아올랐다. 나는 창가에 서서 하늘이 다시 맑아지고 쾌적해질 때까지 폭풍이 나무를 흔들고 하수구를 역류시키며 과도한 전기 에너지를 방출하는 모습을 지켜보았다.

십 분 후 세상을 정화해 준 폭풍을 찬양하기라도 하듯 새들이 나무에서 지저귀고 있었다. 단시간의 비에 기분이 전환된 새들을 부러워하며 내 신경을 억누르고 있는 초조함 역시 쉽게 해소되길 바랐다. 내 자신의 거짓말을 포함한 모든 거짓된 것에 한 발짝 앞서 있으려고 애쓰고 있었지만 급속도로 내 재간이 바닥을 보이고 있었고, 돌아가는 상황의 속도에 전체적으로 뒤처지는 위기에 처해 있었다. 내 삶은 말할 것도 없이.

미군이 징발한 필하모니커 가 자허 호텔에 묵고 있는 벨린스키에게 전화를 건 시각은 여덟시였다. 그와 통화하기에는 너무 늦은 시간이라 그가 부재중이리라 생각했는데 호텔에 있었다. 조직이 미끼를 물었다는 것을 이미 알고 있었다는 듯이 그의 목소리는 편안해 보였다.

"전화하겠다는 말을 잊지 않았겠지." 내가 그를 일깨웠다. "전화가 늦었네. 좀 바빴지."

"괜찮네. 그들이 그걸 사던가? 그 정보를?"

"거의 내 손에서 떠났네. 쾨니히가 날 그린칭에 있는 어떤 집으로 데려갔지. 확실하진 않지만 그곳이 이곳 빈에 있는 그들의 본부일 가능성이 있네. 본부로 쓸 만큼 크더군."

"좋아. 뮐러의 낌새가 느껴지던가?"

"아니. 하지만 다른 사람을 보았지."

"오? 누굴?" 벨린스키의 목소리가 날카로워졌다.

"아르투르 네베."

"네베? 확실한가?" 그는 이제 흥분하고 있었다.

"확실해. 난 네베를 전쟁 전부터 알았네. 그가 죽었다고 생각했지. 하지만 오늘 오후에 우린 거의 한 시간 동안 이야기를 나눴네. 그는 쾨니히가 우리의 치과 의사 친구를 찾는 걸 내가 도와주길 바라고 있네. 그리고 자네의 러시아 친구의 연애편지에 관해 토의하기 위해 내일 아침에 그린칭으로 회의를 하러 오라더군. 내 예감으론 뮐러가 그 자리에 참석할 것 같아."

"왜 그렇게 생각하지?"

"네베 말로는 MVD에 대한 모든 문제에 정통한 조직원이 참석할 거라더군."

"그렇군. 네베가 그렇게 말했다면 뮐러가 맞을 걸세. 회의가 몇 시라고?"

"열시."

"우리가 준비할 시간은 오늘 밤뿐이겠군. 생각할 시간을 좀 주게."
그가 한동안 말이 없어서 전화가 끊긴 줄 알았다. 하지만 곧 그가 심
호흡을 하는 소리가 들렸다. "그 집은 길에서 얼마나 떨어져 있나?"

"집 정면과 북쪽 면에서 이삼십 미터. 집 뒤편인 남쪽은 포도밭이
야. 그쪽에서는 얼마나 떨어져 있는지 모르겠네. 집과 포도밭 사이에
는 나무들이 늘어서 있네. 별채가 좀 있고." 나는 내가 기억하는 한 최
대한 자세하게 그 집으로 가는 길을 그에게 알려 주었다.

"좋아." 그가 신이 난 목소리로 말했다. "우리는 이렇게 할 걸세. 열
시 이후, 나는 그 집에서 적당히 떨어진 곳에 부하들을 배치하겠네.
뮐러가 있다면 우리에게 신호를 보내게. 그럼 우리가 들이닥쳐서 그
를 체포하지. 놈들이 자네를 주시할 텐데, 그게 좀 어려운 부분이군.
거기에 있는 동안 화장실을 쓴 적 있나?"

"아니, 하지만 일층에 있는 화장실을 지나쳤지. 예상하건대 네베를
만난 서재에서 회의를 한다면 그곳에 화장실이 하나 있지. 화장실은
요제프슈타트와 길 방향으로 북쪽을 면하고 있네. 베이지색 블라인
드가 걸린 창문이 하나 있고. 신호를 보내는 데 그 블라인드를 쓰면
될 걸세."

또다시 잠깐의 침묵이 흐른 후 그가 입을 열었다. "열시 이십분이
나 그 가까운 시간에 그 화장실로 가게. 거기서 블라인드를 내리고
오 초를 센 다음 다시 올리고 오 초를 세게. 그걸 세 번 하는 거야. 망
원경으로 주시하고 있다가 자네의 신호를 보면 경적을 세 번 울리겠

네. 그러면 부하들이 움직일 걸세. 그리고 나서 자네는 다시 회의에 참석하면 되는 거지. 그곳에서 엉덩이를 붙이고 기사들을 기다리게."

"아주 쉽게 들리는군. 약간 지나칠 정도로 쉽게 말이야."

"이봐, 크라우트, 자네가 화장실 창밖으로 엉덩이를 내밀고 휘파람으로 〈딕시〉를 부르는 것도 괜찮겠지만 그렇게 하면 이목을 끌 거야." 그가 거슬리는 한숨을 쉬었다. "이런 급습을 하려면 많은 서류 준비가 필요하네, 귄터. 암호를 생각해 내야 하는 데다 중요한 작전을 하려면 여러 특별 허가를 얻어 내야 하지. 게다가 모든 일이 수포로 돌아가면 조사를 받아야 한단 말일세. 그자가 뮐러일 거라는 자네의 감이 맞길 바라네. 난 이제 이 작은 파티를 위해서 밤새 준비를 해야 해."

"그것참, 쓰러질 일인데." 내가 말했다. "난 모래사장에서 벅벅 길 참인데 자넨 오일을 바른 몸에 모래 몇 알이 묻었다고 불평을 하고 있다니. 그래, 빌어먹을 서류 준비가 힘들다니 내가 다 우울하군."

벨린스키가 소리 내어 웃었다. "제발, 크라우트. 그렇게 열 내지 말라고. 만약 뮐러가 정말 그곳에 나타난다면 좋을 거라는 뜻일 뿐이야. 사리에 맞게 굴라고. 우린 그가 빈 지부에 있다는 걸 확신하진 않아."

"확신하네." 나는 거짓말을 했다. "오늘 아침 경찰 유치장에 가서 베커에게 뮐러의 스냅사진 중 하나를 보여 줬네. 베커는 즉각 사진 속 인물이 린든 대위의 수색을 의뢰한 쾨니히와 같이 온 남자라고 알아보더군. 뮐러가 쾨니히에게 반해서 따라온 게 아닌 한 그건 그가 빈 지부의 일원이라는 걸 뜻하네."

"젠장." 벨린스키가 말했다. "왜 나는 그 생각을 못 했지? 그렇게 간단한 걸. 베커가 정말 뮐러라고 확신하던가?"

"추호의 의심도 없네." 나는 벨린스키에 대한 확신이 설 때까지 잠시 그를 그렇게 속였다. "좋아, 진정해. 사실, 베커는 그를 전혀 알아보지 못했네. 하지만 전에 그 사진을 봤다더군. 트라우들 브라운슈타이너가 보여 줬다던데. 그녀에게 그 사진을 준 사람이 자네가 아니었는지 확실히 하고 싶었을 뿐이야."

"아직도 날 못 믿나, 크라우트?"

"자네를 위해 사자 굴에 걸어 들어갈 참이라면 그 전에 자네의 시력 테스트 정도는 할 자격이 있다고 보는데."

"그래, 트라우들 브라운슈타이너가 게슈타포 뮐러의 사진을 어디서 손에 넣었는가 하는 문제가 여전히 우리에게 남아 있지."

"내 생각엔 MVD의 포로쉰 대령한테서 받은 것 같아. 베커가 정보를 제공하고 가끔 사람을 납치한 대가로 포로쉰이 그에게 이곳 빈에서 담배를 판매할 수 있는 허가를 내주었지. 베커는 조직이 자신에게 접근한 사실을 포로쉰에게 얘기했고, 자신이 알아낼 수 있는 모든 정보를 넘기겠다고 동의했네. 베커가 체포된 후에는 트라우들이 그들의 중개자가 되었지. 그녀는 베커의 연인인 척했을 뿐이야."

"그게 무슨 뜻인 줄 아나, 크라우트?"

"러시아 놈들도 뮐러의 뒤를 쫓고 있다는 뜻이겠지. 맞나?"

"만약 그놈들이 뮐러를 잡는다면 어떻게 될 줄 아나? 솔직히 말해 뮐러가 소련에서 재판에 세워질 가능성은 그다지 없네. 전에 말했듯이 뮐러는 소련 경찰 체계를 전문적으로 연구한 자일세. 러시아인들이 뮐러를 잡고 싶어 하는 건 그를 유용하게 써먹을 수 있기 때문이지. 예를 들어, 그는 NKVD에 잠입했던 게슈타포 첩자 전원을 지명할 수 있네. 아마 그자들은 여전히 MVD에서 암약하고 있을 걸세."

"그렇다면 그자가 내일 모습을 드러내길 바라자고."

"그 집에 어떻게 가는지 정확히 알려 주게."

나는 그에게 정확한 위치를 알려 주고 늦지 말라고 당부했다. "이 개자식들 때문에 떨고 있을 테니까." 내가 말했다.

"이보게, 뭐 하나 알려 줄까? 나도 크라우트들이라면 모두 두렵네. 하지만 러시아인들만큼은 아니야." 그가 키득거렸다. 나는 그가 웃는 방식이 좋아지기 시작했다. "이만 끊겠네, 크라우트." 그가 말했다. "행운을 비네."

그가 전화를 끊었다. 나는 웅웅 소리를 내는 수화기를 응시하면서 상상 속의 형체 없는 목소리와 통화한 듯한 기이한 감각에 빠졌다.

32

연기가 지하 세계의 자욱한 안개처럼 나이트클럽의 아치 천장에 떠돌았다. 내가 앉아 있는 테이블로 벨린스키가 걸어올 때, 담배 연기가 그의 주위를 감싸 그는 흡사 교회 무덤에서 튀어나온 벨라 루고시[59]처럼 보였다. 내가 쭉 듣고 있던 밴드의 음악은 외다리 탭댄서처럼 엇박자를 타고 있었는데 왠지 그는 그럭저럭 그 리듬에 맞춰 걸음을 걷고 있었다. 지금도 자신이 왜 베커에게 뮐러의 사진을 보여 줄 생각을 안 했는지 내가 헤아려 보려고 애쓰고 있다는 사실을 잘 알고 있을 게 분명했다. 그래서 나는 그가 내 머리칼을 잡고 내 머리를 테이블에 두 번 찧었을 때 그리 놀랍지 않았다. 나는 수상쩍은 크라우트일 뿐이니까. 나는 자리에서 일어나 그를 피해 비틀거리며 문으로 향했지만 아르투르 네베가 그 문 앞을 가로막고 있었다. 그의 출현은 너무도 예상 밖이어서 나는 순간적으로 네베가 내 양 귀를 잡고 다시 한 번 내 머리를 문에 짓찧는 것에 저항할 수 없었다. 다시 한 번 운 좋게도 그는 내가 트라우들 브라운슈타이너를 죽이지 않았다면 누구

59. 루마니아 태생의 미국 영화배우. 드라큘라 백작 연기로 유명하다.

의 짓인지 알아내야 할 거라고 말하는 것으로 그쳤다. 그의 손아귀에서 벗어나 머리를 비틀며 나는 룸펠슈틸츠헨[60]의 이름은 룸펠슈틸츠헨이었을 거라고 말했다.

마지못해 머리를 다시 흔들고 어둠 속에서 눈을 껌뻑거렸다. 재차 문을 노크하는 소리와 함께 반쯤은 휘파람 소리 같은 목소리가 들렸다.

"누구십니까?" 나는 그렇게 말하며 손을 뻗어 침대 머리맡의 등을 켠 다음 손목시계를 찾았다. 그 이름은 나에게 별 감흥을 주지 않았다. 나는 침대 밑으로 발을 내리고 거실로 향했다.

안전을 기했다고 하기엔 문을 조금 활짝 열었다. 그때도 나는 여전히 땀을 흘리고 있었다. 로테 하르트만이 번쩍이는 이브닝드레스 위에 검은색 양털 재킷을 입고 복도에 서 있었다. 우리가 마지막으로 함께 밤을 보냈던 날 입었던 차림이었다. 그녀의 버릇없는 눈초리가 탐색을 하고 있었다.

"뭐요?" 내가 말했다. "무슨 일이오? 원하는 게 뭐요?"

그녀가 차가운 경멸의 의미가 담긴 콧방귀를 뀌고 장갑을 낀 손으로 문을 살짝 미는 바람에 나는 집 안으로 뒷걸음질 쳤다. 집 안으로 들어온 그녀는 등 뒤로 문을 닫고 그 문에 몸을 기댄 채 주위를 둘러보았다. 돈에 쉽게 매수되는 육체에 밴, 담배와 술 그리고 향수 냄새에 나는 코를 약간 벌름거렸다. "깨웠다면 미안해요." 그녀가 말했다.

---

60. 왕비의 아기를 자신에게 뺏기지 않으려면 자신의 이름 맞혀야 한다고 했던 독일 민화에 나오는 난쟁이.

그녀는 집 안을 둘러본 만큼의 관심을 내게는 보이지 않았다.

"아니오, 괜찮소." 내가 말했다.

이제 그녀는 거실을 살짝 둘러보고 침실을 뚫어지게 쳐다본 다음 욕실을 보았다. 그녀는 자신의 엉덩이에 남자들의 시선이 고정되어 있다는 걸 감지한 여느 여자들처럼 여유 있고 우아한 태도로 자신감 있게 움직였다.

"그래요." 로테가 빙긋 웃었다. "그렇다면 전혀 미안하지 않아요. 여기는 생각보다 나쁘지 않은데요."

"지금 몇 신지 알고 있소?"

"아주 늦은 시간이죠." 그녀가 킥킥거렸다. "이곳 여주인은 나에게 좋은 인상을 받지 않은 모양이더군요. 그래서 그녀에게 난 당신의 여동생이고 베를린에서 당신에게 나쁜 소식을 알려 주러 왔다고 말해야 했죠." 그녀가 다시 킥킥거렸다.

"그래서 통하던가?"

로테는 잠깐 입술을 뾰로통하게 내밀었다. 하지만 연기일 뿐이었다. 그녀는 화를 내기엔 여전히 너무 즐거운 것 같았다. "그녀가 짐이 있느냐고 묻길래 기차에서 러시아인들에게 도둑맞았다고 했죠. 그녀는 꽤 동정적인 데다 상냥하기까지 하던데요. 당신도 다르지 않길 바라요."

"오? 그래서 날 찾아온 거라고 생각했는데. 아니면 풍기 단속반에게 또 걸린 거요?"

그녀는 내 모욕적인 말을 무시했다. 늘 그런 말에 둔감한지도 모르지만. "마리아힐퍼 가에 있는 플로텐 바에서 집으로 돌아가는 길이었을 뿐이에요. 그 바를 아세요?"

나는 대꾸하지 않았다. 나는 담배에 불을 붙인 다음 그녀에게 뭔가 싫은 소리를 하지 않으려고 담배를 입꼬리에 물었다.

"어쨌든 여기서 멀지 않아요. 그리고 여기에 잠깐 들르면 어떨까 생각했어요. 알겠지만……," 그녀의 목소리가 점점 부드러워지고 유혹적으로 바뀌었다. "……당신에게 고맙다는 적절한 인사도 못했으니까요." 그녀는 내가 그 말을 알아듣길 바라듯 잠시 사이를 두었고, 나는 불현듯 가운을 입고 있었어야 했다는 생각이 들었다. "귀찮은 러시아 놈들의 소굴에서 구해 주신 것에 대해서요." 그녀가 리본을 풀자 재킷이 바닥에 떨어졌다. "술도 한잔 안 주실 건가요?"

"충분히 마신 것 같소." 그렇게 말은 했지만 어쨌든 나는 글라스를 찾으러 갔다.

"충분히 마셨는지 아닌지 확인하고 싶은 건 아니겠죠?" 그녀가 자연스럽게 웃음을 터뜨리며 휘청거리는 기색도 없이 자리에 앉았다. 그녀는 알코올이 정맥을 타고 흘러도 딸꾹질도 하지 않고 끝까지 흐트러짐 없이 걸을 수 있는 타입처럼 보였다.

"얼음을 넣는 게 좋겠소?" 내가 보드카가 든 글라스를 들어 보이며 말했다.

"어쩌면요." 그녀가 심사숙고하더니 말했다. "일단 한 잔 마시고 나서요."

나는 그녀에게 술을 건네고 마음을 다잡기 위해 위 속으로 잽싸게 술을 들이부었다. 그러고 나서 담배를 또 한 모금 빨면서 폐 안에 꽉 들어찬 담배 연기가 그녀를 쫓아낼 힘을 주길 바랐다.

"왜 그래요?" 로테가 거의 의기양양한 태도로 말했다. "내가 당신을 초조하게 하거나 다른 뭐가 있는 건가요?"

아마 '다른 뭐' 때문이리라. "난 괜찮소." 내가 말했다. "파자마가 걸려서 그렇소. 여자 앞에서 익숙지 않은 차림이니까."

"파자마 차림을 보니 시멘트를 배합하는 일이 더 어울릴 것 같군요." 그녀가 나에게 묻지도 않고 내 담배를 피워 물더니 내 사타구니를 향해 담배 연기를 뿜었다.

"파자마가 방해가 되면 벗을 수도 있소." 어리석은 말을 해 버렸다. 다시 담배를 빠는 내 입술은 말라 있었다. 그녀가 가길 바라는 걸까? 아닐까? 그녀의 완벽한 작은 귀를 잡고 밖으로 내쫓을 수 있을 것 같지 않았다.

"먼저 얘기나 좀 해요. 왜 앉지 않죠?"

나는 아직 몸을 접을 수 있다는 사실에 안도하며 자리에 앉았다.

"좋소." 내가 말했다. "당신의 남자친구가 오늘 밤 어디에 있는지에 관한 얘기는 어떻소?"

그녀가 얼굴을 찡그렸다. "좋은 주제는 아니군요, 페르세우스. 다른 주제를 골라 봐요."

"싸웠소?"

그녀가 신음 소리를 냈다. "그래야 하나요?"

나는 어깨를 으쓱했다. "그렇다고 해도 별로 신경 쓰일 일은 없소."

"그 남자는 개자식이지만," 그녀가 말했다. "그런 말은 하고 싶지 않아요. 특히 오늘은."

"오늘이 특별한 날인가?"

독일 장송곡
–

"영화에서 배역을 얻었으니까요."

"축하하오. 맡은 역은?"

"영국 영화예요. 알겠지만 대단한 역할은 아니에요. 하지만 대스타들이 출연할 예정이에요. 내 배역은 나이트클럽에서 일하는 여자죠."

"그거 아주 쉬운 역 같군."

"흥분되지 않나요?" 그녀가 새된 소리를 냈다. "내가 오슨 웰스와 연기를 하다니."

"〈화성 침공〉을 만든 친구?"

그녀가 멍한 표정으로 어깨를 으쓱했다. "본 적 없는 영화예요."

"됐소."

"물론 정말 웰스가 나올지 결정된 건 아니에요. 하지만 그를 빈으로 오게 할 가능성이 있어요."

"어디서 들어 본 얘기 같군."

"그게 뭔데요?"

"난 당신이 배우인지도 몰랐소."

"내가 당신에게 말하지 않았다고요? 이봐요, 오리엔탈에서의 일은 임시로 하는 것뿐이라고요."

"그 일이 잘 맞는 것 같던데."

"오, 난 항상 숫자와 돈에 밝았어요. 세무서에서 일한 적도 있죠." 그녀는 몸을 앞으로 내밀고 내 연말 업무 경비에 의문이라도 표하듯 약간 수상쩍은 표정을 지었다. "쭉 물을 작정이었는데," 그녀가 말했다. "당신이 돈을 몽땅 잃은 그날 밤 말이에요. 뭘 증명하려고 그런 거죠?"

"증명? 무슨 말인지 모르겠는데."

"모른다고요?" 공모자 같은 표정으로 다 안다는 듯이 나를 쳐다보는 그녀의 얼굴에 미소가 떠올랐다. "난 별난 사람들을 다 봐 왔답니다, 선생님. 그 유형들을 알죠. 언젠가 그것에 대한 책을 쓸 생각까지 있어요. 프란츠 요제프 갈처럼. 그를 알아요?"

"안다고는 할 수 없을 것 같은데."

"골상학 이론을 정립한 오스트리아 의사였어요. 이젠 들어 봤죠?"

"그렇군." 내가 말했다. "그래서 내 머리통을 보고 뭘 말할 수 있다는 거요?"

"당신은 어떤 이유가 없는 한 그런 식으로 돈을 잃을 유형이 아니라는 걸요." 그녀는 매끈한 이마 위로 데생 화가가 좋아할 만한 눈썹을 치켜세웠다. "그 이유도 알고 있죠."

"들어 봅시다." 나는 술을 한 잔 더 따르며 재촉했다. "아마 내 두개골에서 읽은 것보다 내 머릿속을 더 잘 읽을 수 있을 테지."

"그렇게 딱딱하게 굴지 마요. 우리 둘 다 당신이 남의 눈에 띄길 좋아하는 유형의 남자라는 걸 잘 아니까."

"내가 그랬단 말이오? 남의 눈에 띄었다고?"

"그래서 내가 여기에 있는 것 아닌가요? 어떤 걸 원하는 거예요? 트리스탄과 이졸데?[61]"

그런 이유였다. 그녀는 내가 그녀에게 잘 보이기 위해 그 많은 돈을 잃었다고 생각한 것이었다. 거물처럼 보이기 위해.

---

61. 중세 유럽에 등장하는 연인으로 비극적인 사랑을 했다.

자신의 글라스에 술을 따른 그녀가 자리에서 일어나 그 글라스를 내게 건넸다. "코에 분을 바르고 올 동안 사랑의 미약을 내 잔에 채워 놔요."

그녀가 욕실에 가 있는 동안 나는 전혀 떨리지 않는다고는 할 수 없는 손으로 두 글라스에 술을 다시 채웠다. 저 여자를 특별히 좋아하지는 않았지만 그녀의 육체에는 전혀 불만이 없었다. 멋진 몸이었다. 성욕이 통제력을 잃는다 하더라도 내 머리는 저 작은 종달새를 거부할 작정이었지만 이 특별한 순간만큼은 자리에 편하게 앉아 상상을 즐기는 것 이상의 짓은 전혀 하지 않을 터였다. 그렇긴 해도 이후 어떤 상황이 벌어질지 나는 전혀 준비가 되어 있지 않았다. 나는 그녀가 욕실 문을 여는 소리와 몸에 뿌린 향수에 대해 여자가 일상적으로 하는 말을 들었다. 글라스를 들고 몸을 돌린 순간 그녀가 몸에 걸친 것은 향수뿐이라는 것을 알았다. 사실 그녀는 구두를 신고 있었는데, 구두에 잠시 시선을 빼앗긴 것은 그녀의 가슴에서 시작하여 삼각형 음모를 훑어 내려간 결과였다. 하이힐을 빼면 로테 하르트만은 암살자의 칼날처럼 적나라했고, 딱 그렇게 위험할 터였다. 벌거벗은 허벅지에 손을 올린 그녀가 내 침실 문가에 서서 혀로 입술을 핥고 있는 내 모습을 보고 자신에게 그 혀를 쓸 걸 예상했다는 듯이 기쁜 눈을 빛냈다. 어쩌면 이 순간 나는 그녀에게 젠체하며 짤막한 설교를 늘어놓을 수도 있다. 나는 살면서 벌거벗은 여자를 충분히 많이 보아왔고, 그들 중 일부는 꽤 몸매가 괜찮은 여자였다. 잡은 물고기를 놔주듯 그녀를 돌려보내야 마땅했지만 손바닥에 땀이 나기 시작했고, 코가 벌렁거리면서 목구멍에서 무언가가 치밀어 오르는 동시에 사타구니에서 이는 둔감한 통증이, 머리에 앞서 몸이 다음에 이어질 행동에 관해 다른 생각이 있다고 알려 주었다.

자신의 행동이 나에게 미친 효과를 보고 기뻐하며 로테는 행복한 미소를 짓고 내 손에서 글라스를 가져갔다.

"벗은 내 모습을 꺼리지 않길 바라요." 그녀가 말했다. "당신이 뒤에서 비싼 드레스를 잡아 찢을 것 같은 묘한 느낌을 받아서 말이에요."

"내가 왜 꺼리겠소? 석간신문을 다 읽지도 않았다면 모를까. 어쨌든 이곳에 벌거벗은 여인이 있다는 건 마음에 드는군." 나는 그녀가 거실 저편으로 천천히 걸어갈 때 엉덩이가 살짝 흔들리는 모습을 보았다. 그녀는 술을 들이켜고 빈 글라스를 소파 위에 놓았다.

갑자기 발정 난 내 복부 아래에서 젤리처럼 흔들리는 그녀의 엉덩이를 보고 싶다는 생각이 들었다. 내 마음을 읽었는지 그녀는 자신의 코너에서 링 줄을 잡아당기는 레슬러처럼 라디에이터를 잡고 허리를 숙였다. 이윽고 그녀는 라디에이터에서 떨어져 몸을 일으키고 전혀 필요치 않은 신체검사라도 기다리듯 나를 등지고 말없이 섰다. 그녀는 어깨 너머로 나를 힐끗 보고 엉덩이를 조이더니 다시 벽으로 얼굴을 향했다.

이보다 더 웅변적인 유혹을 받은 적도 있었지만 귀에 피가 몰리고 이제 곧 뇌세포에 알코올이나 아드레날린의 영향이 미칠 상황에 그때가 언제였는지 기억할 수 없었다. 관심조차 없었다. 나는 파자마를 벗고 그녀에게 다가갔다.

나는 더 이상 젊지 않았고, 숙취나 담배 이상의 것과 싱글 침대를 나누기에 날씬하지도 않았다. 따라서 의외로 여섯시쯤 편안한 잠자리에서 깬 나에게 놀랐다. 잠 못 이룬 밤의 원인이었을지도 모를 로테가 더 이상 내 팔을 베고 있지 않았기 때문에 나는 그녀가 집으로 돌아갔다는 생각에 잠시 행복한 기분이 들었다. 거실에서 억누르는 듯한 작은 흐느낌 소리가 들린 것은 그때였다. 나는 마지못해 이불 속에서 나와 코트를 걸치고 무슨 문제가 있는지 보러 나갔다.

여전히 벌거벗은 로테가 따뜻했던 라디에이터 옆 마루에 공처럼 몸을 작게 웅크리고 있었다. 나는 그녀 옆에 쭈그리고 앉아 왜 울고 있는지 물었다. 얼룩진 뺨을 타고 흘러내린 굵은 눈물방울이 반투명한 무사마귀처럼 윗입술에 걸렸다. 그 눈물을 핥고 코를 훌쩍이는 그녀에게 나는 손수건을 건넸다.

"무슨 상관이에요?" 그녀가 쏘아붙였다. "재미를 봤으면 됐잖아요."

일리 있는 말이었지만 나는 예의를 갖추고 밀어붙였다. 내 말에 허영심을 채운 로테가 어색한 미소를 지었다. 행복하지 않은 아이에게 오십 페니히나 사탕을 주면서 달래는 느낌이었다.

"다정한 사람이군요." 그녀가 마침내 마음을 풀고 벌게진 눈을 닦았다. "이제 괜찮아질 거예요, 고마워요."

"나에게 얘기해 보겠소?"

로테가 나를 한쪽 눈꼬리로 힐끗 보았다. "여기서요? 우선 진찰료가 얼마인지부터 말해 주시는 게 낫겠군요, 의사 선생님." 그녀는 코를 풀고 공허한 웃음을 터뜨렸다. "당신은 좋은 정신과 의사가 될지도 모르겠는데요."

"내가 보기에 당신은 정신이 온전한 사람이오." 내가 그녀를 안락의자에 앉히며 말했다.

"나라면 '온전하지 않다'에 돈을 걸걸요."

"그게 당신의 직업적 조언이오?" 나는 담배 두 개비에 불을 붙여서 하나를 그녀에게 건넸다. 그녀는 별다른 감흥 없이 자포자기한 듯 담배를 피웠다.

"자신의 여자에게 서커스 광대를 대하듯 손찌검을 하는 남자와 관계를 맺어 온 정신 나간 여자의 조언이에요."

"쾨니히? 폭력적인 타입으로는 보이지 않던데."

"그가 점잖게 보였다면 그건 모르핀 덕분이에요."

"중독자인가?"

"중독자인지는 정확히 몰라요. 친위대에서 그가 무슨 일을 했는지는 몰라도 전쟁 내내 모르핀이 필요했나 봐요."

"당신을 때리는 이유가 뭐요?"

그녀가 입술을 세게 깨물었다. "내 얼굴에 홍조를 띠게 하려고 한 건 아니겠죠."

나는 웃음을 터뜨렸다. 내가 그녀를 웃게 했어야 했지만 그녀는 씩씩한 여자였다. 나는 말을 이었다. "어쨌든 그게 햇볕에 그은 건 아니군." 나는 그녀가 바닥에 벗어 놓은 양털 재킷을 주워 그녀의 어깨에 둘렀다. 로테가 재킷을 목까지 감싸고 씁쓸한 미소를 지었다.

"아무도 내 얼굴에 손댈 수 없어요." 그녀가 말했다. "손을 다른 데 대고 싶다면 몰라도. 오늘 밤이 그가 나에게 손을 댄 처음이자 마지막 날이 될 거예요, 맹세코." 그녀가 용처럼 맹렬하게 코로 담배 연기를 뿜었다. "누군가를 도우면 이런 꼴을 당하나 봐요."

"누굴 도왔소?"

"쾨니히가 어젯밤 열시쯤 오리엔탈에 왔어요." 그녀가 설명했다. "기분이 안 좋아 보이길래 이유를 묻자 클럽에 와서 가볍게 도박을 하곤 했던 치과 의사를 내가 기억하는지 묻더군요." 그녀가 어깨를 으쓱했다. "기억이 났어요. 도박에 소질이 없는 사람이었는데, 당신이 형편없는 도박꾼인 척하는 것보다 더 형편없었죠." 그녀가 슬쩍 내 눈치를 보았다.

나는 고개를 끄덕이고 재촉했다. "계속해요."

"헬무트는 치과 의사 하임 박사가 지난 이틀 동안 오리엔탈에 온 적이 있는지 알고 싶어 했어요. 난 오지 않은 것 같다고 했죠. 그러니까 내가 다른 여자들한테 그가 오리엔탈에 온 걸 본 적이 있는지 묻길 바라더군요. 한 여자를 알려 주며 직접 얘기해 보라고 했어요. 좀 안된 여자지만 얼굴은 예뻐요. 그 의사가 항상 그 여자를 찾았으니까요. 좀 연약해 보였는데 어떤 남자들은 그런 여자에 끌리죠. 마침 그 여자가 바에 앉아 있길래 그에게 그녀를 가리켰어요."

나는 위가 쓸려 내려가는 느낌을 받았다. "그 여자의 이름이 뭐요?"

"베로니카 뭐예요." 그녀는 그렇게 말하며 내 관심을 눈치채고 덧붙였다. "왜요? 그녀를 알아요?"

"조금. 그래서 어떻게 됐소?"

"헬무트와 그의 친구 중 하나가 그녀를 옆집으로 데려갔어요."

"모자 가게로?"

"네." 이제 부드러워진 그녀의 목소리에는 미안해하는 기색이 엿보였다. "헬무트의 성질 때문에……," 그녀는 그 기억에 움찔하는 듯했다. "……걱정이 됐어요. 베로니카는 착한 여자예요. 알겠지만 좀 멍청하긴 해도 착하죠. 좀 힘들게 살아도 배짱은 두둑해요. 지나치게 두둑해서 오히려 안 좋을지도 몰라요. 헬무트의 성격으로 미뤄 볼 때 베로니카가 아는 게 있다면 빨리 말하는 게 좋았을 거예요. 그는 참을성이 없는 남자니까요. 그가 고약하게 바뀌기 전에." 그녀가 미간을 찡그렸다. "그럴 확률이 높아요. 헬무트를 잘 안다면 무슨 말인지 알겠죠. 그래서 그들 뒤를 쫓아갔어요. 그들을 찾았을 때 베로니카는 울고 있었어요. 그들은 이미 베로니카의 따귀를 갈겨 대고 있었어요. 맞을 만큼 맞았고, 나는 두 사람에게 그만하라고 했어요. 헬무트가 나를 때린 게 그때였어요. 두 차례." 그 기억에 고통이 떠오른 듯 그녀는 양 볼에 손을 갖다 댔다. "그러더니 날 복도로 떠밀고 자기 일에 신경 쓰지 말라더군요."

"그런 다음 어떻게 됐소?"

"화장실에 갔다가 바를 두 군데 들른 다음 여기로 왔죠."

"베로니카가 어떻게 됐는지 봤소?"

"그들과 사라졌어요. 헬무트와 또 한 남자와."

"그녀를 어딘가로 데려갔다고?"

로테가 침울한 표정을 지으며 어깨를 으쓱했다. "그랬겠죠."

"그녀를 어디로 데려갔을 것 같소?" 나는 자리에서 일어나 욕실로 걸음을 옮겼다.

"몰라요."

독일 장송곡
—
353

"생각해 봐요."

"그녀를 찾을 생각이에요?"

"당신 말대로 그녀는 이미 많은 일을 겪어 왔소." 나는 옷을 입기 시작했다. "게다가 이 일에 그녀를 끌어들인 사람이 나지."

"당신이? 왜요?"

나는 옷을 입으면서 쾨니히와 그린칭에서 돌아오는 길에 실종자, 이번 경우에는 하임 박사를 어떻게 수색해야 할지 그에게 알려 줬다는 것을 로테에게 말했다.

"하임이 잘 가는 장소들을 조사한 뒤 그곳이 어딘지 알아내면 알려 달라고 했소." 내가 말했다. 하지만 나는 이렇게까지 될 줄 몰랐다는 것은 말하지 않았다. 벨린스키와 크로캐스 사람들이 뮐러—가능한 한 네베와 쾨니히까지 포함하여—를 체포하면 하임을 찾을 필요가 없다는 것도. 그린칭에서의 회의를 마친 다음 같이 치과 의사의 행방을 추적하자며 쾨니히의 행동을 지연시킨 것도.

"그들은 왜 당신이 하임 박사를 찾을 수 있을 거라 생각한 거죠?"

"전쟁 전 나는 베를린 경찰의 형사였소."

"눈치챘어야 했는데." 로테가 콧방귀를 뀌었다.

"그런 게 아니오." 나는 그렇게 말하며 넥타이를 바로잡고 쓴입에 담배를 찔러 넣었다. "하지만 난 당신 남자친구가 혼자서 하임을 찾으러 나설 만큼 오만하다는 걸 알았어야 했소. 그가 기다릴 거라고 생각한 내가 바보였지." 나는 오버코트를 걸치고 모자를 주워 들었다. "그들이 베로니카를 그린칭으로 데려갔겠소?" 내가 물었다.

"지금 생각해 보니까 베로니카의 집으로 갈 작정이었던 것 같아요.

그곳이 어딘지는 몰라도. 하지만 거기에 없다면 다른 어느 곳보다 그
린칭을 찾아보는 게 좋겠죠."

"베로니카가 집에 있길 바랍시다." 말은 그렇게 했지만 일이 그렇
게 풀릴 성싶지 않았다.

로테가 자리에서 일어났다. 재킷이 그녀의 가슴과 상체를 가려 주
었지만 조금 전 그렇게 유혹적이었고, 피부가 벗겨진 토끼처럼 따끔
따끔한 느낌을 주었던, 불타는 듯한 음모는 그대로 노출된 채였다.

"그럼 나는요?" 그녀가 나지막이 물었다. "뭘 해야 하죠?"

"당신?" 나는 그녀의 벌거벗은 하체를 고갯짓으로 가리켰다. "그 마
법을 챙겨서 집으로 돌아가요."

독일 장송곡
—

33

밝아 온 아침은 청명하고 쌀쌀했다. 도심으로 가기 위해 새 시청 건물 앞 공원을 가로지를 때 다람쥐 한 쌍이 인사를 하며 내가 혹시 아침을 주지 않을지 살폈다. 하지만 내게 가까이 다가오기 전에 다람 쥐들은 내 얼굴에 드러난 먹구름과 양말에서 피어나는 공포의 냄새 를 맡았다. 다람쥐들은 내 코트 주머니의 묵직해 보이는 물체의 형태 를 기억해 내고 마음을 바꾸기로 한 것 같았다. 작고 똑똑한 피조물. 빈에서 작은 포유동물이 총에 맞은 뒤 잡아먹히게 된 것은 그리 오래 전이 아니었다. 그래서 다람쥐들은 털을 휘날리며 잽싸게 사라졌다.

베로니카가 사는, 쓰레기장이나 다를 바 없는 곳의 주민들은 하루 종일 밤낮없이 드나드는 사람들, 특히 남자들에게 이골이 났을 터였 고, 설령 여주인이 남자를 끔찍이 싫어하는 레즈비언일지라도 계단 에서 나를 만난다면 그다지 주목할 거라는 생각은 들지 않았다. 하지 만 마침 그곳에는 아무도 없었기 때문에 별다른 방해 없이 베로니카 의 방으로 올라갔다.

몰래 침입할 필요가 없었다. 문은 활짝 열려 있었고, 서랍과 벽장 도 마찬가지였다. 그들이 필요로 한 증거, 닥터 하임의 옷가지들이 여전히 의자 등받이에 걸려 있었는데도 왜 그들이 법석을 떨었는지 궁금했다.

"멍청한 계집." 나는 화가 나서 중얼거렸다. "옷가지를 그냥 남겨 둘 거였으면 시체는 뭐 하러 치운 거지?" 나는 부숴 듯이 서랍을 닫았다. 그 바람에 서랍장에 세워 두었던 베로니카의 한심한 스케치들이 거대한 낙엽처럼 흩날리며 바닥으로 떨어졌다. 화가 난 쾨니히가 이곳을 뒤집어 놓았으리라. 그런 다음 그녀를 그린칭으로 데려갔다. 아침에 그곳에서 중요한 회의가 있기 때문에 다른 곳으로 데려갔을 것 같지는 않았다. 그녀를 즉각 죽이지는 않았을 것이었다. 달리 생각하여 베로니카가 어떤 일이 있었는지—하임이 심장마비로 죽은 뒤 친구 두 명이 그녀를 도와 시체를 치웠다고(만약 그녀가 벨린스키와 내 이름을 대지 않았다면) 말했다면, 어쩌면 그들은 그녀를 풀어 줬을지도 모른다. 하지만 그녀가 아는 사실을 전부 말할 때까지 지금도 그녀를 고문하고 있을 가능성이 매우 높았다. 그녀를 구하러 갔을 때쯤이면 이미 나는 하임의 시체를 처리한 사람이라는 게 드러났을 터였다.

베로니카가 전쟁 기간 동안 수데텐 지역에서 유대인으로 살았다는 이야기를 해 준 기억이 났다. 그녀는 화장실, 더러운 지하실, 찬장과 다락방에서 숨어 살았었다. 거기에다 강제 이민자 수용소에서 육 개월. 로테 하르트만은 그것을 '조금 힘들게 살았다'고 표현했다. 생각하면 할수록 그녀는 삶이라고 부를 수 있는 삶을 거의 누리지 못하고 살아 온 것처럼 보였다.

손목시계를 힐끗 보니 일곱시였다. 회의가 시작되기까지는 아직

세 시간이 남아 있었다. 벨린스키의 '기사'가 배치되기에는 아직 시간이 많이 남아 있었다. 베로니카를 데려간 놈들이 어떤 놈들인지 아는 만큼 그녀가 오래 살아 있을 가능성은 거의 없다는 생각이 들기 시작했다. 그곳에 가서 혼자 그녀를 구하는 수밖에 선택의 여지가 없는 것처럼 보였다.

나는 리볼버를 꺼내 탄창에 여섯 발이 모두 들어 있는지 확인하고 아래층으로 내려갔다. 밖으로 나와 캐르트너 가에 있는 택시 승차장에서 손을 들어 택시를 잡아타고 운전기사에게 그린칭으로 가자고 말했다.

"그린칭 어디쯤입니까?" 차를 출발시키며 그가 물었다.

"그곳에 가면 말해 주겠소."

"그러십쇼." 그가 그렇게 대답하고 링을 향해 속도를 올렸다. "아침 이 시간 그곳은 어디나 문을 열지 않아서 여쭤 보는 겁니다. 게다가 손님은 등산을 할 사람처럼 보이지 않아서요. 그 코트를 입지 않으셨다면 모를까." 움푹 팬 구덩이 두 개를 지났을 때 차가 크게 흔들렸다. "오스트리아 분도 아니셔서요. 악센트로 알았죠. 피프케가 하는 말처럼 들리거든요, 손님, 맞습니까?"

"대학 강의는 그만둬 주겠나? 그럴 기분이 아니니까."

"알겠습니다, 손님. 혹시 지루하실까 봐 그런 겁니다. 아실지 모르겠지만 그린칭에서 몇 분 더 가면 코벤츨로 통하는 길이 나오는데 거기에 일급 호텔 코벤츨이 있습죠." 그는 차가 또 다른 구덩이에 빠졌을 때 운전대를 잡고 씨름을 했다. "지금은 강제 추방자 수용소로 쓰이고 있지만요. 담배 몇 개비면 여자를 살 수 있죠. 원하기만 하면 이 아침 시간에도 말입니다요. 손님처럼 좋은 코트를 입은 사람이면 아마 두세 명도 가능할걸요. 손님을 위해 멋진 쇼를 하게 할 수도 있습죠. 무슨 말인지 아시겠죠?" 그가 정나미 떨어지게 웃었다. "거기 있는 여자들 중에는 말입니다, 손님. 강제 추방자 수용소에서 자란 애들도 있죠. 그래서 정조 관념이 토끼나 다름없죠. 그 여자들은 뭐든지 할 겁니다. 정말이라니까요, 손님, 이 방면으로는 제가 전문갑니다. 제가 토끼를 길러서 잘 알죠." 그 생각을 하듯 그는 계속 키득거렸다. "손님을 위해 제가 자리를 마련해 드릴 수도 있습니다요. 뒷좌석에요. 물론 약간의 수수료는 주셔야 합죠."

나는 몸을 앞으로 내밀었다. 왜 이 남자가 거슬렸는지는 나도 모른다. 어쩌면 뚱쟁이가 싫어서일 뿐인지도 모른다. 어쩌면 트로츠키를 닮은 그의 얼굴에 별 관심이 없어서일 뿐이지도 몰랐다.

"그것참, 괜찮겠군." 내가 거친 말투로 말했다. "우크라이나에서 내가 발견한 테이블 덫이라는 게 있었는데 말이야. 빨치산들이 주의를 끌려고 책상 서랍에 반쯤 남은 보드카를 놓고 서랍 안쪽에 수류탄을 놔뒀지. 내가 가서 서랍을 당긴 순간 수류탄의 핀이 뽑히면서 폭발했어. 그 폭발이 내 몸에서 바나나 하나와 호두 두 알을 깨끗이 날려 버렸지. 난 일단 쇼크로 거의 죽을 뻔했고, 그다음에는 피를 너무 많이 흘려서 죽을 뻔했어. 마침내 내가 혼수상태에서 깨어났을 때는 절망에 빠져 죽을 뻔했지. 만약 자두 한 알을 보기만 해도 난 절망감으로 미쳐 버릴지도 몰라. 아마 그 억울함에 가장 가까이에 있는 사내놈을 죽일지도 모르지."

운전기사가 어깨 너머를 힐끗 보았다. "죄송합니다." 겁먹은 말투였다. "저는 그런 뜻으로 한 말이 아니라……,"

"됐어." 이제 거의 미소를 지으며 내가 말했다.

노란 집을 지나쳤을 때 나는 운전기사에게 언덕 꼭대기까지 계속 올라가라고 말했다. 포도밭을 지나 네베의 집 뒤쪽으로 접근할 생각이었다.

빈 택시의 미터기는 구식이어서 미터기에 나타난 요금의 다섯 배를 내는 것이 관례였다. 내가 차를 세우라고 했을 때 미터기에 표시된 금액은 육 실링으로, 운전기사가 요구한 금액은 그게 다였다. 그는 그 돈을 벌벌 떠는 손으로 받아 갔다. 그가 요금 계산을 잊었다는 걸 깨달았을 때 차는 이미 굉음을 내며 멀리 사라진 뒤였다.

도로 옆 진창길에 서서 그 사내에게 잠시 기다리라고 말할 생각이었는데 어쩌다 아무 말도 못했는지 어이없었다. 이제 베로니카를 구한다 하더라도 이곳에서 벗어날 방법이 문제였다. 나와 내 똑똑한 입이 문제였다. 그 불쌍한 개자식은 단지 서비스를 제공할 생각이었을 뿐인데. 하지만 그는 한 가지만큼은 틀린 게 있었다. 코벤츨 가 안쪽 깊숙한 곳에 문을 연 카페가 하나 있었다. 루델스호프. 만약 총질을 하게 된다면 배 속에 뭐라도 넣어 두는 편이 나을 것 같았다. 박제 동물이 걸려 있는 것만 빼면, 작긴 해도 아늑한 카페였다. 나는 반짝이는 눈알이 박힌, 탄저병에 걸린 듯한 족제비 박제 아래 자리를 잡고 내가 앉은 테이블로 어기적거리며 다가오는 배불뚝이 주인을 기다렸다.

"안녕하십니까, 손님. 사랑스러운 아침입니다."

술 냄새가 밴 숨결에 몸을 뒤로 물렸다. "이미 그 아침을 즐기신 모양이군요." 다시 똑똑한 입으로 돌아온 내가 말했다. 그는 어깨를 으쓱하고 이해하지 못한 표정으로 내 주문을 받아 갔다. 실직중인 박제사가 한가한 시간에 만든 것 같은 오 실링짜리 빈식 아침 식사를 나는 게걸스럽게 먹었다. 커피는 덜 갈렸고, 롤빵은 선원의 수공에 조각처럼 날것 같았고, 계란은 채석장에서 가져온 것처럼 굳어 있었다. 하지만 나는 먹었다. 생각할 게 너무 많아서 토스트 위에 족제비가 얹혀 있었다 해도 아마 모르고 먹었으리라.

카페에서 나와 한동안 길을 따라 걸어 내려간 다음 분명 아르투르 네베의 소유일 포도밭의 담을 넘었다.

볼 것은 그다지 많지 않았다. 단정하게 줄지어 심긴 어린 포도나무뿐으로 내 무릎 높이를 조금 넘게 자란 정도였다. 여기저기에 널려 있는, 폐기된 제트 엔진처럼 보이는 키가 큰 손수레는 다름 아닌, 밤동안 어린 나무들 주위의 공기를 덥히고 어린 나무들이 늦서리에 어는 것을 막아 주는 가열기였다. 만져 보니 아직도 따뜻했다. 포도밭은 일백 제곱미터 정도로 몸을 숨길 만한 곳이 되어 주지 못했다. 벨린스키가 정확히 어떻게 부하들을 배치해 넣지 궁금했다. 포도밭을 기긴 글렀고, 노란 집과 별채 바로 뒤에 늘어선 나무 밑으로 이동하기까지 담벼락에 바싹 붙어 가는 수밖에 없을 것 같았다.

나무가 늘어선 곳까지 간 다음 인기척을 살피고 아무도 없는 것을 확인하고 앞으로 천천히 나아가는 도중에 목소리가 들렸다. 긴 목재 골조가 노출된, 헛간처럼 생긴 가장 큰 별채 옆에 내가 모르는 두 사내가 서서 이야기를 나누는 중이었다. 두 사내는 모두 등에 금속 통을 지고 있었고, 그들이 쥐고 있는 가늘고 긴 금속 튜브는 고무호스를 통해 금속 통과 연결되어 있었다. 농약 살포 장치인 듯했다.

마침내 그들은 대화를 끝내고 자신들의 삶을 괴롭히는 박테리아와 곰팡이와 벌레를 박멸하러 포도밭 저편으로 걷기 시작했다. 나는 그들이 멀어질 때까지 기다렸다가 나무 밑을 떠나 건물 안으로 들어갔다.

발효하는 과일 냄새가 코를 찔렀다. 큼직한 떡갈나무 통과 저장 탱크가 거대한 치즈 같은 서까래 아래 배열되어 있었다. 서까래 위로는 천장이 없었다. 나는 돌바닥을 따라 건물 끝까지 걸어 집의 오른쪽에 지어진 또 다른 별채의 문을 마주한 곳으로 나왔다.

두 번째 별채에는 수백 개의 떡갈나무 통이 옆으로 누워 있었는데, 거대한 세인트버나드들이 누군가가 자신들을 데리러 오길 기다리는 것 같았다. 지하로 통하는 계단이 어둠 속으로 이끌었다. 누군가를 가둬 두기에 적합한 곳처럼 보여서 나는 스위치를 올리고 살펴보러 내려갔다. 지하에는 수천 병의 와인뿐으로 각 시렁에 달려 있는 작은 칠판에 누군가에게는 어떤 의미가 있을 숫자들이 분필로 쓰여 있었다. 나는 위층으로 올라가 스위치를 내리고 창 옆에 섰다. 역시 베로니카는 집 안에 있는 것 같았다. 내가 서 있는 곳에서는 집의 서쪽 면에 있는 자갈이 깔린 작은 마당이 훤히 보였다. 열린 문 앞에 앉은 커다란 검은색 고양이가 나를 응시하고 있었다. 문 옆의 유리창은 부엌 창문인 듯했다. 부엌 식탁 위의 크고 반짝거리는 형체는 솥이거나 주전자인 것 같았다. 잠시 후 내가 숨어 있는 별채 쪽으로 고양이가 천천히 다가와 내가 서 있는 창가 옆의 무언가를 향해 큰 소리를 내며 울었다. 잠시 녹색 눈을 나한테 고정하고 있던 고양이는 별 다른 이유 없이 달아나 버렸다. 나는 다시 집으로 시선을 돌려 부엌문과 창을 계속 주시했다. 몇 분을 더 보내고 별채에서 나와도 안전할 것 같다고 판단한 뒤 마당을 가로지르기 시작했다.

세 발짝을 채 못 가서 자동 권총의 슬라이드를 당기는 소리가 들림과 동시에 내 목을 세게 누르는 강철 총구의 차가움이 느껴졌다.

"머리 뒤로 손을 올려." 특징이 없는 목소리가 말했다.

나는 시키는 대로 했다. 내 귀 밑을 누르는 총은 45구경이 분명하리만큼 묵직하게 느껴졌다. 내 머리통의 상당 부분을 날려 버리기에 충분한 총이었다. 그 총이 내 턱과 경정맥 사이로 미끄러졌을 때 몸이 움찔했다.

"움찔하기만 해도 넌 내일 아침에 돼지 먹이가 될 거야." 그가 그렇게 말하며 내 주머니를 더듬어 리볼버를 가져갔다.

"네베 씨가 날 기다리고 있다는 걸 알게 될 텐데." 내가 말했다.

"네베 씨 따윈 몰라." 거의 입을 제대로 벌리지 않고 말하는 것처럼 잠긴 목소리가 말했다. 물론 누군지 확인하기 위해 돌아볼 용기는 나지 않았다.

"맞아. 이름을 바꿨군, 아닌가?" 나는 네베의 새 이름을 기억해 내려고 애썼다. 그러는 사이 내 뒤의 남자가 몇 발자국 뒤로 물러서는 소리를 들었다.

"이제 오른쪽으로 걷는다." 그가 말했다. "나무들 쪽으로. 그리고 신발 끈에든 뭐에든 걸려 넘어질 생각은 안 하는 게 좋아."

목소리로 판단하건대 큰 덩치에 머리는 그리 좋은 것 같지 않았다. 그가 하는 독일어의 악센트가 낯설게 들렸다. 프로이센 말 같았지만 그것과도 조금 달랐다. 할아버지에게서 들었던 옛 프로이센 말투에 더 가까웠다. 폴란드에서 들었던 독일어 같았다.

"이봐, 당신, 실수하는 거야." 내가 말했다. "왜 보스에게 확인하지 않나? 내 이름은 베른하르트 귄터다. 오늘 아침 열시에 회의가 있어. 난 그 회의에 참석해야 해."

"아직 여덟시도 안 됐는데." 그가 뚱하게 말했다. "회의 때문에 온 거라면 왜 이렇게 빨리 왔지? 게다가 왜 보통 방문자처럼 정문으로 오지 않은 건가? 왜 포도밭을 가로질러 온 거야? 왜 별채에서 염탐을 했느냐고?"

"베를린에서 와인 전문점 두 군데를 냈기 때문에 일찍 온 거야." 내가 말했다. "부지를 둘러보면 좋을 것 같다고 생각했지."

"확실히 둘러봤겠군. 넌 염탐꾼이야." 놈이 백치처럼 킥킥댔다. "난 염탐꾼을 쏘라는 명령을 받았지."

"잠깐……," 총으로 얻어맞고 쓰러지는 순간 덩치의 민머리와 다소 일그러진 턱을 힐끗 보았다. 그가 내 목덜미를 잡고 일으켜 세웠을 때, 왜 깃에 면도날을 넣고 기울 생각을 하지 못했는지 어이가 없었다. 놈이 날 늘어선 나무들 사이로 밀쳐 몇몇 개의 큰 쓰레기통이 있는 경사진 작은 공터로 내려가게 했다. 작은 벽돌 오두막의 지붕을 통해 연기와 함께 속이 느글거리는 달콤한 냄새가 피어올랐다. 그들이 쓰레기를 소각하는 곳이었다. 시멘트처럼 보이는 것이 담긴 몇몇 자루 옆에 벽돌 몇 장이 있고 그 위에 녹이 슨 물결 모양의 철판이 한 장 놓여 있었다. 놈이 나에게 그것을 한쪽으로 치우라고 명령했다.

이제 알 수 있었다. 그는 라트비아인이었다. 덩치 크고 멍청한 라트비아인. 놈이 아르투르 네베를 위해 일했다면 친위대 라트비아 분과 소속이었을 터였고, 폴란드 집단 처형장 중 한 군데에서 근무했으리라. 그들은 아우슈비츠 같은 곳에서 많은 라트비아인을 쓰곤 했었다. 모제스 멘델스존[62]이 독일의 사랑하는 아들들 중 한 명이었을 때 라트비아인은 열정적인 반유대주의자들이었다.

나는 낡은 배수구인지 오물통인지가 드러나도록 간신히 그 철판을 잡아끌었다. 그게 무엇이든 간에 그곳에선 고약한 냄새가 풍겼다. 내가 그 고양이를 다시 본 것은 그때였다. 오물통 옆 산화칼슘이라는 라벨이 붙은 두 개의 부대 사이에서 튀어나왔다. 놈이 거만하게 울었다. 마치 '마당에 누군가가 있다고 경고했지만 넌 내 말을 듣지 않았지'라고 말하는 듯했다. 오물통에서 매캐한 분필 가루 같은 냄새가 난 순간 소름이 끼쳤다. '네 생각이 맞아.' 놈은 에드거 앨런 포의 작품에 나오는 어떤 고양이처럼 울었다. '산화칼슘은 산성 토지를 중화할 때 쓰는 싸구려 알칼리야. 말하자면 포도밭에서나 볼 수 있는 물질이지. 하지만 그걸 생석회라고 부르기도 하는데, 인간을 빠르게 부패시키는 데 탁월한 효과가 있는 화합물이야.'

이 라트비아 놈이 날 정말 죽일 셈이라는 것을 깨닫자 공포가 밀려왔다. 그럼에도 나는 언어학자라도 되는 양 녀석의 악센트를 연구하고 학교에서 배웠던 화학식을 떠올렸다.

그때 녀석을 처음으로 자세히 보았다. 그는 덩치가 크고 서커스 말만큼이나 근육질이었지만 얼굴을 본 순간 몸집 따위는 신경이 쓰이

---

62. 독일의 유대인 계몽철학자로 유대인의 독일 시민사회에 대한 융합을 주장했다.

지 않았다. 볼 안에 큼직한 씹는담배가 든 것처럼 오른쪽 얼굴이 일 그러져 있었다. 크게 뜨고 있는 오른쪽 눈은 유리로 만든 것 같았다. 그는 자신의 귓불에 키스도 할 수 있을 것 같았다. 얼굴이 이렇게 생긴 남자라면 누구나 그렇겠지만 애정에 굶주린 사람 같았고, 필시 그랬을 것이다.

"구덩이 옆에 무릎 꿇어." 그가 필수 염색체 두어 개가 부족한 네안데르탈인처럼 을러댔다.

"옛 전우를 죽일 작정은 아니겠지?" 네베의 새 이름, 하다못해 라트비아 부대의 이름 가운데 아무거라도 하나 떠올리려고 필사적으로 노력하면서 내가 말했다. 내가 도와 달라는 소리라도 지른다면 나는 그가 주저 없이 방아쇠를 당기리라는 것을 알았다.

"네놈이 옛 전우라고?" 그는 크게 개의치 않고 비웃으며 말했다.

"제1라트비아 부대의 상급돌격지도자였다." 태연을 가장하려고 했지만 뜻대로 되지 않았다.

라트비아인은 덤불에 침을 뱉고 퉁방울눈으로 나를 멍하니 바라보았다. 푸른빛을 띤 큼직한 콜트 자동 권총이 곧장 내 가슴에 겨눠졌다.

"제일 라트비아 부대라고, 응? 라트비아인 말투가 아닌데."

"난 프로이센 출신이야. 우리 가족은 리가[63]에서 살았지. 아버지는 그단스크 출신의 조선소 노동자였어. 어머니는 러시아 사람이었고." 리가에서 주로 쓰는 말이 러시아어인지 독일어인지 기억이 나지 않

---

63. 라트비아 공화국의 수도.

앉지만 나는 증거를 대기 위해서 러시아어를 몇 마디 했다.

그의 눈이 좀 더 가늘어졌다. "그럼, 제1 라트비아 부대가 몇 년에 창설됐지?"

나는 침을 삼키고 기억을 쥐어짰다. 고양이가 응원하듯 야옹거렸다. 라트비아 친위대 부대 창설은 1941년에 있었던 바르바로사[64] 작전 이듬해였으리라고 추정했다. "1942년."

그가 끔찍하게 웃더니 가학성을 띤 얼굴로 천천히 머리를 저었다. "1943년." 그가 두 발짝 앞으로 나오며 말했다. "1943년이었지. 이제 무릎을 꿇어. 안 꿇으면 배에 구멍을 내 주겠다."

천천히 무너지듯 구덩이 가장자리에 무릎을 꿇자 바지에 땅의 습기가 스미는 게 느껴졌다. 나는 친위대의 처형 방식을 신물이 날 만큼 많이 보았기 때문에 놈이 날 어떤 방식으로 죽일지 알았다. 목덜미에 총을 쏘면 내 몸은 준비된 무덤으로 쓰러지고 그 위에 생석회 한 삽을 뿌리는 것이다. 놈이 크게 원을 그리듯 내 뒤로 돌아왔다. 고양이가 처형 장면을 보기 위해 자리를 잡았다. 꼬리가 땅에 붙인 엉덩이를 솜씨 좋게 감싸고 있었다. 나는 눈을 감고 기다렸다.

"라이니스," 어떤 목소리가 말한 뒤 몇 초가 흘렀다. 나를 구한 게 뭔지 보기 위해 감히 고개를 돌릴 수 없었다.

"됐다, 베르니. 일어나도 좋아."

참고 있던 숨이 공포의 트림 소리가 되어 입에서 나왔다. 후들거리는 무릎을 지탱하고 구덩이 가장자리에서 몸을 일으킨 다음 돌아보

---

64. 독일군의 소련 침공 작전 암호명.

니 아르투르 네베가 추악한 라트비아인 몇 미터 뒤에 서 있었다. 짜증 나게도 그는 빙그레 웃음을 짓고 있었다.

"즐겁게 해 줘서 고맙군요, 프랑켄슈타인 박사님." 내가 말했다. "당신의 염병할 괴물이 날 거의 죽일 뻔했습니다."

"대체 무슨 생각인가, 베르니?" 네베가 말했다. "철 좀 들게. 라이니스는 자기 일을 하고 있던 걸세."

라트비아인이 뚱하게 고개를 끄덕이고 콜트 권총을 총집에 넣었다. "저자는 염탐중이었습니다." 그가 심드렁하게 말했다. "제가 잡았죠."

나는 어깨를 으쓱했다. "좋은 아침이라서 말입니다. 그린칭을 둘러봐야겠다고 생각했죠. 여기 있는 론 체이니[65]가 총으로 내 귀를 찔렀을 때 당신의 포도밭에 감탄하고 있던 중이었죠."

라트비아인이 재킷 주머니에서 내 리볼버를 꺼내 네베에게 건넸다. "저자가 갖고 있던 총입니다, 놀데 씨."

"이걸로 사냥이라도 할 생각이었나, 베르니?"

"요즘은 아무리 주의를 기울여도 지나치지 않으니까요."

"그렇게 생각한다니 기쁘군." 네베가 말했다. "내가 사과할 수고를 덜어 줘서." 그가 내 총을 손 위에 올려놓고 무게를 가늠하더니 주머니에 넣었다. "그래도 당분간 이 총은 내가 보관하겠네. 자네만 괜찮다면. 총이 우리 친구들을 불안하게 할 테니. 가기 전에 잊지 말고 총

---

65. 미국 영화배우로 무성영화 시대에 〈오페라의 유령〉 등의 공포 영화에서 빼어난 연기를 펼쳤다.

을 달라고 하게." 그가 라트비아인에게 돌아섰다.

"좋아, 라이니스, 가 보게. 자넨 자네의 일을 했을 뿐이야. 가서 아침을 들게."

괴물이 고개를 끄덕이고 집을 향해 발걸음을 돌리자 고양이가 그의 뒤를 따랐다.

"저놈이 자기 몸무게만큼 땅콩을 먹을 수 있다는 데 내기를 걸 수도 있습니다."

네베가 희미한 미소를 지었다. "어떤 사람들은 자신을 보호하기 위해 맹견을 기르지. 나한테는 그게 라이니스야."

"그래요, 저놈이 똥오줌은 가릴 줄 알길 바랍니다." 나는 모자를 벗고 손수건으로 이마를 훔쳤다. "나라면 저놈을 정문 앞에서 어슬렁거리게 두지 않을 겁니다. 마당에 사슬로 묶어 둬야죠. 저놈은 자기가 어디에 있다고 생각하는 겁니까? 트레블린카?[66] 저 개자식은 나를 쏘는 데 주저하지 않았을 겁니다, 아르투르."

"오, 나도 의심하지 않네. 그는 사람을 죽이는 걸 즐기거든."

내가 건네는 담배에 네베는 고개를 저었지만 내 손이 귀머거리 아파치에게 수화를 하는 사람처럼 떨리고 있어서 그는 내가 불을 붙이는 것을 도와야 했다.

"그는 라트비아인이야." 네베가 설명했다. "리가 강제수용소에서 상병으로 복무했네. 러시아인들이 그를 잡았을 때 부츠를 신은 발로 그의 얼굴을 짓밟아서 턱을 부숴뜨렸지."

---

66. 폴란드 동부의 아우슈비츠라고 불린 악명 높은 수용소.

독일 장송곡
—
369

"그자들의 기분을 확실히 알겠습니다."

"그들이 그의 얼굴 반을 마비시켜서 머리가 약간 모자라게 되었네. 그는 언제나 잔인한 살인자였어. 하지만 지금은 짐승에 가깝지. 여느 개만큼이나 충성심이 강해."

"뭐, 물론 누구에게나 장점은 있는 법이니까요. 리가라고요?" 나는 입을 벌린 구덩이와 소각로를 머리로 가리켰다. "저 작은 소각로가 저놈에게 고향 생각을 나게 한다는 데 돈을 걸겠습니다."

네베가 미간을 찡그렸다. "자네는 술을 한잔해야겠군." 그가 나직이 말했다.

"나는 전혀 놀라지 않을 겁니다. 술잔에 라임*lime*⁶⁷이 들어 있지 않다고 해도 말입니다. 라임에 입맛이 떨어진 것 같아서요. 영원히."

---

67. 석회라는 뜻이 있다.

34

나는 네베의 뒤를 따라 집 안으로 들어가 전날 이야기를 나눴던 서재로 올라갔다. 그는 술이 든 캐비닛에서 브랜디를 가져와 내 앞 테이블 위에 놓았다.

"자네와 같이 마시지 못해 미안하군." 술을 단숨에 들이켜는 나를 보고 네베가 말했다. "보통 아침 식사 때는 코냑을 즐기지만 오늘 아침은 머리를 맑은 상태로 유지해야 하니까." 내가 테이블 위에 빈 잔을 내려놓았을 때 그가 사람 좋은 미소를 지었다. "이제 좀 낫나?"

나는 끄덕였다. "실종된 의사는 찾았습니까? 닥터 하임?" 이제 당분간은 내 목숨을 걱정할 일이 사라져서 다시 베로니카에 대한 걱정이 앞섰다.

"유감이지만 그는 죽었네. 안됐지만 어떻게 됐는지 모르는 것보다는 낫지. 적어도 우린 러시아인들이 그를 납치한 게 아니라는 건 아네."

"어떻게 된 겁니까?"

"심장마비였네." 네베는 내가 베를린 경찰 본부 알렉스에 있을 때부터 잘 아는 특유의 건조한 웃음을 지었다. "그때 여자와 있었던 모양이야. 초콜레이디랑."

"그러니까 그 짓을 하고 있었을 때……?"

"맞네. 하지만 그보다 더 안 좋은 죽음도 있으니까."

"방금 그런 일을 겪어서인지 그런 죽음이 특별하게 느껴지지 않는
군요, 아르투르."

"그렇군." 그가 양처럼 순하게 미소를 지었다.

나는 어떻게 말해야 의심을 받지 않고 베로니카의 운명에 대해 물
을 수 있을지 잠시 고민했다. "그래서 그녀가 어떻게 했습니까? 그 초
콜레이디 말입니다. 경찰에 전화했습니까?" 나는 얼굴을 찌푸렸다.
"아니, 안 했겠군."

"왜 그렇게 생각하나?"

나는 명백하지 않느냐는 뜻으로 어깨를 으쓱해 보였다. "풍기 단속
반에 체포될 위험을 감수했을 것 같지 않군요. 아니, 그를 어딘가에
버리려고 했을 게 분명합니다. 뚜쟁이에게 맡겼겠죠." 나는 문득이
눈썹을 치켜세웠다. "어떻습니까? 내 말이 맞습니까?"

"그래, 맞았네." 그가 내 추리에 감탄했다는 듯이 말했다. "늘 그렇
듯이." 그리고 아쉽다는 듯이 한숨을 내쉬었다. "우리가 더 이상 크리
포가 아니라는 사실이 아쉽군. 내가 크리포를 얼마나 그리워하는지
자넨 모를 걸세."

"나도 그렇습니다."

"하지만 자네, 자넨 복직할 수 있을 걸세. 자넨 분명 수배자가 아니
겠지, 베르니?"

"그리고 공산당을 위해 일하라고요? 됐습니다." 나는 입을 꾹 다물

고 애석해하는 듯이 보이려고 애썼다. "어쨌든 나는 당분간 베를린 밖에 있는 편이 나을 것 같습니다. 러시아 군인이 기차에서 나를 털려고 했었죠. 정당방위였지만 유감스럽게도 그놈을 죽였습니다. 범죄 현장에서 피투성이가 된 나를 사람들이 봤죠."

"범죄 현장이라." 네베가 좋은 와인을 감정하듯 그 말을 입안에서 굴렸다. "다시 형사와 이야기를 나누게 돼서 좋군."

"내 직업적 호기심에 만족하고 있을 뿐입니다, 아르투르. 그 초콜레이디는 찾았습니까?"

"오, 내가 아니라 쾨니히가 찾아냈지. 그가 가엾은 하임을 어떻게 찾아야 할지 알려 준 사람이 자네였다고 말해 주더군."

"통상적인 방법이었을 뿐입니다, 아르투르. 당신이 말해 줄 수도 있는 것이었죠."

"어쩌면 그럴지도 모르지. 어쨌든 쾨니히의 여자친구가 사진을 보고 하임을 알아봤나 보더군. 듣자 하니 하임은 그녀가 일하는 나이트클럽에 뻔질나게 드나들었던 모양이야. 하임이 그곳에서 일했던 창녀들 중 한 명에게 특별히 열중했다는 걸 쾨니히의 여자친구가 기억해 냈네. 헬무트가 한 것이라곤 그 일에 관해 털어놓으라고 여자를 설득한 것뿐이었지. 그렇게 간단한 일이었네."

"창녀에게서 정보를 얻는 일은 결코 '그렇게 간단'하지 않습니다." 내가 말했다. "수녀에게서 욕설을 끌어내는 것과 같죠. 돈만이 창녀에게 멍을 남기지 않고 정보를 얻을 수 있는 유일한 방법입니다." 내 말에 대한 반박을 기다렸지만 네베는 아무 말도 하지 않았다. "물론 멍이 더 싸게 먹히는 데다 실수의 여지도 남기지 않지만." 나는 효과적인 수사를 위해 초콜레이디를 때리는 것쯤은 양심에 걸릴 게 없다는 듯이 씩 웃어 보였다. "쾨니히는 돈을 낭비할 타입처럼 보이지 않던데요. 맞습니까?"

실망스럽게도 네베는 그저 어깨를 으쓱하더니 손목시계를 힐끗 보았다. "그를 보게 되면 직접 묻는 게 나을 것 같군."

"쾨니히도 회의에 참석합니까?"

"참석할 예정이네." 네베는 다시 시계를 보았다. "난 이제 가 봐야할 것 같군. 열시 전에 해야 할 일이 한두 가지 남아 있어서. 자넨 여기에 있는 게 좋을 것 같네. 오늘은 보안이 철저한 데다 또 문제가 생겨서는 안 되지 않겠나? 사람을 시켜서 자네에게 커피를 갖다 주라고하겠네. 원한다면 불을 피워도 좋아. 여기는 꽤 추우니까."

나는 글라스를 톡톡 쳤다. "지금은 그다지 춥지 않습니다."

네베가 나를 주시했다. "알았네. 브랜디가 더 필요하다면 알아서 따라 마시게."

"고맙습니다." 술병을 잡으며 내가 말했다. "그거 좋죠."

"하지만 취해서는 안 돼. 자네의 러시아 친구에 대해 많은 질문을 받게 될 테니까. 단지 취했다는 이유로 자네의 말이 의심스럽게 들린 탓에 그자의 가치가 떨어지길 바라지는 않네." 그는 삐걱거리는 마루를 가로질러 문을 향해 발걸음을 옮겼다.

"내 걱정은 마십시오." 나는 비어 있는 서가를 둘러보았다. "책이나 읽고 있겠습니다."

네베의 코가 못마땅하다는 듯이 찌푸려졌다. "그러게. 서재다운 모습이 사라져서 안됐지만. 보아하니 전 주인이 대단한 컬렉션을 남겼던 모양이던데 러시아인들이 보일러의 땔감으로 썼나 보네." 그가 슬프다는 듯이 머리를 흔들었다. "그렇게 인간 이하의 짓을 하다니."

네베가 서재를 떠난 후 나는 그의 제안대로 벽난로에 불을 지폈다. 그 일이 내가 이후 취해야 할 행동에 정신을 집중하는 데 도움이 되었다. 벽난로에 집어넣은 통나무와 잔가지들에 불꽃이 이는 모습을 보면서 하임이 죽은 상황을 네베가 만족해하는 듯한 모습을 보니 조직이 베로니카의 말을 사실로 받아들이고 있다는 생각이 들었다.

그 말은 사실이었다. 나는 그녀가 이곳 어디에 잡혀 있을지 상상이 가지 않았지만 쾨니히는 아직 그린칭에 도착하지 않은 것 같다는 인상을 받았고, 나에게 총이 없는 한 지금 이곳에서 나가 그녀의 거처를 찾을 수는 없을 것 같았다. 회의까지는 두 시간밖에 남지 않았기 때문에 내 최선의 행동 방침은 쾨니히가 오길 기다리는 것뿐이었고, 그가 내 마음을 안심시켜 주길 바랐다. 만약 그가 베로니카를 죽였거나 다치게 했다면 벨린스키가 부하들을 데리고 도착했을 때, 개인적으로 그에게 그 대가를 치르게 할 생각이었다.

난롯가에 놓인 부지깽이를 집어 들고 멍하니 불을 들쑤셨다. 네베의 부하가 커피를 가지고 왔지만 나는 그를 쳐다보지도 않았고, 그가 물러간 뒤 소파 위에 발을 뻗고 눈을 감았다.

난롯불이 움직거리고 두어 번 타는 소리를 내더니 주위가 따뜻해졌다. 감은 눈꺼풀 너머로 선홍색 불빛이 진자주색으로 변하더니 점점 졸음이…….

"귄터 씨?"

나는 소파에서 머리를 들었다. 단지 몇 분간 잠이 들었을 뿐이지만 불편한 자세 때문에 목이 새 가죽처럼 뻣뻣했다. 하지만 손목시계를 보니 한 시간 이상 잠이 들어 있었다. 나는 목을 풀었다.

소파 옆에 앉은 남자는 회색 플란넬 정장을 입고 있었다. 그가 몸을 앞으로 내밀고 악수를 청했다. 크고 강한 손으로, 왜소한 남자치고는 놀라울 만큼 손힘이 억셌다. 정신이 들면서 그의 얼굴이 눈에 들어왔지만 처음 보는 사람이었다.

"몰트케 박사라고 하오." 그가 말했다. "당신 얘기는 많이 들었소, 귄터 씨." 맥주 거품을 날릴 수도 있을 것 같은, 입김이 센 말투로 보아 바이에른 사람이었다.

나는 모호하게 고개를 끄덕였다. 그의 시선에는 나를 당황스럽게 하는 무언가가 있었다. 싸구려 쇼의 최면술사 같은 눈.

"뵙게 돼서 반갑습니다, 헤어 닥터." 이름이 바뀐 누군가였다. 아르투르 네베처럼 죽은 것으로 되어 있는 누군가. 정의의 심판대에서 도망친 특별한 나치였다. 1948년 유럽 어딘가에 정말 정의란 것이 존재한다면. 세계 1순위 수배 대상인 '죽은' 남자와 악수를 했다는 미스터리한 상황에 이상한 기분이 들었다. 실제로 이자는 '게슈타포' 하인리히 뮐러였다.

"아르투르 네베가 당신에 대한 이야기를 하더군." 그가 말했다. "알겠지만 당신과 나는 아주 공통점이 많은 것 같소. 당신처럼 나도 경찰이었지. 거리 순찰부터 시작해서 일상적인 경찰 업무라는 엄한 학교에서 내 직업을 배웠지. 당신처럼 나도 전문 분야가 있었소. 당신이 살인 부서에서 일하는 동안 나는 공산당원들을 감시하는 부서를 이끌었소. 소련 경찰 체계를 전문적으로 연구하기도 했지. 그 연구를 통해 배울 게 많다는 걸 알게 됐소. 경찰이었던 당신이라면 그들의 전문성에 분명 감탄할 거요. 예전에 NKVD라고 불렸던 MVD는 세계 제일의 비밀경찰 조직일 거요. 게슈타포도 그만은 못하지. 이유는 간단하오. 내 생각에 국가사회주의는 그와 같이 생명에 대한 일관된 태도를 강제할 신조를 제공하지 못했기 때문이오. 왜인지 아시오?"

나는 머리를 저었다. 그의 강한 바이에른 억양이 뮐러 자신의 힘으로는 결코 얻을 수 없는 타고난 싹싹함을 그에게 안겨 준 듯했다.

"왜냐하면, 귄터 씨, 공산주의와 달리 우리는 노동자 계층만큼 지식인들을 장악하지 못했기 때문이지. 나는 1939년까지 나치에 입당하지 않았소. 스탈린은 그런 면에서 잘하고 있소. 오늘날 나는 그를 옛날과는 다른 시선으로 보고 있소."

나는 미간을 찌푸리고 이것이 나에 대한 뮐러의 테스트인지 농담인지 헤아렸다. 하지만 그는 매우 진지해 보였다. 좀 지나치게.

"스탈린을 존경하십니까?" 나는 놀라움을 숨기지 않고 물었다.

"그는 우리 서방 세계의 어느 누구보다도 뛰어난 인물이오. 그와 비교하면 히틀러조차 작은 그릇이었지. 스탈린과 그의 당이 우리와 맞서 온 것만 봐도 알 수 있소. 당신은 그들의 수용소에 있었으니 그들이 어떤지 잘 알 테지. 그렇지, 당신은 러시아어도 할 수 있다고 했던가. 러시아 놈들과 상대하고 있다면 자신의 위치를 항상 알고 있을 거요. 그들은 당신을 벽에 세워 놓고 총살을 할 수도 있고, 레닌 훈장을 줄 수도 있소. 영국이나 미국과는 다르지." 뮐러의 얼굴에 갑자기 극심한 혐오의 표정이 떠올랐다. "그들은 도덕과 정의를 떠들어 대면서도 독일인들이 기아에 허덕이는 모습은 못 본 척하고 있소. 그리고 도덕을 내세우면서 어느 날 갑자기 우리의 옛 전우들의 목을 매달더니 다음에는 자신들의 보안 기관에 우리의 옛 전우들을 채용하지. 그런 자들은 믿을 수 없소, 귄터 씨."

"제 말을 용서하십시오, 헤어 닥터. 하지만 나는 우리가 미국인들을 위해 일하고 있다는 인상을 받았습니다."

"틀린 생각이오. 우린 미국인들과 일하고 있지. 하지만 따지고 보면 우리는 독일을 위해 일하고 있는 거요. 새로운 조국을 위하여."

이제 골똘히 생각에 잠긴 듯 보이는 그는 자리에서 일어나 창가로 갔다. 생각에 골몰하는 그 모습은 양심과 싸우는 시골 목사의 말 없는 웅변 같았다. 그는 깍지를 끼고 생각에 잠겨 있다가 다시 깍지를 풀더니 마침내 두 주먹으로 양 관자놀이를 눌렀다.

"미국은 칭찬할 만한 게 전혀 없소. 러시아와는 달리. 하지만 미국은 힘이 있지. 그들에게 그 힘을 준 것은 달러요. 그것이 우리가 러시아를 배척해야 할 유일한 이유요. 우린 미국 달러가 필요하오. 소련이 우리에게 줄 수 있는 것이라곤 모범 사례뿐이지. 돈 없이 충성과 헌신만으로도 목적을 이룰 수 있다는 사례. 그렇다면 독일인이 그와 비슷한 헌신과 미국의 현금으로 뭘 할 수 있는지 생각해 보시오."

나는 애썼지만 하품을 참는 데 실패했다. "왜 내게 이런 말씀을 하십니까, 헤어…… 헤어 닥터?" 모골이 송연하게도 한순간 그를 헤어 뮐러라고 부를 뻔했다. 아르투르 네베를 제외하고, 어쩌면 나를 면담했던 폰 볼슈빙을 빼면, 몰트케가 누구인지 아는 사람이 있을까?

"우린 새로운 내일을 위해 일하고 있소, 귄터 씨. 독일은 이제 나뉠 수도 있소. 하지만 우리에게 다시 막대한 힘이 생길 때가 올 것이오.

엄청난 경제력이. 우리 조직이 공산주의에 반대하는 미국과 같이 일하면 그동안 미국은 독일의 자국 재건을 인정하게 될 거요. 그리고 우리의 산업과 우리의 기술로 히틀러가 결코 성취하지 못했던 것들을 성취할 테지. 그리고 스탈린—그렇소, 원대한 5개년계획을 생각하는 스탈린조차 그 성취를 꿈으로만 꾸게 될 것이오. 독일이 군사력은 내세우지 못할 망정 경제적인 패자가 될 게 분명하오. 스바스티카가 아닌 마르크가 유럽을 정복할 것이오. 내 말이 의심스럽소?"

만약 내가 놀란 것처럼 보였다면 독일의 산업이 다름 아닌 쓰레기 더미에서 성장할 것이라는 완벽하게 터무니없는 생각 때문이었다.

"조직원들 모두가 당신과 같은 생각입니까? 그냥 궁금해서 말입니다."

그가 어깨를 으쓱했다. "꼭 그렇진 않소. 아니오. 우리의 연합국의 가치와 우리의 적들의 폐단에 관해서는 다양한 의견들이 있소. 하지만 한 가지 것에 관해서만은 모두 동의하고 있고, 그건 독일이 새롭게 일어난다는 것이오. 오 년이 걸릴지, 오십 년이 걸릴지는 알 수 없지만."

뮐러는 무심코 코를 후비기 시작했다. 몇 초간 코를 후비는 데 열중하더니 엄지와 검지를 점검하고 네베의 커튼에 두 손가락을 문질렀다. 내 생각에 그 행동이 그가 말한 새로운 독일의 가련한 지표였다.

"어쨌든 당신이 해낸 일에 개인적으로 감사할 기회를 갖고 싶었소. 당신의 친구가 제공한 그 서류를 잘 봤소. 그 서류가 일급 정보라는 데에는 추호의 의심도 없소. 미국인들이 그걸 보면 흥분으로 이성을 잃을 거요."

"그 말을 들으니 기쁘군요."

밀러는 내가 앉은 소파 옆의 의자로 돌아와 다시 자리에 앉았다. "그가 이런 고급 정보를 계속 제공하리라고 확신하오?"

"매우 확신합니다, 헤어 닥터."

"훌륭하오. 이런 정보는 제때에 얻기 어렵지. 남독일산업활용사는 미 국무부에 자금을 신청중이오. 당신 정보원이 제공한 정보는 자금 신청에 중요한 요소가 될 것이오. 오늘 아침 회의에서 나는 이 새로운 정보를 이곳 빈에서 가장 우선적으로 처리할 사항으로 추천하겠소."

그는 난롯가에서 부지깽이를 들고 벌겋게 달아오른 장작을 난폭하게 찔렀다. 일부 인간을 대상으로 그와 같은 짓을 하고 있는 그를 상상하기는 그리 어렵지 않았다. 그가 불꽃을 응시하더니 덧붙였다. "개인적으로 흥미가 있어서 그런데, 한 가지 부탁이 있소, 귄터 씨."

"듣고 있습니다, 헤어 닥터."

"이 말을 고백해야겠군. 내가 직접 이 정보 제공자를 만날 수 있도록 내가 당신을 설득할 수 있길 바랐지."

나는 잠시 생각했다. "물론 그의 의견을 물어야 합니다. 그는 나를 믿고 있으니까요. 시간이 좀 걸릴 것 같군요."

"물론 그렇겠지."

"그리고 네베에게 말한 것처럼, 그는 돈을 원할 겁니다. 많은 돈을요."

"얼마든 준비할 수 있다고 전해 주시오. 스위스 은행 계좌로 넣어 주겠다고. 원하는 만큼."

"지금 당장 그가 가장 원하는 건 스위스 시계입니다." 내가 즉흥적으로 말했다. "독사사_{毒蛇} 걸로."

"문제없소." 밀러가 빙긋 웃었다. "러시아에 관해 내가 한 말을 아시겠지? 그는 자신이 원하는 게 뭔지 정확히 알고 있소. 좋은 시계. 뭐, 내게 맡기시오." 밀러가 부지깽이를 제자리에 돌려 놓고 만족스러운 얼굴로 다시 자리에 앉았다. "그렇다면 내 제안에 이의가 없는 것으로 알아도 되겠소? 당연히 당신은 우리에게 중요한 정보를 제공한 합당한 대가를 받을 것이오."

"말씀을 듣고 생각해 둔 액수가 있습니다."

말해 보라는 듯이 밀러가 양손을 들어 올렸다.

"아시는지 모르겠지만 카드 게임으로 최근에 상당한 액수를 잃었습니다. 가진 돈 거의 전부인 사천 실링을. 오천 정도 받으면 좋을 것 같군요."

그가 입을 꼭 다물고 천천히 고개를 끄덕이기 시작했다. "지나친 금액은 아닌 것 같군. 사정이 그렇다면."

나는 미소를 지었다. 조직 내 자신의 전문 분야를 지키는 데 지나치게 열중하고 있는 밀러가 벨린스키의 정보 제공자와 관련 있는 나를 매수하려고 한다는 사실이 재미있었다. 게슈타포 밀러가 이런 식으로 MVD에 관한 권위자라는 평판을 얻었으리라는 것을 쉽게 상상할 수 있었다. 그는 결단력 있게 자신의 양 무릎 철썩 때렸다.

"좋소. 합의가 돼서 기쁘군. 한담을 나누게 돼서 즐거웠소. 아침 회의가 끝나면 또 이야기를 나눕시다."

독일 장송곡
–

분명히 그렇게 되리라. 아마 헌병대 구치소나 어느 곳이든 크로캐스 사람들이 밀러를 심문하고 싶어 하는 곳에서.

"물론 우린 당신의 정보 제공자와 접촉할 절차를 상의할 것이오. 아르투르가 말하더군. 당신이 이미 접선 방법을 알고 있다고."

"모두 적어 뒀습니다." 내가 말했다. "모든 게 차질 없이 진행될 겁니다." 손목시계를 힐끗 보니 이미 열시가 넘은 뒤였다. 나는 자리에서 일어나 넥타이를 바로잡았다.

"오, 걱정 마시오." 밀러가 내 어깨를 잡으며 말했다. 그는 자신이 원했던 것을 얻어서 이제 거의 쾌활해 보였다. "기다리게 하면 되니까."

하지만 그 말과 동시에 서재 문이 열리고 약간 짜증 난 얼굴의 폰 볼슈빙 남작이 방 안을 들여다보았다. 그가 의미심장하게 자신이 손목시계를 내보이며 말했다. "헤어 닥터, 이제는 정말 회의를 시작할 시간입니다."

"좋소." 밀러가 우렁찬 목소리로 말했다. "우리 얘기는 끝났으니까. 이제 다늘 들어오라고 하시오."

"감사합니다." 하지만 남작의 목소리에는 짜증이 배어 있었다.

"이 조직에서는," 밀러가 조롱하듯 말했다. "회의가 끝도 없지. 고통의 연속이오. 하도 앉아 있어서 타이어로 항문을 닦는 것 같소. 마치 힘러가 아직도 살아 있는 것 같다니까."

나는 미소를 지었다. "그러고 보니 해야 할 일이 있습니다. 화장실을 다녀와야겠군요."

"복도를 따라 가시오." 그가 말했다.

나는 남작의 뒤를 이어 서재 안으로 들어오는 아르투르 네베에게 방해가 되지 않도록 문가에 서 있었다. 그야말로 옛 전우들이 모인 것이다. 매서운 눈, 무기력한 미소, 살진 배, 오만. 그들 모두 전쟁에 졌다거나 부끄러울 만한 일은 전혀 하지 않았다는 듯한 태도였다. 뮐러가 계속 주절댔던 새로운 독일의 공통된 얼굴이었다.

하지만 쾨니히의 얼굴은 아직 보이지 않았다.

시큼한 냄새를 풍기는 화장실 문을 조심스럽게 잠그고 손목시계를 확인한 다음 창가에 서서 집 옆 숲 너머 길을 살펴보았다. 바람에 흔들리는 나뭇잎 때문에 명확히 보이지 않았지만 저 멀리 커다란 검은 차의 펜더가 보이는 듯했다.

천장에 허술하게 매달린 베를린 집의 욕실 블라인드보다 여기 있는 블라인드가 더 단단하게 천장에 매달려 있길 바라며 나는 블라인드의 줄을 잡고 조심스럽게 오 초간 당긴 후 다시 말아 올린 다음 오 초 동안 기다렸다. 약속대로 블라인드를 세 번 여닫은 후에 벨린스키의 신호를 기다렸다. 멀리서 경적이 세 번 울리는 소리가 들려서 매우 안도했다. 그런 뒤 변기 물을 내린 다음 문을 열었다.

서재를 향해 복도를 반쯤 지났을 때 쾨니히의 개가 보였다. 개는 나를 알아봤다는 표정을 하고 코를 쿵쿵대며 복도 한가운데에 서 있었다. 그러더니 몸을 돌려 종종걸음을 치며 아래층으로 내려갔다. 개를 따라가는 것보다 쾨니히를 더 빨리 찾을 수 있는 방법은 없었다. 그래서 나는 개 뒤를 쫓았다.

일층 문 앞에 멈춰 선 개가 낑낑거렸다. 내가 문을 열자마자 개는 다시 집 뒤편으로 이어지는 또 다른 복도를 달려갔다. 개는 또 다른 문 앞에 한 번 더 멈춰 서서 문 바닥을 파는 시늉을 했다. 지하 저장고로 통하는 문 같았다. 문을 열어야 할지 잠시 주저했지만 개가 짖는 순간, 개 짖는 소리를 들은 쾨니히가 이곳에 나타나는 위험을 감수하느니 개를 들여보내는 게 현명하리라는 생각이 들었다. 나는 손잡이를 돌렸고 밀었다. 문은 꼼짝도 하지 않았다. 그래서 당겼다. 문이 내쪽으로 삐걱거리며 살짝 열리자마자 저장고 저 아래 어디에선가 고양이가 우는 것 같은 요란한 소리가 들렸고, 그 소리에 삐걱거리는 문소리가 묻혔다. 얼굴에 닿는 찬 공기와 그 소리가 고양이 울음소리가 아니라는 끔찍한 사실을 인지한 순간 나도 모르게 몸이 떨렸다. 이내 문틈을 비집고 들어간 개가 거친 나무 계단을 내려가더니 모습을 감췄다.

즉시 발각되지 않도록 내 몸을 숨겨 줄, 커다란 와인 선반이 놓인 층계참에 발끝도 대기 전에 그 고통에 찬 소리가 베로니카의 목소리라는 것을 인지했다. 눈앞에 보이는 광경에는 많은 설명이 필요하지 않았다. 죽은 사람처럼 창백한 베로니카가 상반신에 아무것도 걸치지 않은 채 의자에 앉아 있었다. 한 사내가 그녀 바로 앞에 앉아 있었다. 소매를 걷어 올린 사내는 피투성이가 된 금속 물체로 그녀의 무릎을 고문하고 있었다. 쾨니히가 그녀의 뒤에서 의자를 잡고, 주기적으로 비명을 지르는 그녀의 입을 헝겊 조각으로 막고 있었다.

총이 없다는 사실을 걱정할 여유가 없었다. 다행히도 자신의 개를 보고 순간적으로 쾨니히의 주의가 흐트러졌다. "링고," 그가 그 짐승을 내려다보며 말했다. "여기 어떻게 들어왔니? 널 못 들어오게 한 것 같은데." 그가 개를 들어 올리려고 허리를 숙인 순간 나는 잽싸게 와인 선반을 돌아 뛰쳐나갔다.

나는 손을 칼날처럼 만든 다음 있는 힘을 다해 여전히 의자에 앉아 있는 사내의 양 귀를 내리쳤다. 비명을 지르며 바닥에 쓰러진 그는 양 귀에 손을 대고 필시 고막이 터졌을 고통을 참는 듯이 필사적으로 몸부림쳤다. 그자가 베로니카에게 했던 짓을 본 것은 그때였다. 그녀의 오른쪽 무릎 관절에 박혀 있는 것은 코르크 마개를 뽑는 도구였다.

쾨니히는 어깨에 멘 권총집에서 총을 빼 들려는 참이었다. 나는 그에게 달려들어 노출된 겨드랑이에 강한 펀치를 날린 다음 칼날 같은 손날로 윗입술을 내리쳤다. 그를 제압하는 데는 그 두 방이면 족했다. 그가 베로니카의 의자 뒤에서 코피를 흘리며 비틀거렸다. 다시 그에게 손을 댈 필요는 없었지만 베로니카의 입을 막고 있던 손이 없어진 지금 극심한 고통에 겨운 그녀의 울부짖음이 나로 하여금 세 번째 폭력을 휘두르게 했다. 나는 그의 가슴 한복판에 이전의 두 방보다 무시무시한 박치기를 날렸다. 바닥에 쓰러지기도 전에 그는 의식을 잃었다. 개는 즉시 짖길 멈추고 주인의 정신을 차리게 하려고 쾨니히를 핥기 시작했다.

나는 마루에 떨어진 쾨니히의 총을 주워 바지 주머니에 넣고 재빨리 베로니카를 묶은 줄을 풀기 시작했다. "이제 됐소." 내가 말했다. "여기서 나갑시다. 벨린스키가 경찰을 데리고 이곳으로 곧 올 거요."

나는 놈들이 그녀의 무릎에 해 놓은 짓을 보지 않으려고 애썼다. 그녀의 피투성이 다리에서 밧줄을 벗겨 냈을 때 그녀가 내는 애처로운 신음 소리를 들었다. 얼음장 같은 피부에 온몸을 사시나무 떨 듯

떠는 것으로 보아 명백히 쇼크에 빠지고 있는 중이었다. 하지만 내가 재킷을 벗어 그녀의 어깨에 둘러 주었을 때 그녀가 내 손을 꼭 잡고 악다문 잇새로 말했다. "빼 줘요. 제발 무릎에서 이걸 빼 줘요."

이미 참석했어야 할 회의 자리에 나타나지 않는 나를 찾으러 네베의 부하 중 한 명이 올 경우를 대비해 저장고 계단을 주시하면서 그녀 앞에 무릎을 꿇고 그녀의 상처와 무릎에 박힌 코르크 마개를 뽑는 따개를 살폈다. 평범해 보이는 따개로, 나무 손잡이가 피 때문에 끈적끈적했다. 나사처럼 돌려서 박아야 하는 따개의 날카로운 끝이 무릎 관절 옆에 몇 밀리미터 깊이로 박혀 있어서 그것을 돌려서 빼려면 그녀에게 엄청난 고통을 주지 않는 한 방법이 없었다. 손잡이에 손을 살짝 대자 그녀가 엄청난 비명을 질렀다.

"제발 빼 줘요." 내 망설임을 감지한 그녀가 재촉했다.

"좋소." 내가 말했다. "하지만 의자를 꽉 잡아요. 아플 테니까." 나는 다른 의자를 끌어와 그녀가 내 사타구니를 걷어차지 않도록 충분히 그녀 가까이 의자를 갖다 놓고 앉았다. "준비됐소?" 그녀가 눈을 감고 고개를 끄덕였다.

시계 반대 방향으로 한 번 돌리자 그녀의 얼굴이 선홍색으로 바뀌었다. 이내 그녀는 폐 속의 모든 공기 입자를 내뿜는 듯한 비명을 내질렀다. 하지만 두 번째 회전에 다행히도 그녀는 기절하고 말았다. 나는 손에 놓인 그 따개를 잠시 살펴본 다음 고막이 터진 남자에게 그것을 내던졌다. 베로니카를 고문하던 자는 저장고 구석에 누워서 신음 사이사이에 식식거리는 소리를 내고 있었고, 심각한 상태로 보였다. 내가 그자에게 입힌 타격은, 전에는 한 번도 써먹어 본 적 없는 잔인한 일격이었다. 군대에서 배운 바로 그 타격은 때때로 심각한 뇌출혈을 일으킬 수도 있었다.

베로니카의 무릎은 온통 피투성이였다. 그녀의 상처를 싸맬 것을 찾아 주위를 둘러보았다. 내가 귀머거리로 만든 자의 셔츠를 쓰면 될 것 같았다. 나는 그자에게 걸어가 그의 등에서 셔츠를 벗겨 냈다.

셔츠의 몸통 부위를 접어 무릎에 대고 세게 누른 다음 소매 부분을 찢어 그 부위를 단단히 묶었다. 이만하면 드레싱은 훌륭한 응급 처치처럼 보였다. 하지만 이제 그녀의 숨소리가 점점 얕아지고 있어서 이곳에서 나가려면 들것이 필요할 것 같았다.

벨린스키에게 신호를 보낸 지 거의 십오 분이 경과한 현시점에서 어떤 일이든 진행이 되고 있는 듯한 소리는 들리지 않았다. 그의 부하들이 움직이는 데 시간이 얼마나 걸리는 걸까? 저항에 맞닥뜨린 부하들에게 지시를 내리는 외침조차 들리지 않았다. 주위에 라트비아인 같은 자들이 있기 때문에 뮐러와 네베가 몸싸움 한 번 없이 체포되리라는 것은 지나친 기대 같았다.

쾨니히가 신음 소리를 내며 파리채로 얻어맞은 파리처럼 다리를 미미하게 움직였다. 나는 옆에 있는 개를 걷어차고 허리를 숙여 그의 상태를 살폈다. 콧수염 아래 피부가 검푸르게 변했고, 뺨에 많은 양의 피가 흘러 있는 것으로 보아 내 일격에 위턱과 코가 분리된 것 같았다.

"담배를 즐기려면 시간이 좀 걸리겠는데." 정색을 하고 말했다.

주머니에서 쾨니히의 마우저를 꺼내 약실을 점검했다. 점검 구멍을 통해 탄약통 기저부 중앙 뇌관의 익숙한 반짝임이 보였다. 약실에

한 발. 탄창을 빼내 담배가 든 것처럼 깔끔하게 정렬된 또 다른 여섯 발의 총알을 보았다. 손바닥으로 쳐서 탄창을 개머리에 밀어 넣고 엄지로 공이치기를 세웠다. 벨린스키에게 무슨 일이 일어났는지 보러 갈 때였다.

저장고 계단을 올라 잠시 문에 귀를 대고 기다렸다. 순간 숨소리를 들었다고 생각했는데 그것이 내 숨소리라는 것을 깨달았다. 머리 옆으로 총을 올리고 엄지로 안전장치를 푼 다음 문을 열고 나갔다. 라트비아인의 검은 고양이를 봤다고 생각한 순간 내 머리 위로 천장이 무너지는 듯한 느낌을 받았다. 샴페인 코르크가 튕겨 나가는 듯한 작은 파열음이 들렸고, 뇌진탕에 걸린 내 머리가 그것이 부지불식간에 내 손에서 발사된 총소리라는 것을 깨달은 순간 거의 웃음을 터뜨릴 뻔했다. 나는 땅에 내팽개쳐진 연어처럼 바닥에 쓰러져 기절했다. 머리가 전화선처럼 웅웅거렸다. 저 라트비아인이 덩치에 비해 발이 빠르다는 사실을 생각해 냈지만 이미 너무 늦은 뒤였다. 내 옆에 무릎을 꿇은 그가 씩 웃더니 다시 한 번 곤봉을 휘둘렀다.

그리고 어둠이 찾아왔다.

35

메시지가 나를 기다리고 있었다. 메시지는 그 중요성을 강조하듯 대문자로 쓰여 있었다. 나는 초점을 맞추려고 애썼지만 글자는 계속 흔들릴 뿐이었다. 게슴츠레한 눈으로 알파벳 하나하나를 들여다보았다. 시간과 노력을 필요로 했지만 선택의 여지가 없었다. 마침내 알파벳들을 조합해 냈다. 메시지는 다음과 같았다. 'CARE USA.'[68] 왠지 중요해 보였지만 그 이유를 이해할 수 없었다. 하지만 이윽고 그 메시지가 전체의 일부일 뿐이라는 것을 알았고, 거기에 나머지 반의 문자가 더 있다는 것을 알았다. 나는 욕지기를 참고 침을 삼키면서 온 힘을 다해 메시지의 첫 부분을 보았다. 암호는 다음과 같았다. 'GR. WT 26lbs. CU.FT. 0'10".' 이게 무슨 의미일까? 발소리 이후 자물쇠 안에서 열쇠가 돌아가는 소리를 들으면서도 나는 그 암호를 이해하려고 애썼다.

억센 두 손에 잡혀 일으켜 세워진 고통 때문에 머리가 맑아졌다. 팔이 잡힌 채 문으로 끌려갈 때 두 사내 중 하나가 판지로 만든 원조

---

68. Cooperative for American Relief Everywhere. 미국 원조 물자 발송 협회.

독일 장송곡
—

물자 상자를 걷어찼다.

목과 어깨에 통증이 심해서 그들이 내 양 겨드랑이를 잡은 순간 소름이 돋았다. 나는 그제야 내가 수갑을 차고 있다는 것을 깨달았다. 나는 구역질을 하며 비교적 편한 바닥에 다시 누우려고 안간힘을 썼다. 하지만 나는 들린 채였고, 몸부림은 보다 극심한 고통을 안겨 줄 뿐이었다. 그래서 그들이 짧고 눅눅한 통로를 끌고 가게 내버려 두었다. 깨진 술통 두어 개를 지나 거대한 떡갈나무 통이 있는 곳까지 몇 개의 계단을 올랐다. 두 사내는 나를 의자에 거칠게 앉혔다.

목소리, 뮐러의 목소리가 나에게 와인을 가져다주라고 그자들에게 명령했다. "이자가 맑은 정신으로 내 심문을 받길 원하니까."

누군가가 내 입술에 글라스를 갖다 댔고, 나는 고통을 참으며 머리를 기울였다. 마셨다. 글라스를 비우자 입안에서 피 맛이 났다. 나는 어디로 튈지 개의치 않고 내 앞에 침을 뱉었다. "싸구려로군." 내 쉰 목소리가 들렸다. "요리용 와인이야."

뮐러가 웃음을 터뜨렸고, 나는 그 소리를 향해 고개를 돌렸다. 알진구가 희미하게 불을 밝히고 있었지만 내 눈을 부시게 하기에는 충분했다. 나는 눈을 꽉 감았다가 다시 떴다.

"좋아." 뮐러가 말했다. "아직 근성이 남아 있군. 내 모든 질문에 대답하려면 근성이 필요할 거요, 귄터 씨. 내 장담하지."

팔짱을 낀 뮐러가 의자에 다리를 꼬고 앉아 있었다. 그는 오디션 심사를 하러 온 남자처럼 보였다. 전 게슈타포 총수 옆에 덜 편안하게 앉아 있는 사내는 네베였다. 그 옆에는 깨끗한 셔츠를 입은 쾨니히가 심각한 건초열에 걸린 사람처럼 코와 입에 손수건을 댄 채 앉아 있었다. 그들의 발밑 돌바닥에는 베로니카가 누워 있었다. 의식을 잃은 그녀는 붕대 삼아 무릎에 댄 셔츠 쪼가리만 빼면 실오라기 하나 걸치지 않은 알몸이었다. 그녀 또한 나처럼 수갑이 채워져 있었는데, 그녀의 파리한 얼굴을 보면 쓸데없는 예방 조치였다.

나는 오른쪽으로 고개를 돌렸다. 몇 미터 떨어진 곳에 그 라트비아인과 한 번도 본 적 없는 불량배가 서 있었다. 라트비아인은 의심할 여지 없이 앞으로 전개될 나의 보다 굴욕적인 모습을 기대하며 흥분을 감추지 못하고 웃고 있었다.

우리가 있는 곳은 가장 큰 별채였다. 창문들 너머 밤이 어두운 눈으로 일련의 행위들을 냉담하게 바라보고 있었다. 어딘가에서 발전기가 내는 낮은 진동음이 들려왔다. 움직일 때마다 머리와 목에 통증이 밀려왔기 때문에 뮐러를 보고 있는 편이 훨씬 편했다.

"좋을 대로 물어봐." 내가 말했다. "나한테서 아무것도 얻지 못할 테지만." 하지만 이렇게 말하면서도 뮐러의 숙련된 손에 걸리면 다음에 선출될 교황이 누구인지까지 포함해 모든 걸 불게 될 가능성이 크다는 것을 알고 있었다. 그가 내 터무니없는 허세에 머리를 젓고 웃음을 터뜨렸다. "심문을 해 본 지 꽤 됐지." 그랬던 시절을 그리워하듯 말했다. "하지만 내 솜씨가 여전하다는 걸 알게 될 거요." 뮐러가 인정을 구하듯 네베와 쾨니히를 바라보았고, 두 사람은 냉혹한 표정으로 고개를 끄덕였다.

"상이라도 줘야겠는걸. 이 난쟁이 개자식아."

내 말이 끝나자마자 라트비아인이 내 따귀를 갈겼다. 갑작스럽게 머리가 젖히는 바람에 끔찍한 고통이 발끝까지 전해져 비명을 지를 수밖에 없었다.

"아니지, 아니야, 라이니스." 뮐러가 아이를 타이르는 아버지처럼 말했다. "귄터 씨가 말하게 둬야지. 지금은 우릴 욕할지 모르지만 곧 우리가 듣고 싶은 말을 하게 될 테니까. 내 명령 없이 또다시 때리지 말게."

네베가 말했다. "소용없어, 베르니. 차르틀 양이 자네와 그 미국인 친구가 하임의 시체를 어떻게 처리했는지 죄다 말했네. 왜 자네가 이 여자에 대해 꼬치꼬치 캐묻는지 궁금했지. 이제는 알지만."

"사실 우린 많은 걸 알고 있소." 뮐러가 말했다. "당신이 자고 있는 동안 여기 있는 아르투르가 경찰인 척하고 당신 방을 조사했지." 그가 으스대듯 미소를 지었다. "그에겐 그리 어려운 일도 아니었소. 오스트리아인들은 고분고분하게 법을 준수하는 사람들이니까. 아르투르, 귄터 씨에게 자네가 발견한 걸 말해 주게."

"하인리히, 당신의 사진들을 발견했습니다. 내 생각에 그 미국인이 베르니에게 그 사진들을 줬을 겁니다. 어떻게 생각하나, 베르니?"

"지옥에나 가시지."

네베는 동요하지 않고 말을 이었다. "마르틴 알베르스의 비석 도안도 있더군. 그 불행했던 일을 기억하십니까, 헤어 닥터?"

"그래." 뮐러가 말했다. "막스는 아주 경솔했지."

"자네도 추측했겠지만 막스 압스와 마르틴 알베르스는 동일 인물일세, 베르니. 그는 구식인 데다 아주 감상적인 부류의 사내였지. 그는 단지 우리처럼 죽은 척할 수가 없었을 뿐이야. 그래, 그는 자신의 죽음을 제대로 애도하는 비석을 갖게 됐네. 정말 전형적인 빈 사람처

럼 보이지 않나? 난 막스가 뮌헨으로 갈 예정이라고 뮌헨 헌병대에
제보한 사람이 자네였다고 생각하네. 물론 자넨 막스가 여러 개의 신
분증과 여행 허가증을 갖고 있다는 사실을 몰랐겠지. 서류는 막스의
전문이었네. 위조의 달인이었지. 부다페스트 소재 보안 방첩부 수장
이었던 그는 자신의 분야에서 최고 중 한 명이었네."

"그자도 히틀러 암살 모의의 가짜 공모자였겠군." 내가 말했다. "처
형된 사람들 리스트에 들어 있는 또 한 명의 가짜 인물. 아르투르 당
신처럼. 알아줘야겠군. 머리가 좋은 건."

"막스의 아이디어였지." 네베가 말했다. "그래, 기발하지. 하지만
쾨니히의 도움이 아니었으면 쉽지 않았을 거야. 쾨니히는 플로첸제
에서 처형반을 지휘했고 음모자들 수백 명의 목을 매달았네. 그가 모
든 세부 사항을 준비했지."

"도살업자의 갈고리와 피아노 줄을 준비했겠지."

"귄터 씨," 쾨니히의 말은 코를 막고 있는 손수건 탓에 웅얼거리는
소리처럼 들렸다. "당신에게도 같은 방법을 쓸 수 있길 바라겠소."

뮐러가 얼굴을 찌푸렸다. "시간 낭비는 그만하지." 그가 힘차게 말
했다. "오스트리아 경찰은 당신이 러시아인들에게 납치된 걸로 보고
있다고 네베가 당신 숙소 여주인에게 말했소. 그러자 여주인이 매우
협조적으로 나온 것 같더군. 보아하니 당신 방세는 에른스트 리블 박
사가 내고 있는 것 같던데. 우리는 그 남자를 에밀 베커의 법률 대리
인으로 알고 있소. 네베는 당신이 빈에 온 후 리블 박사와 연락하면
서 그를 도와 베커의 린든 대위 살인 혐의를 벗기는 중이라더군. 나
도 그렇게 보고 있소. 그렇게 생각하면 모든 게 들어맞지."

독일 장송곡
—
393

밀러가 똘마니 중 하나에게 고개를 끄덕이자 한 놈이 걸어 나와 철탑 같은 팔로 베로니카를 안아 들었다. 머리를 축 늘어뜨린 그녀는 점점 거세지고 아까보다 더 힘들어하는 숨소리를 빼면 전혀 움직임이 없었기 때문에 죽었다고 생각할 수도 있을 것 같았다. 그녀에게 약을 먹인 것 같다는 생각이 들었다.

"그녀를 여기서 내보내지그래, 밀러." 내가 말했다. "그러면 당신이 알고 싶은 걸 전부 말해 주지."

내 입에서 나온 자신의 이름을 들은 밀러는 무슨 말인지 모르겠다는 표정을 지었다. "일단 들어 보고 판단하지." 그가 몸을 일으키자 네베와 쾨니히도 자리에서 일어났다. "귄터 씨를 모셔 오게, 라이니스."

라트비아인이 나를 일으켜 세웠다. 일으켜지자 기절할 것 같았다. 그가 나를 질질 끌고 바닥에 조성된 원형 떡갈나무 술통 옆으로 데려갔다. 술통은 대형 양어장만 한 크기였다. 통 위에는 장방형의 강철판이 접합되어 있었고, 큰 테이블 같은 반원형 나무 덧판 두 장이 붙어 있었다. 그리고 통과 이어진 굵은 철 기둥이 천장까지 닿아 있었다.

"포도 짜는 기계요." 밀러가 무미건조하게 말했다.

나는 라트비아인의 굵은 팔 안에서 미약하게 몸부림을 쳐 봤지만 할 수 있는 건 아무것도 없었다. 어깨뼈나 빗장뼈가 부러진 것 같은 느낌이 들었다. 이자들에게 더러운 욕설들을 내뱉자 밀러가 인정한다는 듯 고개를 끄덕였다.

"당신의 염려가 이 젊은 여인에게는 큰 힘이 될 거요." 그가 말했다.

"오늘 아침 자네가 찾고 있던 사람이 이 여자였더군." 네베가 말했다. "자네가 제 발로 라이니스에게 걸어 들어갔을 때 말이야. 아닌가?"

"그래, 맞아. 그랬지. 이제 제발 그녀를 놔줘. 맹세코, 아르투르, 그녀는 아무것도 몰라."

"그래, 그건 사실이오." 뮐러가 동의했다. "아니면 적어도 아주 많이는 아니겠지. 어쨌든 쾨니히가 그렇게 말하더군. 그는 최고로 설득력 있는 사람이니까. 하지만 하임의 실종에 당신의 장난이 개입됐다는 건 그럭저럭 입을 다물고 있었소. 그 사실을 알면 귄터 씨 당신은 꽤 우쭐하겠는걸. 안 그런가, 헬무트?"

"네, 장군."

"하지만 결국 모든 걸 털어놓더군." 뮐러가 말을 이었다. "당신이 영웅처럼 무대에 등장하기 바로 전에 말이오. 그녀가 그러더군. 당신과 성적인 관계를 맺은 적도 있고, 자기에게 친절했다고. 그래서 그녀가 당신에게 하임의 시체를 처리해 달라고 부탁했겠지. 그래서 쾨니히가 그녀를 데려갔을 때 당신이 그녀를 찾으러 온 것이겠고. 당신을 칭찬하지 않을 수가 없군. 게다가 네베의 부하 중 한 명을 아주 전문가다운 솜씨로 죽였더군. 그토록 가공할 만한 실력이 있는 자가 결국 우리 조직의 편이 아니라는 사실은 실로 유감이오. 하지만 몇 가지 남아 있는 궁금한 점을, 귄터 씨, 우리에게 깨우쳐 주시오." 그가 주위를 둘러보고 조금 전 베로니카를 통 안에 뉘였던 사내를 보았다. 그는 작은 전기 스위치 패널이 달린 벽 앞에 서 있었다.

"포도주를 어떻게 만드는지 아시오?" 그가 통 주위를 거닐면서 말했다. "'으깬다'는 말이 의미하는 바대로 포도를 쥐어짜는 과정을 통해 만들어지오. 껍질을 터뜨린 다음 즙을 내는 거지. 당신도 알 거라 생각하지만 전에는 거대한 통에 포도를 넣고 밟아서 즙을 냈소. 하지만 최신 압축 기계는 공기압으로 작동하지. 압축을 여러 번 반복하는데, 첫 압축에서 나오는 즙이 최상의 와인이 되오. 즙이 한 방울도 나오지 않게 되면 그 잔여물은—네베는 그것을 '케이크'라고 부른다지 — 양조장으로 보내오. 이 작은 포도밭에서는 그걸 비료로 쓴다오." 뮐러가 아르투르 네베를 건너다보았다. "네베, 내가 맞게 설명했나?"

네베가 관대한 미소를 지었다. "정확히 맞습니다, 장군."

"난 누군가에게 잘못된 정보를 전달하는 걸 아주 싫어하거든." 뮐러가 쾌활하게 말했다. "곧 죽을 운명인 사람에게라도 말이야." 그는 잠시 말을 끊고 통을 내려다보았다. "내 재미없는 농담을 용서하시오. 물론 이 순간 당신의 목숨은 시급한 관심사가 아니오."

덩치 큰 라트비아인이 내 귀에 대고 껄껄거리며 웃음을 터뜨린 순간 내 얼굴 주위에 감도는 놈의 숨결에서 마늘 냄새가 풍겼다.

"따라서 난 당신에게 신속하고 정확하게 대답하라고 조언하겠소, 귄터 씨. 그게 차르를 양의 목숨을 좌우할 것이오." 그가 제어판 옆에 선 사내에게 고개를 끄덕였다. 그가 단추를 누르자 기계가 점차 소음을 더해 가기 시작했다.

"우릴 너무 불쾌하게 생각하지 마시오." 뮐러가 말했다. "지금은 힘든 시기요. 모든 게 부족하지. 우리에게 소디움 펜토탈이 있었다면 당신에게 주었을 거요. 우린 그걸 사려고 암시장을 둘러보기조차 했소. 하지만 난 이 방법이 어느 모로 보나 자백 약만큼 효과가 있을 거라는 데 당신도 동의하리라 생각하오."

"묻기나 하시지."

"아, 빨리 대답하고 싶은 모양이군. 좋소. 그렇다면 말해 보시오.
그 미국인 경찰은 누구요? 하임의 시체 처리를 도운 자 말이오."

"이름은 벨린스키. 크로캐스를 위해 일하고 있지."

"그자를 어떻게 만났소?"

"그는 내가 베커의 결백을 입증하려고 한다는 걸 알고 있었어. 그
가 공조하자고 접근해 왔지. 처음엔 린든 대위가 살해된 이유를 찾고
있다고 하더니 이후에 정말 찾고 싶은 건 당신이라고 하더군. 당신이
린든의 죽음과 관련이 있는지를 포함해서."

"미국인들은 그 진범을 잡은 걸로 만족하지 않소?"

"만족하기도 하고 아니기도 해. 헌병대는 만족해. 하지만 크로캐
스는 달라. 린든을 살해한 총은 베를린에서 누군가를 죽였던 총이었
어. 당신이라고 추정된 시체에서 그 총의 총알이 나왔지, 밀러. 그리
고 그 총은 베를린 서류 센터에 있는 친위대 기록에 올라 있었어. 소
란을 떨어서 당신이 빈 밖으로 도망칠까 봐 크로캐스는 그 정보를 헌
병대에게 알려 주지 않았지."

"그리고 당신은 그들을 대신해 조직에 잠입했다?"

"그래."

"내가 여기 있는 걸 그자들이 확신하오?"

"그래."

"오늘 아침까지 당신은 날 한 번도 본 적이 없는데도 말이지. 그들
이 어떻게 알았는지 설명 좀 부탁하겠소."

독일 장송곡
—
397

"내가 제공한 MVD 정보가 당신을 꾀어낼 미끼였지. 그들은 당신이 이 문제의 전문가를 자처한다는 걸 알아. 이 정도 고급 정보면 당신이 직접 보고를 받길 원할 거라고 생각했지. 오늘 아침 회의에 당신이 나오면 화장실 창문을 통해 벨린스키에게 신호를 보내기로 했어. 난 세 번 블라인드를 올렸다 내렸어. 그가 망원경으로 창문을 살피고 있었을 거야."

"그다음엔?"

"그가 이 집 주위에 요원들을 배치하기로 했어. 당신을 체포하려고. 그들이 당신 체포에 성공하면 베커를 풀어 준다는 게 거래 조건이었어."

네베가 부하들 중 한 명을 힐끗 보고 문을 향해 머릿짓을 했다. "몇 명을 데리고 주위를 살펴봐. 혹시 모르니까."

뮐러가 어깨를 으쓱했다. "당신이 화장실 창문을 통해 신호를 보낸 것만으로 그들이 내가 이곳 빈에 있다고 믿는다는 거요? 그게 다라고?" 나는 끄덕였다. "그렇다면 왜 그 벨린스키라는 작자는 부하들을 데리고 날 체포하러 오지 않는 거요? 무슨 꿍꿍이지?"

"사실대로 말한 거야. 나도 같은 질문을 자문하고 있지."

"이런, 퀸터 씨. 이건 말이 다르지 않소, 안 그렇소? 공정하게 해야지. 내가 그 말을 어떻게 믿어야 하지?"

"공작원들이 오지도 않는데 내가 이 여자를 찾으러 왔을까?"

"몇 시에 신호를 보내기로 했나?" 네베가 물었다.

"회의가 시작되고 이십 분 후에 펑계를 대고 신호를 보내러 나가기로 했지."

"그렇다면 역시 이십분이군. 하지만 자넨 오늘 아침 일곱시도 되기 전에 차르틀 양을 찾으러 왔는데."

"그녀가 미군이 나타날 때까지 버틸 수 없을 거라고 생각했어."

"작전 전체를 위험에 빠뜨릴 수도 있는데도 그녀를 찾으러 왔다는 걸 믿으란 말이오? 저……," 뮐러가 역겹다는 듯이 코를 찡그렸다. "……한낱 초콜레이디 때문에?" 그가 머리를 저었다. "곧이들리지 않는군." 그가 포도 착즙기를 조작하고 있는 자에게 머리를 끄덕였다. 그 사내가 두 번째 버튼을 누르자 유압식 기계가 돌아가기 시작했다. "그럼, 귄터 씨. 당신 말이 사실이라면 당신이 신호를 보냈을 때 왜 그 미국인들이 오지 않았을까?"

"몰라." 내가 소리쳤다.

"짐작이라도 해 보게." 네베가 말했다.

"당신들을 체포할 생각이 없었던 거야." 내 의혹이 입 밖으로 나왔다. "그들이 원했던 건 당신들이 살아 있고 조직을 위해 일하고 있다는 사실을 알고 싶었던 것뿐이었어. 날 이용해서 자신들이 알고 싶었던 것을 알아낸 후에 날 버린 거지."

프레스가 천천히 하강하기 시작했을 때 나는 라트비아인의 팔에서 벗어나려고 몸부림쳤다. 베로니카는 강철판이 내려오고 있다는 사실을 알지 못한 채 의식을 잃고 누워 있었다. 그녀의 가슴이 숨을 쉴 때마다 부풀어 올랐다. 나는 머리를 흔들었다. "이봐, 솔직히 나도 그들이 왜 안 나타났는지 모른다고."

"그렇다면," 뮐러가 말했다. "정리를 해 볼까. 당신이 말한 꽤 어설픈 탄도학 증거는 제쳐 놓더라도, 그들이 내가 생존해 있다는 걸 믿는 유일한 증거라는 게 당신의 신호라는 거로군."

"그래, 그렇겠지."

"하나만 더 질문하겠소. 당신—혹은 미국인들—은 린든 대위가 살해된 이유를 아시오?"

"몰라." 나는 그렇게 대답하고 그가 부정적인 대답을 원하지 않을 거라는 판단하에 덧붙였다. "우린 대위가 조직 내에 있는 전범들에 대한 정보를 구하는 중이었을 거라고 생각했어. 그는 당신에 대해 조사하려고 빈에 온 거야. 처음에 우린 쾨니히가 대위에게 정보를 주고 있다고 생각했지." 나는 내가 생각했던 린든의 죽음이 설명 가능한 추론을 떠올리려고 애쓰며 머리를 흔들었다. "이내 우린 대위가 새 조직원을 뽑는 당신들을 돕기 위해 조직에 정보를 제공했을지도 모른다고 생각했어. 제발 스위치를 꺼."

통의 가장자리까지 철판이 덮이자 베로니카가 시야에서 사라졌다. 그녀에게 남은 목숨의 길이는 단지 이삼 미터뿐이었다.

"우린 이유를 몰라, 이 개새끼야."

뷜러의 목소리는 외과의의 밀투처럼 느리고 침착했다. "우린 확실히 해야 하오, 귄터 씨. 다시 반복하는데……,"

"나도 이유를 모른……,"

"왜 우리가 린든을 죽여야 하지?"

나는 자포자기한 심정으로 머리를 저었다.

"진실만을 말하시오. 당신이 아는 게 뭐요? 아니면 이 젊은 여자가 억울한 일을 당할 텐데. 당신이 알아낸 것을 말하시오."

끽끽대는 날카로운 기계음이 더 커졌다. 베를린에 있던 내 옛 사무실의 승강기 소리를 연상케 했다. 내가 있었어야 할 그곳의.

"귄터 씨," 뮐러의 목소리에는 약간의 절박함이 담겨 있었다. "이 불쌍한 여자를 위해서 말이오. 부탁하오."

"빌어먹을……."

그가 제어판 옆에 있는 깡패 녀석을 힐끗 보고 짧게 깎은 머리를 흔들었다.

"말할 게 없어." 내가 소리쳤다.

살아 있는 장애물을 맞닥뜨린 강철판이 덜컹거렸다. 유압식 동력이 저항에 부딪히자 끽끽대는 기계음이 두 옥타브 정도 올라가더니 마침내 강철판은 잔인한 여행의 끝을 보기 전의 기계음으로 돌아왔다. 소음이 잦아들자 뮐러가 고개를 끄덕였다.

"할 수 없는 거요, 하지 않는 거요, 귄터 씨?"

"이 개자식," 갑자기 혐오감에 목이 매었다. "이 잔인하고 악랄한 개자식아."

"그다지 고통을 못 느꼈을 거요." 그가 무관심을 가장하며 말했다. "그녀에게 약을 먹였소. 우리가 이 작은 의식을 반복한다면 당신이 받을 의식은 이보다 더할 거요. 앞으로……," 그가 손목시계를 힐끗 보았다. "……열두 시간 뒤에 말이오. 그때까지 심사숙고하는 게 좋겠지." 그가 시선을 통의 가장자리로 돌렸다. "물론 순식간에 맞는 죽음은 아닐 거요. 이 여자와 똑같진 않을 거요. 당신을 포도밭에 뿌리기 전에 두세 번 쥐어짤 수도 있소. 포도처럼.

반면 당신이 내가 알고 싶은 걸 말한다면 덜 고통스러운 죽음을 약속하겠소. 약이 아마 덜 고통스럽겠지. 그렇게 생각하지 않소?"

입술이 말리는 느낌이 들었다. 내가 욕지거리를 퍼붓기 시작하자 그는 유난을 떨며 몸을 움찔하더니 머리를 저었다.

"라이니스," 그가 말했다. "귄터 씨를 데리고 나가기 전에 한 대 때리는 게 좋겠네."

36

감방으로 돌아와 간 위의 늑골 부위를 문질렀다. 네베의 부하 라트비아인이 놀랄 만큼 고통스러운 펀치를 먹인 부위였다. 늑골을 문지르면서 방금 베로니카에게 일어난 일을 머릿속에서 지우려고 애썼지만 불가능했다.

전쟁 동안 러시아인에게 고문을 받은 사람들을 꽤 많이 만나 봤다. 그들이 입을 모아 말한 고문의 가장 두려운 점은 죽을지, 고통을 견딜 수 있을지 확신할 수 없었던 것이라고 했다. 그 점은 확실히 사실이었다. 그들 중 한 명이 고통을 줄일 수 있는 방법을 말했다. 숨을 깊이 들이마신 다음 내뱉지 않고 참으면 어지럼증이 유발되고 일시적으로 마취가 된다고 했다. 단지 문제가 있다면 그로 인해 그 친구는 만성 과호흡증후군에 시달리다 결국 심장마비로 죽었다는 것이었다.

난 내 이기심을 경멸했다. 이미 나치의 희생자가 된 무고한 여자가 나와 관계가 있다는 것만으로 죽음을 맞았다. 한편으로 내 안의 목소리가 이렇게 대답했다. 내 도움을 구한 쪽은 그녀였고, 나치들이 내 개입과 관계없이 그녀를 고문하고 죽였다고. 하지만 나는 내 자신을 관대하게 여길 기분이 아니었다. 린든의 죽음에 관해 뮐러를 만족시킬 다른 대답이 있었던 걸까? 내 차례가 오면 뮐러에게 무슨 얘길 해야 하지? 또다시 이기심. 하지만 뱀의 눈 같은 내 이기주의를 피할 방법은 없었다. 죽고 싶지 않았다. 더 중요한 것은 어느 이탈리아 무장처럼 자비를 구하기 위해 무릎을 꿇고 빌다 죽고 싶지 않았다.

임박한 고통이 정신을 집중하는 데 무엇보다 도움이 된다고 한다. 뮐러가 그 사실을 알고 있다는 것은 의심의 여지가 없었다. 무엇이든 자신이 듣고 싶어 하는 것을 말하면 나에게 독약을 주겠다는 그의 약속을 생각하다가 목숨을 구할 수도 있을 뭔가 중요한 것이 기억났다. 수갑을 찬 손을 간신히 바지 주머니에 대고 새끼손가락으로 안감을 당겨 하임의 진료소에서 가져온 알약 두 알을 손에 넣었다.

왜 내가 알약을 가져왔는지 나도 정확히 알지 못했다. 호기심 때문이리라. 아니면 고통 없이 죽음을 맞을 필요가 있다는 무의식의 발로에서 나온 행동이었는지도 모른다. 한동안 안도와 끔찍한 유혹이 교차하는 마음으로 작은 청산가리 캡슐을 바라보고 있었다. 잠시 후 나는 알약 하나를 바짓단에 숨기고 한 알은 입안에 넣어 두기로 마음먹었다. 그 한 알이 십중팔구 내 목숨을 앗아 갈 터였다. 지나치게 얄궂은 상황이었지만 나는 이 독약에 대해 아르투르 네베에게 감사하지 않을 수 없었다. 본래는 비밀 요원들에게 지급될 약을 그가 친위대 고위 간부에게 나눠 주었고, 이제 그들을 거쳐 내 손에 들어온 것이다. 어쩌면 내 손에 든 이 캡슐은 네베에게 돌아갈 것이었는지도 모른다. 죽음을 몇 시간 앞에 둔 사람의 철학이란 건 이렇게 망상에 가까운 추측이었다.

입안으로 흘려 넣은 캡슐을 안쪽 어금니 사이에 조심스럽게 고정했다. 때가 되면 과연 나에게 그것을 씹을 배짱이 있을까? 혀로 이 바깥쪽, 볼 안 깊숙이 캡슐을 밀어 넣었다. 손가락으로 얼굴을 문지르자 살갗을 통해 캡슐이 느껴졌다. 누군가의 눈에 띄지 않을까? 갇혀 있는 곳의 유일한 불빛은 거미줄 외에 아무것도 없는 한 나무 서까래에 고정된 알전구에서 나오는 불빛뿐이었다. 그럼에도 나는 내 입에 든 캡슐의 형체가 쉽게 눈에 띄지 않을까 걱정하지 않을 수 없었다.

자물쇠에 열쇠가 긁히는 소리가 들린 순간 곧 그 여부가 밝혀지리라는 생각이 들었다.

라트비아인이 한 손에 큼직한 콜트 권총을, 다른 손에는 작은 쟁반을 들고 들어왔다.

"문에서 떨어져." 그가 탁한 목소리로 말했다.

"이게 뭐지?" 뒷걸음질 치며 내가 말했다. "식사? 호텔 경영진에게 내가 가장 원하는 건 담배 한 개비라고 말해 주면 좋겠군."

"뭐든 구할 수 있어서 운이 좋을 줄 알아." 그가 으르렁댔다. 조심스럽게 쭈그리고 앉은 그가 더러운 바닥에 쟁반을 놓았다. 커피 한 주전자와 큼직한 슈트루델[69] 한 조각이었다. "갓 내린 커피야. 슈트루델은 집에서 구운 거고."

잠시 그를 공격할까 하는 생각이 들었지만 내 쇠약한 몸을 떠올리자 얼어붙은 폭포처럼 그 생각이 차갑게 식어 버렸다. 힘으로 이 덩치 큰 라트비아인을 제압할 가능성은 소크라테스식 대화법으로 제압할 가능성만큼이나 없었다. 내 입안에 든 캡슐을 눈치채지 못했는지

---

69. 과일을 잘라 밀가루 반죽에 얇게 싸서 오븐에 구운 음식.

는 몰라도 그는 내 얼굴에 스친 희망을 감지한 것 같았다. "자, 어서." 그가 말했다. "날 어떻게든 해 보지그래. 네놈이 덤비면 좋겠군. 네놈의 무릎뼈에 한 방 먹이고 싶으니까." 머리 나쁜 회색곰처럼 웃음을 터뜨리며 그는 날 가둔 곳에서 나가 문을 쾅 닫았다.

몸집으로 보아 라이니스는 엄청 먹어 댈 인간처럼 보였다. 사람을 죽이거나 다치게 하지 않을 때의 유일한 기쁨이라면 음식일 터였다. 식충이라고 해도 좋으리라. 만약 내가 슈트루델에 손도 대지 않는다면 라이니스가 그것을 먹을 유혹을 떨칠 수 없으리라는 생각이 떠올랐다. 슈트루델 안에 청산가리 캡슐 하나를 넣어 둔다면, 아마 저 멍청한 라트비아 놈은 내가 죽은 뒤 머지않아 내 케이크를 먹고 죽을지도 몰랐다. 내가 이 세상을 뜨고 난 뒤 그자가 즉각 내 뒤를 따를 것을 생각하니 위안이 되었다.

커피를 마시면서 어떻게 할 것인지 생각하기로 했다. 캡슐이 뜨거운 물에 녹던가? 모르겠다. 나는 입안에서 캡슐을 꺼내 한심한 계획을 행동으로 옮기자고 생각하며 집게손가락으로 슈트루델 안에 캡슐을 밀어 넣었다. 매우 허기가 졌기 때문에 행복한 마음으로 캡슐이 든 슈트루델을 먹어 치울 수도 있을 것 같았다. 내 손목시계가 빈식 아침 식사를 먹은 지 열다섯 시간이 경과했다고 알려 주었기 때문에 지금 마시는 커피는 아주 맛이 좋았다. 내게 저녁을 갖다 주라고 라트비아인에게 지시한 사람은 아르투르 네베이리라.

한 시간이 더 경과했다. 그들이 나를 다시 위층으로 데려가기까지는 여덟 시간이 남아 있었다. 아무런 희망이 없거나 처형이 유예되기 전에는 자살하지 않을 생각이었다. 자려고 노력했지만 잠이 오지 않았다. 교수형을 앞둔 베커의 마음을 알 것 같았다. 적어도 나는 그보다 나은 형편이었다. 나에게는 독약이 있었다.

내가 다시 자물쇠를 여는 소리를 들었을 때는 한밤중이 다 되어서였다. 그들이 내 옷을 검사할 경우를 대비해서 나는 재빨리 바짓단에 넣어 둔 캡슐을 입안으로 옮겼다. 나타난 사람은 쟁반을 가지러 온 라이니스가 아닌 아르투르 네베였다. 그는 자동 권총을 들고 있었다.

"이걸 쓰게 하지 말게, 베르니." 그가 말했다. "써야 한다면 내가 망설이지 않을 거란 걸 알고 있겠지. 벽에 붙어 있는 게 좋을 거야."

"뭡니까? 사교 방문?" 나는 몸을 끌어 문가에서 떨어졌다. 그는 담배 한 갑과 성냥 몇 개를 던졌다.

"이걸 원할 것 같았지."

"옛 추억을 말하러 온 게 아니길 바라겠습니다, 아르투르. 지금은 그다지 감상적인 기분이 아니니까." 나는 담배에 눈길을 돌렸다. 윈스턴. "당신이 미국 담배를 피운다는 걸 뮐러가 압니까, 아르투르? 조심하는 게 좋을 겁니다. 문제에 휘말릴 수도 있을 테니까. 그는 미국인에 대해 이상한 생각을 갖고 있더군요." 나는 담배에 불을 붙이고 느긋한 만족감을 느끼며 연기를 들이마셨다. "그래도 이 담배는 고맙군요."

네베가 문가로 의자를 끌어와 앉았다. "뮐러는 조직이 나아갈 방향에 대해 자신만의 생각이 있지. 하지만 애국심이나 자신의 결정에 대해서는 확고하네. 가차 없는 사람이야."

"그렇게 보이지 않던데요."

"그는 자신만의 이해 못할 감각으로 남을 판단하는 안타까운 성향이 있네. 그건 그가 정말 그 여자가 죽거나 말거나 자네가 아는 것을 말하지 않고 입을 다물고 있었다고 생각한다는 뜻이지." 그가 미소를 지었다. "난 물론 자네가 그보다는 나은 사람이라는 걸 아네. 난 뮐러에게 자네를 감상적인 부류의 사내라고 말했지. 약간 바보 같을 정도로. 알지도 못하는 사람을 위해 위험을 무릅쓸 사내라고. 그게 초콜레이드라 할지라도. 민스크에서도 같은 일이 있었다고 말했네. 무고한 사람을 죽이느니 전방으로 갈 준비가 되어 있었다고. 그 사람들에게 빚진 것도 없는데 말이지."

"날 영웅으로 만드는 건 집어치우시죠, 아르투르. 난 인간일 뿐입니다."

"뮐러의 눈에는 신념이 있는 인간으로 비칠걸. 뮐러는 사람이 입을 열지 않고 얼마나 버틸지 아네. 입을 열지 않으려고 친구들을 희생시키고 자신까지 희생하는 사람들을 많이 봐 왔지. 그는 광적인 사람일세. 그가 이해하는 유일한 게 광신주의야. 그래서 그는 자네를 광적인 인간으로 생각하지. 뮐러는 자네가 사실을 말하지 않을 거라고 확신하네. 말한 것처럼 난 자네를 그보다는 잘 알아. 난 자네가 린든이 살해된 이유를 알았다면 말했을 거라고 생각하네."

"이런, 날 믿어 주는 사람이 있다니 기쁘군요. 이제 올해의 포도주가 된다 해도 괜찮을 것 같은데요. 이봐요, 아르투르, 왜 나한테 이런 말을 하는 겁니까? 당신이 뮐러보다 사람을 잘 본다는 말을 듣고 싶은 겁니까?"

"난 생각했네. 뮐러가 정확히 듣고 싶어 하는 말을 자네가 한다면 많은 고통을 피할 수 있을 거라고. 난 오랜 친구의 고통을 보고 싶지 않네. 게다가 정말로 그는 자네를 고통스럽게 할 걸세."

"그 말을 믿어 의심치 않습니다. 내가 잠 못 드는 이유가 이 커피 때문만은 아니죠. 젠장, 지금 뭐하는 겁니까? 적이 된 옛 친구라는 뻔한 만남? 말했듯이 난 린든이 왜 살해됐는지 모릅니다."

"그래, 하지만 내가 가르쳐 줄 수도 있지."

눈을 찌른 담배 연기에 몸이 움찔했다. "확실히 합시다." 내가 머뭇거리며 말했다. "그러니까 린든에게 무슨 일이 있었는지 말해 주겠단 말입니까? 그래서 그것을 뮐러에게 불고 죽음보다 더 나쁜 운명을 짊어지라는 겁니까, 맞습니까?"

"비슷해."

어깨를 으쓱하자 고통이 밀려왔다. "나에겐 더 잃을 게 없다는 걸 압니다." 내가 씩 웃었다. "물론 날 도망치게 해 준다면 더 좋고요, 아르투르. 옛정을 생각해서."

"자네가 말한 것처럼 옛날 일을 말할 생각은 없네. 어쨌든 자넨 너무 많은 걸 알고 있어. 자넨 뮐러를 봤네. 나도 봤지. 내가 죽은 사람이라는 걸 기억하나?"

"걱정 마요, 아르투르. 하지만 정말 죽은 사람이면 좋겠군요." 나는 담배꽁초에 남은 불로 또 다른 담배에 불을 붙였다. "좋아요. 말해 봐요. 린든은 왜 죽은 겁니까?"

"린든은 독일계 미국인일세. 그는 코넬 대학에서 독일어 공부도 했지. 전쟁중에는 별로 중요하지 않은 기밀을 다루는 일을 했고, 이후 비나치화 관련 장교로 복무했네. 그는 영리한 사내였고, 곧 우리의 옛 전우들에게 비나치화 증명서 따위를 팔아서 부정한 돈벌이를 시작했지. 그리고 CIC의 내근 조사원과 베를린 서류 센터의 크로캐스 연락장교가 됐네. 당연히 그는 옛 암거래상들과 연락을 유지했고, 이 때쯤 조직원들에게 그는 우리가 추구하는 이상으로 호의적인 사람으로 알려지기 시작했지. 베를린에서 그와 접촉한 우리는 가끔씩 작은 일을 수행해 주는 대가로 많은 돈을 주었네.

조작된 사망자의 수가 얼마나 되는지 내가 한 말을 기억하나? 우리가 새 신분을 얻었다는 것도? 그게 자네가 관심을 갖고 있던 알베르스—그 막스 압스의 아이디어였지. 하지만 물론 새 신분의 본질적인 약점이 있다면, 급작스럽게 신분이 바뀐 경우에는 특히, 과거의 이력이 부족하다는 점일세. 생각해 보게, 베르니. 세계대전이 있었고, 스물에서 예순다섯 사이의 신체 건강한 독일인이 소집됐는데도 복무 기록이 없네. 나, 알프레드 놀데가 말이야. 나는 전쟁중에 어디서 뭘 하고 있었지? 우린 진짜 신분을 없앤 다음 그 말소된 기록을 미국의 손에 넘기는 방법이 아주 기발하다고 생각했는데 그건 단지 새로운 문제를 유발했을 뿐이었네. 우린 서류 센터가 그토록 대대적으로 그 사실을 증명하려고 할 줄은 몰랐네. 그 영향이 비나치화 설문지의 전 항목을 체크하도록 했지. 그 무렵 우리 조직원 중 많은 이가 미국인들을 위해 일하고 있었네. 당연히 지금은 그들도 우리 조직원들의 과거에 눈을 감아 주는 쪽이 편하지. 하지만 내일은 어떨까? 정치가들은 정책을 자꾸 바꾸는 버릇이 있지. 지금 우린 공산주의와 같이 싸우는 우방일세. 하지만 오 년이나 십 년 뒤에도 상황이 같을까?

그래서 알베르스가 새로운 계획을 제시했네. 그는 자신을 포함한 비교적 고위 간부들을 위해 새로운 신분에 걸맞게 과거의 기록들을 위조했네. 우린 모두에게 친위대나 아프베어에서의 실제 직급보다 낮은 지위가 주어졌어. 알프레드 놀데인 나는 친위대 인사과의 병장이었지. 내 파일에는 내 개인적인 세부 사항이 모두 들어 있네. 치과 기록까지. 난 조용히 살아 온 것으로 되어 있네. 전쟁에 별 책임이 없는 사람으로. 나치였던 건 맞지만 결코 전범은 아닌 사람으로. 그건 다른 누군가였지. 아르투르 네베라는 사람과 닮은 건 사실이지만 그런 건 중요하지 않아. 어쨌든 센터 내 보안은 엄중하네. 파일들을 꺼내 오는 건 불가능하지. 하지만 가지고 들어가는 건 비교적 쉽네. 센터에서 나올 때만 몸수색을 하니까. 그게 린든의 일이었지. 베커가 한 달에 한 번 알베르스가 위조한 새 파일들을 베를린으로 배달했네. 그러면 린든이 중앙 기록소에 그것들을 보관했지. 물론 우리가 베커의 배후에 러시아 친구들이 있다는 사실을 알기 전의 일이었지."

"왜 베를린에서 위조를 하지 않고 여기서 했습니까?" 내가 물었다. "그러면 운반책이 필요 없었을 텐데요."

"알베르스가 베를린 근처에도 가기 싫어했기 때문이지. 그는 이곳 빈을 좋아했네. 특히 오스트리아를 도피의 발판으로 삼고 있었지. 이탈리아의 국경을 넘은 다음 중동, 남아메리카로 가기 쉬우니까. 남하한 사람들이 많지. 철새처럼. 안 그런가?"

"그래서 뭐가 문제였습니까?"

"린든이 욕심을 부렸어. 그게 문제였지. 그는 자신이 받는 파일이 위조된 것이라는 걸 알았지만 어느 정도나 되는지 몰랐네. 처음엔 호기심에서 비롯했을 거라고 생각하네. 그는 우리가 넘긴 서류의 사진을 찍기 시작했어. 그리고 유대인 변호사 부부—나치 사냥꾼—의 힘을 빌려 위조된 파일의 인물들이 어떤 사람들인지 밝혀내려고 했네."

"드렉슬러 부부."

"그들은 주둔군 그룹 전범 조사 위원회에서 일하고 있었네. 아마 드렉슬러 부부는 자신들의 도움을 구하는 린든의 동기가 개인적인 영리 추구 때문이라고는 생각하지 않았을 거야. 그들이 돕지 않을 이유가 무엇이겠나? 대위의 신분을 의심할 이유가 없었지. 어쨌든 부부는 새로운 친위대와 나치당 기록을 보고 뭔가를 주목했다고 생각하네. 우린 새로운 신분을 만들 때 같은 이니셜을 고수했네. 위조를 할때 보통 쓰는 수법이지. 새 이름에 적응하기 편하게 해 주니까. 계약서 같은 걸 작성하다 무의식적으로 자신의 이니셜을 쓰게 될 때도 안전하지. 드렉슬러는 실종자나 사망자로 처리된 우리 동료들의 새 이름을 원래 이름과 비교해 보고 린든에게 알프레드 놀데의 개인 기록을 아르투르 네베의 파일과, 하인리히 몰트케의 기록을 하인리히 뮐러의 파일과, 막스 압스를 마르틴 알베르스의 기록과 비교해 보라고 말했을 테지."

"그래서 당신들이 드렉슬러 부부를 죽였군요."

"맞아. 린든이 더 많은 돈을 요구하기 위해 이곳 빈에 나타난 뒤에. 그의 입을 막기 위해 돈이 필요했지. 그를 만나고 죽인 사람은 뮐러였네. 우린 린든이 이미 베커와 접촉하고 있었다는 사실을 알았네. 린든이 우리에게 말했으니까. 그래서 우린 파리채를 한 번 휘둘러 파리 두 마리를 잡기로 결정했네. 우선 린든이 살해된 창고에 담배 몇 상자를 남기고 베커에게 죄를 뒤집어씌우려고 했지. 그런 다음 쾨니히가 베커를 만나 그에게 린든이 사라졌다고 말했네. 그렇게 하면 베커가 린든에 대해 여기저기 묻거나 그의 호텔 등으로 찾으러 다닐 테고 그러면 그가 사람들의 눈에 띌 거라고 생각했지. 동시에 쾨니히는 베커의 총과 뮐러의 총을 바꿔치기했네. 그 후 우린 베커가 린든을 쏴 죽였다고 경찰에게 밀고했지. 베커가 이미 린든의 시체가 있는 곳을 알았다는 것과 담배를 목적으로 범행 현장에 돌아온 것은 뜻밖의 보너스였네. 당연히 미국인들이 그를 기다리고 있었고, 현행범으로 그를 체포했네. 베커로서는 옴짝달싹할 수 없는 상황이었지. 미국인들이 조금만 유능했더라도 베를린에서의 린든과 베커의 연결 고리를 알아냈을 걸세. 하지만 그들이 빈 밖으로 수사의 손길을 뻗을 거라고는 전혀 생각지 않네. 그들은 베커를 체포한 것으로 만족하고 있지. 아니면 적어도 현재까지는 만족하고 있다고 생각했네."

"린든은 왜 아는 사실을 누군가에게 편지로 남기지 않았을까요? 만약 자신이 죽임을 당할 경우 경찰에게 고지가 되도록 말입니다."

"오, 그자는 그랬네." 네베가 말했다. "그자가 베를린에서 고른 특별한 변호사 또한 우리 조직원이었지. 린든이 죽은 후 그는 그 편지를 읽고 그것을 베를린 지부장에게 보냈네." 네베가 나를 차분한 눈으로 응시하더니 진지하게 고개를 끄덕였다. "그게 다야, 베르니. 자네가 아는지 모르는지 뮐러가 알고 싶어 했던 게 그걸세. 이제 자네도 알게 됐으니 뮐러에게 이 말을 하면 고문은 피할 수 있을 거야. 나라면 그 편을 택할 걸세. 내가 해 준 말이라는 건 비밀로 하고 말이야."

"내가 살아 있는 한, 아르투르, 당신을 배반하지는 않을 겁니다." 나는 내 목소리가 약간 갈라진 것을 느꼈다. "감사합니다."

독일 장송곡
—

네베가 답례로 고개를 끄덕이고 불편한 눈으로 주위를 둘러보았다. 이내 그의 시선이 손도 대지 않은 슈트루델로 향했다.

"배고프지 않나?"

"그다지 식욕이 없군요." 내가 말했다. "생각할 거리가 많아서겠죠. 라이니스에게 주십시오." 나는 세 번째 담배에 불을 붙였다. 내가 잘 못 본 걸까, 아니면 정말 그가 입술을 핥은 걸까? 지나친 바람이리라. 하지만 분명 시도해 볼 가치는 있었다.

"시장하다면 당신이 들든가요."

이제 네베가 정말로 입술을 핥았다.

"그래도 되나?" 그가 정중하게 물었다.

내가 관심 없다는 듯이 고개를 끄덕였다.

"뭐, 자네가 그렇다면." 그가 그렇게 말하며 바닥에서 쟁반을 집어 들었다. "내 가정부가 만든 걸세. 데멜[70]에서 일했던 여자지. 먹어 본 슈트루델 중 최고야. 버리기에는 아깝지 않은가, 응?" 그가 크게 한입 베어 물었다.

"그다지 단것을 좋아하지 않아서요." 나는 거짓말을 했다.

"빈에서 그건 비극이나 다름없네, 베르니. 자넨 케이크에 관한 한 세계 제일의 도시에 있는 걸세. 전쟁 전에 여길 와 봤어야 해. 게르슈트너, 레만, 하이너, 아이다, 하그, 슬루카, 브레덴딕은 자네가 먹어 본 적 없는 맛을 선사하는 페이스트리 전문 요리사들이지." 그가 크게 한입 더 베어 물었다. "빈에 와서 단것을 안 먹는다고? 저런, 그건

---

70. 합스부르크 시대에 황실에 음식을 납품하던 음식점.

장님이 프라터 놀이공원에서 대관람차를 타는 거나 마찬가질세. 자네 뭘 놓치고 있는지도 모르는군. 조금 먹어 보겠나?"

나는 세차게 고개를 저었다. 심장이 하도 빨리 뛰어서 그 소리가 들리는 듯했다. 다 먹지도 못하겠지?

"정말 아무것도 생각이 없습니다."

네베가 안됐다는 듯이 고개를 젓고 한입 더 베어 물었다. 하얗고 고른 저 치아는 진짜 이가 아니리라. 네베의 진짜 치아는 이것보다 더 누랬었다.

"어쨌든," 내가 심드렁하게 말했다. "체중 관리를 해야 하니까요. 빈에 온 이래 몇 킬로그램이 늘었습니다."

"나도 마찬가지야. 자네도 알겠지만 자넨 정말……,"

네베는 말을 끝맺지 못했다. 그는 기침을 하더니 머리를 한 번 휙 치켜들고 자신의 목을 졸랐다. 갑자기 뻣뻣하게 굳은 그가 튜바라도 불려고 하는 것처럼 입술 사이로 무시무시한 소리를 토해 내자 입 밖으로 씹다 만 케이크 조각이 튀어나왔다. 슈트루델이 든 쟁반이 쨍그랑 소리를 내며 바닥에 떨어진 다음 네베가 그 뒤를 이었다. 그가 총을 쏴 뮐러와 부하들을 불러 모으기 전에 그의 위에 올라타 그가 움켜쥔 자동 권총을 뺏으려고 몸싸움을 했다. 공이치기가 당겨진 총을 본 순간 오싹하게도 네베의 죽어 가는 손가락이 방아쇠를 당겼다.

하지만 공이치기가 딸각하는 소리뿐이었다. 안전장치가 걸려 있었다.

네베의 다리가 희미하게 경련했다. 껌벅거리던 한쪽 눈은 감겼지만 한쪽 눈은 고집스럽게 뜬 채였다. 그가 마지막 숨을 몰아쉬자 입에서 강한 아몬드 향이 나는 거품이 흘러내렸다. 마침내 그는 잠잠해졌고, 얼굴은 이미 푸른색을 띠고 있었다. 역겨운 나머지 입안에 든 캡슐을 뱉어 버렸다. 약간의 연민이 느껴졌다. 몇 시간 후, 내가 보였을 이런 모습을 네베가 바라보고 있을 터였다.

이제 검푸르게 변한 네베의 죽은 손을 비틀어 총을 빼낸 후 주머니를 뒤져 수갑 열쇠를 찾았다. 하지만 불행히도 열쇠는 없었다. 나는 몸을 일으켰다. 머리, 어깨, 늑골, 심지어 성기까지 끔찍하게 아팠지만 손에 쥔 발터 P38의 개머리에 깊은 만족을 느꼈다. 린든을 살해한 총과 같은 종류의 총이었다. 이곳에 들어오기 전 네베가 그랬던 것처럼 공이치기를 젖힌 다음 그의 전철을 밟지 않기 위해 안전장치를 풀고 조심스럽게 밖으로 발을 내디뎠다.

눅눅한 통로 끝까지 간 다음 계단을 올라 베로니카가 죽은, 포도 착즙기와 발효 장치가 있는 방으로 들어갔다. 나는 착즙기를 쳐다볼 엄두도 못 내고 문 옆에 켜진 유일한 불빛이 있는 곳으로 갔다. 여기서 뮐러를 만난다면 나는 그에게 기계 안으로 들어가라고 명령한 다음 바이에른산 피부에서 육즙을 짜내리라. 몸이 하나 더 있다면 위험을 무릅쓰고 집 안으로 들어가 가능한 한 뮐러를 생포할 터였다. 아마 그 자리에서 쏴 죽일 확률이 더 높았지만. 그런 기분이 드는 날이었다. 지금은 살아서 여기를 빠져나가는 게 급선무였다.

불을 끄고 현관문을 열었다. 재킷을 입지 않아서 몸이 떨렸다. 밤은 차가웠다. 라트비아인이 나를 처형하려고 했던, 나무가 늘어선 곳으로 살금살금 움직여 덤불 속에 숨었다.

포도밭은 급속 가열기의 불빛으로 훤한 상태였다. 사내들 몇몇이

고랑을 따라 왔다 갔다 하며 큰 손수레에 가열기를 담아 열이 필요하다고 판단한 곳으로 바쁘게 움직이고 있었다. 내가 앉아 있는 곳에서 거대한 반딧불이처럼 길쭉한 불꽃이 대기 중에 천천히 움직이는 게 보였다. 네베의 집에서 시작하는 다른 탈출 경로를 선택했어야 했다.

벽을 따라 조용조용 움직여 집으로 돌아가 부엌을 지난 다음 집 앞 정원으로 향했다. 일층에는 불이 모두 꺼져 있었지만 위층에 있는 조명 하나가 거대한 사각 수영장 같은 잔디밭에 빛을 던지고 있었다. 나는 집 모퉁이에 멈춰 서서 코를 킁킁거렸다. 누군가가 포치에 서서 담배를 피우고 있었다.

영겁 같은 시간이 흐른 후 그 사내가 자갈 위를 걷는 소리가 들렸다. 모퉁이에 숨어서 힐끗 살펴보니 의심할 여지 없이 라이니스 같은 형체가 열린 문을 향해 나 있는 소로를 내려가는 중이었다. 문밖 도로에는 대형 회색 BMW가 서 있었다.

나는 집에서 불빛이 미치지 않는 앞쪽 잔디밭으로 걸음을 옮겨 라이니스가 차에 다가갈 때까지 그의 뒤를 따랐다. 그는 트렁크를 열고 무언가를 찾는 것처럼 안을 뒤지기 시작했다. 그가 트렁크를 닫았을 때 우리 사이는 불과 오 미터도 떨어져 있지 않았다. 몸을 돌린 순간 그는 자신의 기형적인 머리에 겨누어진 발터를 보고 얼어붙었다.

"점화 스위치에 차 키를 꽂아." 내가 조용히 말했다. 내가 탈출했다고 판단한 라트비아인의 얼굴은 더욱 추악하게 변했다. "어떻게 나왔지?" 그가 비웃듯 말했다.

"슈트루델 안에 열쇠가 들었더군." 그의 손에 든 차 키를 총으로 가리키며 내가 말했다. "차 키." 내가 반복했다. "천천히 움직여."

그가 뒷걸음질 치며 운전석의 문을 열었다. 이내 그가 차 안으로 몸을 숙였고, 점화 스위치 안으로 차 키가 들어가는 소리가 들렸다. 몸을 일으킨 그는 건방진 태도로 승강용 발판에 한쪽 다리를 올리고 차 지붕에 몸을 기대며 녹슨 수도꼭지 같은 색과 형체의 미소를 지었다.

"가기 전에 세차를 하고 싶나?"

"지금은 아니야, 프랑켄슈타인. 네놈에게 원하는 건 이 열쇠를 주는 거야." 나는 여전히 손목에 채워진 수갑을 보였다.

"무슨 열쇠?"

"수갑 열쇠."

그는 어깨를 으쓱하고 씩 웃고 있을 뿐이었다. "수갑 열쇠 따윈 갖고 있는 않은데. 못 믿겠지. 몸수색을 해. 날 찾아봐."

그의 말투에 소름이 돋았다. 라트비아인이기도 하고 머리가 모자라서 그럴 수도 있겠지만 라이니스는 독일어 문법을 지나치게 몰랐다. 그는 접속사를 길모퉁이에서 카드 점을 치는 집시처럼 생각하는지도 몰랐다.

"당연히 갖고 있겠지, 라이니스. 나에게 수갑을 채운 놈이 너였다는 거 기억 안 나나? 네놈이 조끼 주머니에 열쇠를 넣는 걸 봤어."

그는 말이 없었다. 나는 놈을 몹시도 죽이고 싶어졌다.

"이봐, 이 멍청한 라트비아 개새끼야. 내가 '뛰어'라고 말할 땐 멍하니 줄넘기 줄을 내려다보고만 있지 않는 게 좋을 거다. 이건 총이지 머리빗이 아니니까." 내가 앞으로 발을 내디디며 꽉 다문 잇새로 을러댔다. "이제 찾아. 그렇지 않으면 네놈의 추한 얼굴에 열쇠가 필요

없는 구멍을 내 줄 테니까."

라이니스가 주머니들을 쳐 보는 시늉을 하더니 조끼 주머니에서 작은 은색 열쇠를 꺼냈다. 그가 열쇠를 피라미라도 된다는 듯 들어 보였다.

"그걸 운전석에 올려놓고 차에서 떨어져."

이제 나와 거리가 좁혀진 그는 내 얼굴에 드러난 표정에서 엄청난 증오를 보았다. 이번만큼은 내 지시에 따르길 망설이지 않은 그가 좌석 위로 작은 열쇠를 던졌다. 놈이 멍청해서거나 뜬금없이 순종적이 됐다고 생각했다면 나는 실수를 저지른 것이었다. 아마 몹시 피로했기 때문이리라.

그가 바퀴 중 하나를 내려다보며 고개를 끄덕였다. "나한테 저 헐거운 바퀴를 손보게 하는 게 좋을걸."

눈길을 슬쩍 아래로 향했다가 재빨리 눈을 든 순간 라트비아인이 내 목을 향해 거대한 손을 뻗치고 흉포한 호랑이처럼 달려들었다. 나는 곧 방아쇠를 당겼다. 발터는 눈 깜박할 새에 또 하나의 총알을 약실로 옮겼다. 나는 다시 쏘았다. 두 발의 총성이 라트비아인의 영혼을 최후의 심판대로 인도하듯 정원에 메아리친 후 하늘로 울려 퍼졌다. 땅으로 향한 총성은 순식간에 다시 지하로 숨어들리라는 것을 의심치 않았다. 얼굴부터 자갈 바닥으로 떨어진 놈의 거구가 잠잠해졌다.

나는 차로 달려가 내 엉덩이 밑에 깔린 수갑 열쇠를 무시하고 운전석으로 뛰어들었다. 우물쭈물할 사이 없이 차를 출발시킬 생각부터 했다. 점화 스위치 안에 꽂은 차 키를 돌리자 새 차 냄새가 나는 대형차가 삶을 향해 으르렁댔다. 내 뒤에서 외침 소리가 들렸다. 무릎에서 총을 주워 올린 다음 밖으로 내민 몸을 집 쪽으로 틀고 두 발을 쏘았다. 그런 다음 옆 좌석에 총을 던져 놓고 기어를 앞으로 민 다음 간신히 문을 닫은 후 액셀을 밟았다. 앞을 향해 미끄러지듯 나가는 BMW의 뒷바퀴가 진입로의 흙을 사정없이 파헤쳤다. 그 순간 내 손에 여전히 채워진 수갑은 문제가 되지 않았다. 길은 언덕 아래쪽으로 쭉 뻗어 있었다.

하지만 운전대에서 손을 놓고 기어를 2단으로 바꾸려고 분투하는 순간 BMW가 위험스럽게 좌우로 휘청거렸다. 주차되어 있는 차를 피하려고 다시 운전대로 돌아온 손이 방향을 틀었을 때 BMW가 울타리를 박을 뻔했다. 헌병대 본부에 닿을 수만 있다면 로이 실즈에게 베로니카가 살해된 경위를 모두 털어놓으리라. 미국인들이 신속하게 움직여만 준다면 적어도 그 건으로 일당들을 체포할 수 있을 것이었다. 밀러와 조직에 대한 설명은 나중에 해도 상관없을 터였다. 헌병대가 밀러 일당을 체포한 뒤 골칫거리가 사라지면 벨린스키, 크로캐스, CIC—썩어 빠진 무리들을 찾아가리라.

백미러로 차 한 대의 헤드라이트 불빛이 보였다. 내 뒤를 쫓는 것인지 아닌지 확실치 않았지만 나는 이미 비명을 지르고 있는 엔진을 가속화함과 동시에 브레이크를 밟으면서 운전대를 오른쪽으로 거칠게 틀었다. 차는 연석에 부딪힌 다음 다시 중심을 잡았다. 내 발이 다시 액셀을 바닥에 닿도록 밟자 엔진이 저속 기어로 바꾸라고 불평을 해 댔다. 하지만 아직 지나야 할 굽잇길이 많이 남아 있었기 때문에 기어를 3단으로 바꾸는 위험을 감수할 수 없었다.

빌로트 가와 귀르텔의 교차점에서 나는 거의 몸을 구부리다시피 하여 운전대를 오른쪽으로 꺾고 느릿느릿 달리고 있는 밴 한 대를 추월했다. 그 앞에 도로가 봉쇄된 것을 눈치챘을 때는 이미 늦은 뒤였다. 임시변통으로 세워 놓은 장애물 뒤에는 트럭이 한 대 주차되어 있었다. 방향을 틀거나 차를 세우기에는 늦었다는 생각이 들었다. 어쩔 수 없이 급히 왼쪽으로 운전대를 꺾자 뒷바퀴가 물웅덩이에 빠졌다.

BMW가 통제를 벗어나 빙글빙글 돈 순간 잠시 나는 암상자暗箱子[71]를 통해 세상을 보는 것 같았다. 장애물, 손을 흔들고 있는 미 헌병대, 내가 막 달려온 도로, 나를 쫓아오던 차, 늘어선 가게, 창유리들이 내 뒤를 쫓고 있었다. 인도로 뛰어든 차는 태엽으로 움직이는 찰리 채플린처럼 두 바퀴로 춤을 추더니 가게 하나를 들이받고 폭포처럼 깨져 내리는 유리창 아래에 멈춰 섰다. 속절없이 조수석으로 내동댕이쳐져 문에 부딪힌 순간 반대편에서 무언가 딱딱한 것이 덮쳤다. 팔꿈치 아래에 닿는 무언가 날카로운 것을 느낀 다음 창틀에 머리를 부딪히자마자 의식을 잃은 게 분명했다.

의식을 잃은 것은 수초에 불과했다. 소음과 움직임과 고통과 혼돈이 찾아왔다. 이어 찾아온, 내가 아직 살아 있다고 알려 주는 듯 천천히 회전하는 바퀴 소리를 빼면 정적뿐이었다. 다행히도 차는 옴짝달싹할 수 없는 상태였고, 가장 걱정했던 화염의 위험에서는 벗어난 것 같았다.

---

71. 초창기 카메라로 렌즈와 감광판이 붙은 상자.

유리 파편을 밟는 발소리와 나를 구하러 가는 중이라고 알리는 미국인의 목소리가 들렸다. 나는 소리를 질렀지만 놀랍게도 외침은 속삭임에 지나지 않았다. 그리고 문손잡이를 잡으려고 힘들게 팔을 들어 올렸을 때 나는 다시 의식을 잃었다.

37

"오늘은 기분이 어떻소?" 내 침대 옆 의자에 앉아 내 쪽으로 몸을 기울이고 있던 로이 실즈가 내 팔의 깁스를 톡톡 쳤다. 도르래에 연결된 와이어가 깁스 한 팔을 허공 높이 매달고 있었다. "꽤 편리한 장치군." 그가 말했다. "영속적인 나치식 경례인가? 젠장, 당신네 독일인들은 부러진 팔조차 애국적으로 보이는군."

나는 주위를 힐끗 둘러보았다. 창문의 쇠창살과 간호사의 팔뚝에 있는 문신을 제외하면 꽤 평범한 병실처럼 보였다.

"여긴 무슨 병원입니까?"

"당신은 헌병대 내의 육군병원에 있소. 보호 차원에서."

"여기에 얼마나 있었습니까?"

"거의 삼 주. 머리를 심하게 부딪혔지. 두개골 골절이오. 조각난 빗장뼈, 부러진 팔, 부러진 늑골. 여기 온 이래 의식이 없었소."

"그래요? 아마 뮌 탓이겠죠."

실즈가 빙긋 웃었다. 그러더니 점차 침울한 얼굴로 변했다. "유머 감각은 여전하군. 안 좋은 소식이 좀 있소."

내 머릿속에 있는 카드 색인을 대충 넘겨 보았다. 대부분의 카드가

독일 장송곡

423

바닥에 떨어져 있었지만 내가 처음 집어든 카드들에는 왠지 특별한 의미가 있어 보였다. 내가 하고 있던 일. 한 사람의 이름.

"에밀 베커." 조증 환자 같은 얼굴을 떠올리며 내가 말했다.

"그는 그저께 교수형에 처해졌소." 실즈가 변명하듯 어깨를 으쓱했다. "미안하오, 정말로."

"당신네는 확실히 시간 낭비 따윈 안 하는군요. 그게 전형적인 미국의 효율성이라는 겁니까? 아니면 당신네 중 누군가가 교수형에 쓸 올가미를 사재기라도 한 겁니까?"

"나는 양심에 거리낄 게 없소, 귄터. 그가 린든을 살해했든 안 했든 베커는 교수대에 매달려도 싼 인간이오."

"미국식 정의에 관한 훌륭한 광고처럼은 들리지 않는군요."

"왜 이러시오. 당신도 알 듯 그자의 목을 매단 건 오스트리아 법정이었소."

"당신들이 밧줄과 교수대를 제공했죠. 아닙니까?"

실즈는 잠시 눈길을 피하더니 짜증이 난 얼굴을 문질렀다. "저런, 빌어먹을. 당신은 경찰이었지. 알 텐데 그래요. 일이 어떤 식으로 돌아가는지. 구두에 똥이 묻었다고 해서 새 구두를 사야 하는 건 아니잖소."

"물론이죠. 하지만 똥을 피해 가는 대신 길 위에 머물 줄도 알아야 합니다."

"현명한 양반이로군. 난 왜 우리가 이런 대화를 하고 있는지 알지조차 못하겠소. 게다가 당신은 베커가 린든을 죽이지 않았다는 것을 내가 받아들일 수 있는 증거를 한 토막도 건네지 않고 있소."

"내가 증거를 건네면 재심을 청구할 수 있습니까?"

"서류란 게 원래 완벽하지 않으니까." 그가 어깨를 으쓱하며 말했다. "모든 관계자가 죽었으니 사건은 완결이 아니오. 나는 아직도 이해가 되지 않는 부분이 한두 가지 있소."

"이해가 안 되는 부분을 모두 알려 드리죠, 실즈."

"아마 그래야 할 거요, 귄터 씨." 그의 말투가 이제 조금 더 뻣뻣해졌다. "이곳이 미군 관할 내 육군병원이라는 것을 상기시켜 드려야 할 것 같군. 그리고 기억한다면, 나는 전에도 한 번 이 사건에 끼어들지 말라고 당신에게 경고한 적이 있소. 이제 당신은 이 사건에 끼어든 게 분명하고, 해명해야 할 게 남아 있소. 독일인 혹은 오스트리아인의 권총 소유. 그건 오스트리아 군정 치안 지침 위반이오. 당신은 그것 하나만으로 오 년 형을 받을 수 있소. 그리고 당신이 운전한 차. 수갑을 차고 운전했다는 사실은 뺀다 치더라도 당신은 적법한 운전 면허 소지자도 아닌 것 같은 데다 검문을 받지 않고 검문소를 통과했다는 작은 문제도 있지." 그는 말을 끊고 담배에 불을 붙였다. "그러니 어쩔 거요? 정보요, 철창이오?"

"깔끔하게 정리해 드리지."

"난 깔끔한 걸 좋아하는 사람이오. 모든 경찰이 그렇지. 자, 말해 봐요."

나는 체념하고 베개에 머리를 다시 묻었다. "미리 말해 두지만, 실즈, 이해가 되지 않을 부분이 많을 겁니다. 내가 말할 것의 반이라도 증명할 수 있을지 모르겠군요."

미국인은 건장한 팔을 포개고 의자 등받이에 몸을 기댔다. "입증은 법정에서 할 일이오, 친구. 내가 경찰이란 걸 잊진 않았겠지? 이건 내 개인적인 사건이라고 할 수 있소."

나는 그에게 거의 모든 걸 말했다. 내가 이야기를 마쳤을 때, 그는 침울한 얼굴을 하고 짐짓 점잖게 고개를 끄덕였다. "정말 고구마 캐 듯 캐 보고 싶은 이야기로군."

"그거 좋은 생각이군." 나는 한숨을 쉬었다. "하지만 지금 당장은 내 팔이 이 모양이라서 캘 수가 없군요. 질문이 있다면 다음에 해 주십시오. 낮잠을 좀 자고 싶으니까."

실즈가 몸을 일으켰다. "내일 다시 오겠소. 하지만 한 가지만 물읍시다. 그 크로캐스 요원이라는 자는……,"

"벨린스키?"

"벨린스키, 그래요. 왜 그는 게임이 한창일 때 그만둔 거요?"

"나도 당신이 추측하는 정도밖에 모릅니다."

"뭔가가 더 있겠지." 그가 어깨를 으쓱했다. "내가 수소문해 보겠소. 베를린 사태 이후로 우리와 정보부 친구들의 관계가 좀 나아졌으니까. 소련이 이곳 빈에서 베를린 사태와 같은 행동으로 나올 경우에 대비해 군정장관이 우리와 정보부가 공동전선을 펼 필요가 있다고 시달했소."

"베를린 사태가 뭡니까? 그들이 여기서 같은 행동으로 나올 경우에 대비하는 건 뭐고?"

실즈가 얼굴을 찌푸렸다. "아직 아무것도 모르오? 모르겠지. 물론. 모를 테지. 그렇소?"

"이봐요, 아내가 베를린에 있습니다. 무슨 일이 있었는지 말해 주지그래요?"

의자 끝에 간신히 엉덩이만 걸치고 다시 앉은 그는 눈에 띄게 불편해 보였다. "소련이 베를린에서 군사봉쇄를 시행했소. 뭐가 됐든 그들이 그 지역 내의 출입을 금했소. 그래서 우린 비행기로 그 도시에 물자를 공급하고 있는 형편이오. 당신 친구가 천국으로 떠난 날인 6월 24일에."

그가 희미하게 미소를 지었다. "내가 듣기로 그곳은 긴장 상태라는군. 많은 사람이 우리와 러시아 놈들이 엄청난 결전을 치를 거라고 생각한다더군. 나는 전혀 놀랍지 않소. 우린 오래전에 그놈들 엉덩이를 걷어찼어야 했소. 우린 베를린을 버리지 않을 거요. 믿어도 좋소. 모두가 냉정을 잃지 않는다면 이 상황은 별일 없이 끝날 거요."

실즈가 담배에 불을 붙여 내 입에 물려 주었다. "아내 일은 안됐군. 결혼한 지 오래됐소?"

"칠 년. 당신은? 결혼했습니까?"

그가 머리를 저었다. "괜찮은 여자를 아직 못 만났지. 둘 사이가 괜찮은지 물어봐도 되겠소? 게다가 당신은 집에 자주 못 들어가는 경찰이니까."

나는 잠시 생각했다. "그래요. 괜찮습니다."

이 병원 침대를 차지하고 있는 사람은 나뿐이었다. 운하로 들어오는 바지선의 소 울음소리 같은 경적 소리에 잠이 깬 밤에 나는 영원히 지속될 듯한 마지막 경적의 시끄러운 메아리 때문에 어둠 속에서 잠을 못 이룬 채 눈을 말똥말똥 뜨고 있었다. 칠흑같이 어두운 공동을 응시하는 와중에 속삭이듯 들리는 내 숨소리는 언젠가 닥쳐올 죽음을 생각나게 할 뿐이었다. 눈앞에 보이는 것은 없었지만 나는 공동 저 너머로 생생하게 펼쳐진 것들을 볼 수 있었다. 죽음 그 자체. 죽은 자를 침묵시킬 만반의 준비를 갖춘 무거운 검은색 벨벳과 그 벨벳에 싸인 여위고 늙은 형체의 코와 입을 덮은 클로로포름 패드. 그리고 영원히 지속되는 어둠이 지배하는, 아무도 탈출할 수 없는 끔찍한 강제 이민자 수용소로 그 형체를 데려가려고 대기하고 있는 검은 세단. 창문의 쇠창살을 압박하며 빛이 다시 돌아왔을 때 용기도 돌아왔지만 나는 죽음의 화신인 러시아인들이 두려움을 모르고 자신들에게 맞서는 사람들에게 존경심을 표하지 않는다는 사실을 알고 있었다. 죽을 준비가 된 사람에게나 되지 않은 사람에게나 장송곡은 똑같이 울리기 마련인 것이다.

실즈는 며칠 뒤에 다시 병원을 찾았다. 이번에는 두 남자와 동행이었다. 짧게 자른 머리와 혈색 좋은 얼굴로 보아 둘 다 미국인이었다. 그들은 실즈처럼 화려하게 재단한 양복을 입고 있었다. 하지만 얼굴은 더 원숙해 보였다. 서류 가방과 파이프를 든 그들은 거만해 보이는 눈썹으로 감정을 억제하는 빙 크로스비 같은 타입의 남자들이었다. 변호사 아니면 수사관. 혹은 군인. 실즈가 소개했다.

"이분은 브린 소령이오." 그가 둘 중 더 나이가 많아 보이는 남자를 가리키며 말했다. "그리고 이분은 메들린스카스 대위."

그렇다면 수사관이다. 하지만 어떤 부서일까?

"당신들은," 내가 말했다. "의대생입니까?"

실즈가 억지웃음을 지었다. "이분들은 당신에게 몇 가지 질문을 하시고 싶어 합니다. 내가 통역을 하겠소."

"이 사람들에게 많이 나아졌고, 포도를 들고 와서 감사하다고 말해요. 아마 이들 중 한 명이 마실 물도 갖다 주겠지."

실즈는 내 말을 무시했다. 그들은 의자 세 개를 끌어와 애완견 대회의 심판진처럼 앉았다. 실즈는 나와 가장 가까운 곳에 자리를 잡았다. 그들은 서류 가방을 열어 메모지를 꺼냈다.

"내 변호사를 동석시켰어야 하지 않을까 싶군."

"정말 그럴 필요가 있소?" 실즈가 물었다.

"모르겠군요. 이 두 사람을 보아하니 빈에서 예쁜 여자를 꼬시기 가장 좋은 데를 찾는 미국 여행객 한 쌍은 아닌 것 같으니까."

실즈가 두 사람에게 내 걱정을 전하자 나이 많은 쪽이 신음 소리를 내며 형사 어쩌고 하는 말을 했다.

"소령 말이 이건 형사 사건이 아니라는군." 실즈가 그의 말을 옮겼다. "하지만 당신이 변호사를 원한다면 한 사람을 부르겠소."

"이게 형사 사건이 아니라면 왜 내가 육군병원에 있는 겁니까?"

"저들이 당신을 차에서 끄집어냈을 때 당신은 수갑을 차고 있었소." 실즈가 한숨을 쉬었다. "바닥에는 권총이 떨어져 있었고, 트렁크에는 기관총이 들어 있었지. 그렇다고 조산원으로 데려갈 수도 없으니까."

"어쨌든 마음에 안 드는군요. 내 머리에 붕대가 감겨 있다고 해서 날 바보 취급 할 생각은 마십시오. 이자들의 정체가 뭐요? 내 눈엔 스파이로 보이는데. 척 보면 알지. 두 사람의 손가락에서 투명 잉크 냄새가 나는 것 같은데. 두 사람에게 그렇게 전해요. 그리고 CIC와 크로캐스 사람들을 보면 속이 쓰리다고 전해요. 그쪽 사람들 중 하나를 믿었다가 곤욕을 치렀다고. 벨린스키라는 미국 공작원만 아니었다면 지금 여기에 이렇게 누워 있지 않을 거라고."

"이 사람들이 당신과 이야기하고 싶어 하는 부분이 그거요."

"그래요? 이 사람들이 메모장을 내려놓는다면 마음이 편해질 것 같은데."

그들은 내 말을 이해한 것 같았다. 그들은 동시에 어깨를 으쓱하고 메모장을 서류 가방에 다시 넣었다.

"한 가지 더." 내가 말했다. "난 취조 경험이 있습니다. 그걸 잊지 마십시오. 만약 나에게 범죄 혐의를 씌운다는 인상이 들기 시작하면 취조는 그 시점에서 끝날 겁니다."

나이 든 남자 브린이 자리를 고쳐 앉은 다음 꼰 다리 위에 손을 포갰다. 그렇게 앉았다고 해서 더 날카롭게 보이지는 않았다. 그가 입을 열었을 때 그의 독일어는 생각만큼 나쁘지 않았다. "그 말에 이의 없소." 그가 차분하게 말했다.

그런 다음 이야기가 시작됐다. 질문은 주로 나이 든 소령이 했고, 그보다 젊은 남자는 머리만 끄덕이다가 이해가 안 되는 부분을 명확히 알기 위해 서툰 독일어로 내게 질문을 던졌다. 두어 시간 동안 나는 무난하게 그들의 질문에 대답을 하거나 받아넘겼고, 합의된 사항의 선을 넘은 것처럼 보이는 두어 개의 질문만은 직접적인 대답을 피했다. 하지만 점차 나에 대한 그들의 최대 관심사가 독일에 주둔하는 제970 CIC도 오스트리아에 주둔하는 제430 CIC도 존 벨린스키라는 존재를 모른다는 사실에서 비롯했다는 것을 감지할 수 있었다. 존 벨린스키가 소속된 조직은 아예 존재하지 않았다. 일시적으로나마 미합중국 육군의 전범 및 안보 용의자 중앙 기록소에도 소속된 적이 없었다. 헌병대에는 그런 이름이 존재하지 않았고, 육군에서도 마찬가지였다. 공군에는 존 벨린스키라는 이름이 존재했지만 그는 오십에 가까운 사람이었고, 해군 소속인 세 명의 존 벨린스키는 모두 바다 위에 있었다. 나 역시 바다에 떠 있는 기분이었다.

두 미국인은 심문을 하는 사이사이 조직에 대한 것과 조직과 CIC의 관계에 대해 발설하지 말 것을 누차 강조했다. 나로서는 반대할 이유가 없었고, 그 말이 몸 상태가 좋아지면 풀려날 것이라는 분명한 암시가 아닐까 생각했다. 하지만 내가 위안을 찾으려면 존 벨린스키의 정체와 그가 이루려고 했던 목적이 무엇인지 알아야 했다. 내 취조자들 누구도 나에게 자신의 생각을 말해 주지 않았다. 하지만 물론 내 나름대로의 생각이 있었다.

이후 몇 주에 걸쳐 몇 번씩 실즈와 두 미국인이 조사를 이어 가기 위해 병원을 찾았다. 그들은 늘 매우 정중했다. 거의 우스울 만큼. 그리고 질문은 언제나 벨린스키에 관한 것이었다. 어떻게 생겼는가? 뉴욕 어디 출신이라고 했는가? 차 번호를 기억하는가?

나는 그에 대해 기억나는 사항을 모두 말했다. 그들은 자허 호텔의 그의 방을 수색했지만 아무것도 발견하지 못했다. 벨린스키는 자신의 기사들을 데리고 그린칭으로 오기로 한 그날 방을 뺐다. 그들은 벨린스키가 즐겨 가던 바 두어 군데에서 잠복도 했다. 아마 그에 관해 러시아인들에게 묻기까지 했으리라. 그들은 벨린스키의 지시에 따라 나와 로테 하르트만을 체포했던 국제경찰 그루지야 장교 루스타벨리와의 접촉을 시도했지만 그 장교는 갑자기 모스크바로 소환된 듯했다.

물론 너무 늦은 뒤였다. 고양이는 이미 물속으로 사라진 뒤였고, 벨린스키가 그동안 러시아를 위해 일하고 있었다는 것은 이제 명백했다. 나는 진짜 새 미국인 친구들에게 그가 CIC와 헌병대의 불화를 강조한 것도 당연한 것으로 특별히 놀랄 만한 일은 아니었다고 말했다. 처음부터 그의 정체를 파악한다는 것은 여간 영리하지 않고서는 어려운 일이라는 생각이 들었다. 지금쯤 그는 아마 자신의 MVD 상관에게 미국이 하인리히 뮐러와 아르투르 네베를 새로 영입했다고 보고했을 것이었다.

하지만 내가 말하지 않은 몇 가지 사항이 있었다. 포로쉰 대령에 관한 것이 그 하나로, 나의 빈행行을 수배한 MVD 상급 장교가 포로쉰 대령이었다는 사실을 그들이 알아냈으리라고는 생각하지 않았다. 내 여행 서류와 담배 판매 허가증에 대해 그들은 매우 불편한 호기심을 내비쳤다. 나는 러시아 장교에게 막대한 뇌물을 바쳤어야 했다고 말했고, 그들은 그 설명에 만족한 듯 보였다.

개인적으로 궁금한 것은 벨린스키와의 만남이 포로쉰의 머릿속에 있던 계획의 일부였는가 하는 점이었다. 그리고 벨린스키와 공조하게 된 정황 또한 궁금했다. 소련에 대한 무자비한 반감을 나에게 표현할 방편으로 두 러시아 탈영병을 쏘는 게 가능한 일일까?

굳게 입을 다문 또 다른 한 가지가 있었다. 조직이 린든 대위의 도움으로 베를린 소재 미 서류 센터에 위조 서류를 반입했다는 아르투르 네베의 설명이었다. 그것만큼은 미 서류 센터의 문제였다고 결론을 내렸다. 월요일, 화요일, 수요일에는 나치 잔당의 교수형을 준비하고, 목요일, 금요일, 토요일에는 미국의 보안 기관을 위해 나치들을 모집하는 미국 정부에 내가 협조했다고는 생각하지 않았다. 적어도 미국 정부에 대한 설명만큼은 하인리히 뮐러가 옳았다.

뮐러에 대해 말하자면, 브린 소령과 메들린스카스 대위는 내가 잘못 본 게 틀림없다고 확고하게 주장했다. 그들은 내게 전직 게슈타포 수장은 분명히 오래전에 죽었다고 장담했다. 이유는 알 수 없지만 그들은 벨린스키가 내게 보여 준 사진이 다른 누군가의 사진이라고 주장했다. 헌병대가 네베의 그린칭 포도밭을 샅샅이 조사한 결과 소유주인 알프레드 놀데가 사업상의 일로 해외에 있다는 사실만 확인했을 뿐이었다. 시체는 한 구도 발견되지 않았고, 누군가가 살해됐다는 증거 또한 찾을 수 없었다. 공산주의의 국제적 확산을 막기 위해 미국과 공조한 전직 독일군 조직이 존재한다는 것은 사실이지만 몸을 숨기고 있는 나치 전범들이 조직 내에 포함되어 있었다는 것은 상상도 할 수 없다는 것이 그들의 주장이었다.

나는 이 모든 터무니없는 이야기를 무표정하게 들었다. 그들이 믿는 것들을 신경 쓰기에는 너무 지쳤고, 그 문제에 관해서라면 그들은 내가 자신들의 말을 믿어 주길 원했다. 감정을 억누르고 진실에 무관심한 그들의 얼굴을 보면서 나는 정중하게 고개를 끄덕일 뿐이었다. 그러한 내 태도는 진짜 빈 사람들과 같다고 해도 좋았다. 그들의 말에 동의하는 것이 신속하게 자유를 얻는 최선의 방법인 것 같았다.

하지만 실즈는 나보다 덜 수동적이었다. 날이 갈수록 그의 통역은 점점 더 무례해지고 비협조적이 되었다. 내가 애초에 두 조사관에게 했던 증언을 실즈는 확실히 믿었다. 두 조사관은 그 증언이 초래할 영향을 드러내려 하기보다 감추려는 데 급급해 보였으므로 실즈는 분명 기분이 좋지 않은 듯했다. 실즈의 짜증을 북돋우려는 듯이 브린은 린든 대위 사건이 충분히 만족스러운 결론에 도달했다고 표명했다. 과거 미 헌병대를 사칭한 러시아인이 연루된 스캔들 때문에 여전히 속이 쓰린 실즈의 유일한 만족이라면 제430 CIC에 오점을 남길 정보를 입수했다는 것일지도 몰랐다. 확실한 신분증을 소지하고 CIC 공작원을 사칭한 러시아 스파이가 미군이 징발한 호텔에 묵으면서 미군 장교에게 등록된 자동차를 몰고 미국인 점령 구역에서 활개를 치며 돌아다녔다. 나는 로이 실즈 같은 남자에게 이것이 작은 위안일 뿐임을 알았다. 경찰이라면 보통 의혹을 남기지 않는 깔끔한 결말을 추구했다. 나는 실즈의 마음을 충분히 공감할 수 있었다. 나 역시 종종 그런 감정을 느꼈으므로.

마지막 두 번의 취조에서는 오스트리아 경찰이 통역을 맡았고, 나는 실즈를 다시 만나지 못했다.

브린도 메들린스카스도 최종 취조 결과를 나에게 말해 주지 않았다. 내 대답에 만족했다는 어떠한 암시 역시 없었다. 그들은 통보도 없이 떠났다. 하지만 이것이 보안 기관 사람들의 방식이었다.

이삼 주 후 나는 부상에서 완전히 회복했다. 그리고 수감 병동 의사에게서 들은 얘기에 깜짝 놀란 한편 고소를 금치 못했다. 사고 직후 병원에 실려 왔을 당시 검사 결과 임질에 걸려 있었다고 했다.

"우선, 이곳으로 실려 와서 억세게 운이 좋았던 걸로 아십시오." 그가 말했다. "페니실린이 있었으니까요. 다른 곳으로 실려 갔더라면 그곳에서는 아마 악마가 씹다 뱉은 공이라고 부르는, 타는 듯이 아픈 살바르산을 썼을 겁니다. 두 번째로, 러시아 매독이 아닌 단순한 임질이었던 것도 행운이었습니다. 이 지역 매춘부들은 모두 러시아 매독에 걸렸으니까요. 당신네 독일인들은 프렌치 레터라는 것도 못 들어 봤습니까?"

"콘돔 말입니까? 물론 우리도 있습니다. 하지만 우린 그걸 안 씁니다. 그걸 모두 나치 비밀 부대에 보냈습니다. 그들이 거기에 구멍을 뚫어서 미군에게 팔았죠. 미군이 우리나라 여자들을 건드리면 매독에 걸리라고."

의사가 웃음을 터뜨렸다. 하지만 마음 한구석에서는 내 말을 진심으로 받아들이고 있다는 것을 알 수 있었다. 이런 불편한 대화는 회복 기간 동안 두 미국인 간호사와 이야기를 나누면서 천천히 영어가 늘어감에 따라 직면했던 비슷한 사례 중 하나일 뿐이었다. 웃으며 농담을 나누면서도 그들의 눈에 낯설게 느껴지는 무언가가 있었지만 나는 그게 뭔지 알 수 없었다.

그리고 퇴원하기 며칠 전 나에게 소름 끼치는 자각이 찾아왔다. 내가 독일인이었기 때문에 이 미국인들은 나에게서 공포를 느낀 것이었다. 그들은 나를 보며 머릿속에서 벨젠과 부헨발트 강제수용소에 관한 뉴스 필름을 돌린 것이다. 그리고 그들의 눈에서 느껴졌던 것은 질문이었다. 어떻게 그런 짓이 일어나도록 내버려 둘 수가 있죠? 당신들은 어떻게 그런 만행을 묵과한 겁니까?

아마 적어도 몇 세대 동안은 우리를 바라보는 다른 나라 사람들의 마음속에 입 밖으로 낼 수 없는 이런 질문들이 항상 존재하리라.

38

쾌적한 9월 아침, 나는 육군병원의 간호사들에게 빌린 맞지 않는 정장을 입고 스코다 가에 있는 숙소로 돌아왔다. 블룸 바이스 여주인이 날 따뜻하게 맞으며 내 짐이 지하실에 안전하게 보관되어 있다고 말했다. 그리고 내게 도착한 지 채 삼십 분도 되지 않았다는 쪽지를 건네며 아침 식사를 들지 물었다. 나는 들겠다고 말하고 짐을 보관해 준 데 대한 감사를 전하며 지불해야 할 돈이 있는지 물었다.

"리블 박사님이 다 내 주셨어요, 귄터 씨. 예전에 쓰시던 방을 원하신다면 말씀만 하세요. 비어 있으니까요."

언제 베를린으로 돌아갈 수 있을지 모르는 상황이라 그러겠다고 말했다.

"리블 박사가 혹시 메시지를 남겼습니까?" 나는 이미 답을 알고 있었지만 그렇게 물었다. 그는 내가 육군병원에 있는 동안 나를 만나러 오지 않았다.

"없어요." 그녀가 말했다. "안 남기셨어요."

그리고 그녀는 내가 쓰던 방을 보여 주었고, 아들을 시켜 방으로 짐을 올려 주었다. 나는 다시 한 번 감사 인사를 하고, 옷을 갈아입은 다음 아침을 먹겠다고 말했다.

"전부 보관해 놨답니다." 그녀는 아들이 수하물 스탠드로 짐을 날라 왔을 때 그렇게 말했다. "경찰이 가져간 서류 같은 것들은 명세서를 받아 놨어요." 그녀는 다정하게 미소를 짓고 편히 쉬라고 말한 뒤 문을 닫고 나갔다. 전형적인 빈 사람들처럼 그녀 역시 나에게 무슨 일이 있었는지 묻지 않았다.

그녀가 나간 다음 가방을 열자 놀랍게도 현금 이천오백 달러와 담배 몇 갑이 그대로 있는 것을 보고 안도했다. 나는 침대에 누워 무언가 들뜬 마음으로 담배를 피웠다.

나는 아침을 먹으면서 쪽지를 펼쳤다. 키릴 문자로 짧은 한 문장이 쓰여 있었다. '오늘 오전 열한시에 황실 납골당에서 봅시다.' 쪽지에는 서명이 들어 있지 않았지만 그럴 필요가 거의 없었다. 블룸 바이스 부인이 그릇을 치우러 내 테이블로 다가왔을 때 나는 쪽지를 누가 가져왔는지 물었다.

"그냥 남학생이었어요, 귄터 씨." 그녀가 쟁반에 그릇을 담으며 말했다. "평범한 학생."

"누구를 만나기로 했는데 말입니다. 황실 납골당에서. 어떻게 가야 하죠?"

"황실 묘지 말이에요?" 그녀는 황제를 알현한 것처럼 풀 먹인 앞치마에 손을 닦고 성호를 그었다. 왕실을 언급하면 빈 사람들은 언제나 갑절로 공손해지는 것처럼 보였다. "아, 노이어 시장 서쪽에 있는 카푸친 성당에 있어요. 하지만 일찍 가셔야 해요, 귄터 씨. 오전에만 문을 여니까요. 열시에서 열두시까지요. 아주 흥미로운 걸 보실 수 있을 거랍니다."

나는 미소를 지으며 감사의 의미로 고개를 끄덕였다. 의심할 여지 없이 거기서 아주 흥미로운 걸 볼 수 있을 것 같았다.

노이어 시장은 전혀 시장처럼 보이지 않았다. 수많은 테이블들이 카페테라스에 놓인 테이블처럼 놓여 있었다. 커피를 마시고 있는 손님은 없었고, 시중을 드는 웨이터도 없었으며, 커피가 나오는 카운터 같은 곳도 없었다. 재건중인 빈이라는 후한 기준을 들이대더라도 꽤 조잡해 보였다. 범죄가 일어난 현장에서 경찰을 기다리는 사람들처럼 단지 구경만 하는 사람들도 있었다. 하지만 나는 크게 관심을 두지 않았고, 가까운 시계탑에서 열한시를 알리는 소리를 들으며 서둘러 성당으로 향했다. 어느 동물학자가 왜 꼬리감는원숭이*Capuchin monkey*의 이름을 그렇게 지었는지는 몰라도 카푸친 성당의 외관은 빈의 소박한 여러 성당보다 더 소박했다. 이 도시의 다른 어떤 성당과 비교해 보아도 카푸친 성당은 지어진 당시 도덕적으로 엄격한 칼뱅주의 정신을 반영한 것처럼 보였다. 그런 정신을 반영했는지 성당 재무 담당이 석공들을 데리고 도망쳤는지는 모를 일이었다. 성당 벽에는 조각이 전혀 없었다. 너무 평범해서 나는 그곳이 성당인지도 모르고 지나쳤다. 성당 입구에 있는 한 무리의 미군 병사들이 떠드는 말 중에 '더 스티프스'[72]라는 단어를 언뜻 듣지 않았더라면 돌아왔다가 또다시 지나쳤을지도 몰랐다. 육군병원에서 간호사들이 하는 말을 듣고 친숙해진 새 영어 단어가 이 한 무리의 군인들이 나와 같은 장소

---

72. the stiffs 시체들.

독일 장송곡
–
439

를 방문 중이라는 것을 일깨워 주었다.

나는 깐깐해 보이는 늙은 수사에게 입장료 일 실링을 내고 성당의 일부로 이어진 길고 바람이 잘 통하는 복도로 들어갔다. 좁은 계단이 지하 납골당으로 이끌었다.

휑뎅그렁하게 큰 하나의 납골당이 아닌 여덟 개의 납골당이 이어져 있었고, 내가 생각했던 것보다 덜 어두웠다. 실내는 벽의 일부가 대리석으로 되어 있었고, 소박한 흰색으로 칠해져 있어서 전시된 내용물의 화려함과 크게 대조적이었다.

내가 읽은 가이드북에 따르면 합스부르크 왕족의 심장들이 성슈테펜 성당 밑 항아리에 절여져 있다고 했지만 이곳에는 그 유명한 합스부르크 왕가의 턱뼈를 포함해 일백 명이 넘는 그들의 유골이 보관되어 있었다. 카이로 북쪽 어딘가에서 발견된 묘지만큼이나 대단한 왕족의 납골당이었다. 그라츠에 묻혔다는 페르디난트 대공을 제외하면 왕족 모두 이곳에 있는 것 같았고, 분명히 대공은 자신을 사라예보에 방문하게 한 친족들을 불쾌하게 생각하고 있을 터였다.

가장 서열이 낮았던 토스카나 출신 왕족의 별다른 장식이 없는 납관들은 여덟 군데 중 가장 긴 납골당 끄트머리에 포도주 선반의 포도주병처럼 포개져 있었다. 나는 어떤 노인이 말뚝과 나무망치로 이곳에 있는 관 두어 개를 억지로 비틀어 여는 모습을 볼 수 있지 않을까 기대했다. 자부심이 대단했던 순혈 합스부르크 왕가는 당연히 웅장한 석관에 잠들어 있었다. 거대하고 병적일 만큼 화려하게 장식된 청동 관들은 탱크와 포탑만 장착한다면 스탈린그라드를 함락시킬 수도 있을 것 같았다. 요제프 2세만이 자신의 관을 선택할 때 자제심을 발휘한 것 같았다. 그리고 빈의 가이드북만이 이 청동 관을 '극히 단순' 하다고 묘사할 수 있으리라.

나는 프란츠 요제프 관 앞에서 포로쉰 대령을 발견했다. 나를 본 그는 따뜻하게 미소를 짓고 내 어깨를 토닥였다. "역시 내가 옳았습니다. 당신은 키릴 문자를 읽을 수 있군요."

"당신이 내 마음을 읽듯이 말입니다."

"확실히." 그가 말했다. "일이 다 끝난 마당에 서로에게 할 말이 있을지 궁금할 겁니다. 더군다나 이런 장소에서. 당신은 날 죽일 수 있는 다른 장소를 생각했겠죠."

"당신은 무대에 서 있습니다, 팔코브니크.[73] 제2의 셰퍼 교수인지도 모르죠."

"뭔가 오해를 하고 있군요. 셰퍼 교수는 최면술사지 독심술사가 아닙니다." 그가 한 방 먹였다는 듯이 으스대는 태도로 맨손바닥에 장갑을 내리쳤다. "난 최면술사가 아닙니다, 귄터 씨."

"자신을 과소평가하지 마십시오. 사립탐정이었던 내가 이곳 빈에 와서 에밀 베커의 살인 누명을 벗겨야 한다고 그럭저럭 믿게 만들었으니까요. 내가 걸린 최면이었죠."

"어쩌면 거부하기 힘든 제안이었을지도 모르지만," 포로쉰이 말했다. "당신의 자유의지로 움직인 겁니다." 그가 한숨을 쉬었다. "에밀의 일은 유감입니다. 당신이 그의 결백을 밝혀내지 못하길 내가 바랐을 거라고 생각한다면 그건 틀린 생각입니다. 하지만 체스 용어를 빌

---

73. 러시아어로 대령.

리자면 그것이 빈 수彙였습니다. 언뜻 보면 별거 아닌 것 같아 보이지만 파고들면 파고들수록 교묘하기 이를 데 없는 함정과 공격적 가능성으로 가득한 체스 게임 말입니다. 이 수에는 뭐니 뭐니 해도 강하고 용맹한 기사가 요구됩니다."

"그게 나였겠군요."

"토치노(바로 그렇습니다). 그리고 그 게임에서 승리를 거뒀죠."

"어떻게 이겼는지 설명해 주겠습니까?"

포로쉰이 다른 관보다 높은 곳에 위치한 프란츠 요제프 황제가 누워 있는 관의 오른쪽에 놓인 관을 가리켰다.

"루돌프 황태자." 그가 말했다. "그는 마이어링에 있는 유명한 사냥 오두막에서 자살했습니다. 일반적으로 잘 알려진 얘기지만 자세한 내막과 자살 동기는 분명치 않습니다. 우리가 확실히 알고 있는 유일한 사실은 그가 바로 이 관에 누워 있다는 것뿐이죠. 나는 이걸 안 것만으로 충분합니다. 하지만 우리가 자살했다고 믿고 있는 사람 모두가 가엾은 루돌프처럼 확실히 죽지는 않았습니다. 하인리히 뮐러를 보십시오. 그가 여전히 살아 있다는 것은 지금 증명할 가치가 있습니다. 우리가 확실한 사실을 안 것으로 게임은 이긴 것입니다."

"하지만 난 뮐러에 대해 거짓말을 했습니다." 나는 심드렁하게 말했다. "난 뮐러를 본 적이 없습니다. 내가 벨린스키에게 신호를 보낸 이유는 오리엔탈 바의 초콜레이디, 베로니카 차르틀을 구하려고 그 집에 뛰어든 나를 그와 그의 부하들이 도우러 오길 바랐기 때문일 뿐이죠."

"그래요. 당신과 한 벨린스키의 약속이 어설펐다는 건 인정합니다.

하지만 공교롭게도 난 당신이 지금 거짓말을 하고 있다는 걸 압니다. 그러니까 벨린스키는 정말로 공작원 팀과 그린칭에 있었습니다. 그들은 물론 미국인이 아니라 내 부하들입니다. 그린칭에 있는 그 노란 집에서 나온 차를 우리는 모두 추적했습니다. 당신 차를 포함해서. 뮐러와 그의 친구들은 당신이 탈출했다는 걸 알고 공황 상태에 빠져 즉시 도망쳤죠. 우린 신중하게 거리를 두고 그들이 다시 안전해졌다고 느꼈을 때까지 미행만 했습니다. 그때 우린 직접 뮐러 씨의 신원을 확인할 수 있었습니다. 이제 알겠습니까? 당신은 거짓말을 한 게 아닙니다."

"그런데 왜 그를 체포하지 않았습니까? 그를 풀어 줘서 당신에게 좋은 점이 뭡니까?"

포로쉰은 기민한 표정을 지었다.

"이 일에서는 적을 체포하는 게 꼭 현명한 게 아닙니다. 어떤 경우에 있어서는 그가 활개를 치고 돌아다니게 놔두는 게 체포하는 것보다 몇 배나 더 가치가 있을 수도 있죠. 전쟁이 시작된 무렵부터 뮐러는 이중간첩이었습니다. 1944년 말, 그는 당연히 베를린에서 완전히 모습을 감추고 모스크바로 가길 갈망했습니다. 아, 상상이 갑니까, 귄터 씨? 파시스트 게슈타포의 수장이 민주사회주의의 수도에 살면서 일을 한다는 게? 만약 영국과 미국 정보부가 이러한 사실을 알게 된다면 의심할 여지 없이 그들은 정치적으로 적절한 순간에 이 정보를 세계 언론에 흘릴 테죠. 그런 다음 그들은 의자에 편히 기대고 앉아 당혹스러워하는 우리의 모습을 보며 즐거워할 겁니다. 그래서 뮐러를 받아들이지 않기로 결정했습니다.

유일한 문제라면 그가 우리에 대해 너무 많은 걸 안다는 것입니다. 소련 연방과 서유럽 도처에 있는 게슈타포와 아프베어 스파이들의 소재는 말할 것도 없고 말입니다. 그는 우리가 등을 돌리기 전에 먼저 손을 들었습니다. 그래서 우린 그를 속여서 모든 스파이의 이름을 알아냄과 동시에 독일의 전쟁 수행에는 도움이 안 되지만 미국의 관심을 끌 만한 정보를 주었습니다. 그 정보가 가짜라는 건 말할 필요도 없겠죠.

어쨌든 지금껏 우린 조금만 더 기다려 달라는 핑계를 대면서 뮐러의 망명 신청을 계속 미뤄 왔고, 그는 그 말을 의심하지 않았습니다. 하지만 때가 되었을 때 우린 여러 정치적 이유로 망명을 승인할 수 없다는 걸 그에게 눈치채게 했습니다. 우린 이 일로 인해 그가 미국에 붙길 바랐습니다. 다른 자들이 그랬듯이. 예를 들면 겔렌 장군. 폰 볼슈빙 남작. 힘러―영국이 그의 제안을 받아들이기에 그는 너무 거물이었습니다―조차. 게다가 힘러는 미치광이지 않습니까?

어쩌면 우리의 오산이었는지도 모릅니다. 아마 뮐러는 발을 너무 늦게 빼서 마르틴 보르만[74]과 총통 경호 친위대의 눈을 피할 수 없었을지도 모르죠. 누가 알겠습니까? 어쨌든 뮐러는 자살한 듯 보였습니다. 우리가 호기심 충족을 위해 그것이 가짜라는 것을 증명하기 전까지 한참 동안 그렇게 알려졌었죠. 뮐러는 아주 영리한 자입니다.

우리가 조직에 대해서 알았을 때 뮐러가 다시 모습을 드러내는 건

---

74. 히틀러의 비서 보르만은 단독으로 서방 연합국과 휴전을 꾀하던 하인리히 힘러를 반역자로 간주해 실각시키는 데 기여했다.

시간문제라고 생각했습니다. 하지만 그는 끈질기게 그림자 안에 머물러 있더군요. 간혹 석연치 않은 목격설이 있었지만 확인된 사실은 전혀 없었습니다. 그러다가 린든 대위가 총에 맞았을 때, 흉기로 쓰인 총의 일련번호의 보고를 받고 그 총이 애초에 밀러에게 지급되었다는 것을 알게 됐습니다. 하지만 이건 이미 당신도 알 테죠."

나는 끄덕였다. "벨린스키가 말해 줬습니다."

"벨린스키는 지략이 뛰어난 사람입니다. 알겠지만 그는 시베리아 출신 미국 이민자였습니다. 러시아 혁명 이후 가족은 러시아로 돌아왔습니다. 벨린스키가 아직 어렸을 때였죠. 하지만 그때쯤 그는 미국인이나 마찬가지였습니다. 그리고 가족 모두가 곧 NKVD에서 일했습니다. 크로캐스 요원으로 위장하자는 아이디어는 벨린스키의 머리에서 나왔습니다. 크로캐스와 CIC는 종종 일이 교차될 뿐 아니라 자주 CIC 공작원들과 공조하기도 합니다. 게다가 미 헌병대는 CIC와 크로캐스 조직을 잘 모릅니다. 미국인들은 우리보다도 자신들의 조직 구조를 잘 이해하지 못하더군요. 벨린스키는 당신을 그럴듯하게 속였습니다. 하지만 밀러 또한 그럴듯하게 속였죠. 당신은 밀러에게 크로캐스가 뒤를 쫓고 있다고 말했습니다. 그 말에 겁을 먹은 밀러는 그림자 밖으로 나왔습니다. 하지만 지나치게 겁을 먹은 나머지 그가 남아메리카로 도망간다면 우리에겐 아무 이득도 없습니다. 어쨌든 CIC에는 크로캐스 사람들보다 전범을 고용하는 것에 대해 까다로운 사람이 없으니 밀러가 도망칠 수도 있습니다.

그리고 그게 증명되었습니다. 밀러는 정확히 우리가 있길 바라는 곳에 있다고까지 말할 수 있습니다. 그의 미국인 친구들과 풀라흐에

독일 장송곡
–
445

있습니다. 뮐러는 그들에게 유용하게 쓰이고 있습니다. 소련 정보 조직과 비밀경찰 체제에 관한 그의 방대한 정보를 미국인들에게 넘기는 중입니다. 여전히 기능한다고 믿는 자신의 충성 첩보원들의 정보망을 자랑하면서 말입니다. 그게 우리 계획의 첫 단계였습니다. 미국에 허위 정보를 흘리는 것 말입니다."

"아주 영리한 계획이군요." 나는 정말 감탄했다. "다음 단계는 뭡니까?"

포로쉰의 얼굴에 좀 더 철학자 같은 표정이 나타났다. "적절한 때가 오면 세계 언론에 모종의 정보를 흘리는 쪽은 우리가 될 겁니다. 의자에 편히 기대고 앉아 당혹스러워하는 그들의 모습을 보며 즐거워하는 쪽은 우리가 되겠죠. 아마 십 년, 어쩌면 이십 년 내로 말입니다. 뮐러가 살아만 있다면 그렇게 될 겁니다."

"세계 언론이 당신네 말을 믿지 않는다면?"

"증거를 입수하기는 그리 어렵지 않을 겁니다. 미국인들은 문서와 기록 보존의 대가니까요. 그들의 서류 센터를 보십시오. 그리고 우린 정보원들을 심어 놨습니다. 정보원들이 어디서 뭘 찾아야 하는지 알고 있는 한 증거 입수가 그리 어렵진 않을 겁니다."

"모든 복안이 있는 것 같군요."

"당신이 알 수 있는 것보다 더 많습니다. 난 지금껏 당신의 질문에 성실하게 답했습니다. 나도 당신에게 한 가지 질문이 있습니다, 귄터 씨. 대답해 주시겠습니까?"

"내가 당신한테 해 줄 말이 있을지 모르겠군요, 팔코브니크. 선수는 당신입니다, 내가 아니라. 난 그저 당신의 빈 수의 기사일 뿐이죠.

기억 안 납니까?"

"그럼에도 불구하고 궁금한 게 있습니다."

나는 어깨를 으쓱했다. "물어보시죠."

"좋습니다." 그가 말했다. "잠시 체스 판으로 돌아가 보죠. 희생해야 할 말이 하나 있습니다. 예를 들면 베커가 그랬죠. 그리고 물론 당신도. 하지만 생각도 못한 손실을 맞닥뜨릴 때가 종종 있습니다."

"당신의 퀸 말입니까?"

그가 잠시 미간을 찌푸렸다. "당신이 그렇게 생각하고 싶다면요. 벨린스키 말로는 당신이 트라우들 브라운슈타이너를 죽였다고 하더군요. 하지만 그는 이번 공작 내내 결연한 태도를 취했습니다. 내가 트라우들에게 개인적인 관심이 있었다는 사실은 그로서는 특별히 중요하지 않았을 겁니다. 실제로 그랬다는 걸 압니다. 그라면 고민 없이 그녀를 죽였을 겁니다. 하지만 당신은…….

난 미 서류 센터 내에 있는 부하에게 당신을 조사하도록 시켰습니다. 당신의 이야기는 사실이더군요. 당신은 나치당원이 아니었습니다. 그리고 그 이외 것들도 알게 됐습니다. 당신은 친위대 탈퇴 신청을 했더군요. 총살을 당할 수도 있었는데 말이죠. 감상적인 바보라고 해도 될지 모르겠습니다. 그런데 살인자? 단도직입적으로 묻겠습니다, 귄터 씨. 내 머리는 당신이 그녀를 죽이지 않았다고 말하고 있습니다. 하지만 여기서도 알아야겠습니다." 그가 가슴을 탁 쳤다. "무엇보다 여기에서 알아야 할 테죠."

그가 담청색 눈을 나에게 고정했지만 나는 움찔하거나 눈길을 돌리지 않았다.

"당신이 그녀를 죽였습니까?"

"안 죽였습니다."

"그녀를 차로 치었습니까?"

"차를 갖고 있는 사람은 벨린스키였습니다, 내가 아니라."

"그녀의 죽음과 관계없다는 말이로군요."

"난 그녀에게 경고해 주려고 했습니다."

포로쉰이 머리를 끄덕였다. "다(그렇군요)." 그가 말했다. "도고보 릴리시(생각했던 대룹니다). 당신은 진실을 말하고 있군요."

"슬라바 보구(신께 감사를)."

"그분께 감사를 드려야 할 겁니다." 그가 다시 한 번 가슴을 쳤다. "내가 그걸 가슴으로 느끼지 못했다면 당신도 죽었을 테니까요."

"당신도?" 내가 얼굴을 찌푸렸다. 또 누가 죽었단 말인가? "벨린스키?"

"그렇습니다. 대단히 유감이지만. 그의 지긋지긋한 파이프가 그를 죽였습니다. 흡연이란 위험한 버릇이죠. 당신도 끊어야 할 겁니다."

"어떻게?"

"옛 체카Cheka[75]의 방식대로. 파이프를 무는 부분에 소량의 테트릴[76]을 바르고 거기서 담배를 넣는 부분 바닥에 도화선을 연결합니다. 파이프에 불을 붙이면 도화선에도 불이 붙습니다. 아주 간단하지만 아주 효과적이죠. 그렇게 벨린스키의 머리가 날아갔습니다." 포로쉰의

---

[75]. 구소련의 반혁명 운동 비밀 조사 기관.
[76]. 폭약의 뇌관에 쓰이는 화학약품.

목소리는 심드렁했다. "알겠습니까? 내 마음은 그녀를 죽인 사람이 당신이 아니라고 말했습니다. 당신까지 죽이지 않도록 확실히 해 두고 싶었을 뿐입니다."

"지금은 확신합니까?"

"확실히. 당신은 살아서 여길 걸어 나갈 수 있을 뿐만 아니라……,"

"이 지하 납골당에서 죽일 작정이었습니까?"

"충분히 그럴듯한 장소라고 생각하지 않습니까?"

"오, 물론. 아주 시적이죠. 어떻게 죽일 생각이었습니까? 목을 물어뜯어서? 아니면 관에 와이어를 연결해서 목을 조를 생각이었습니까?"

"세상에는 여러 종류의 독이 있습니다, 귄터 씨." 그의 펼친 손에는 작은 잭나이프가 놓여 있었다. "칼날에 테트로도톡신이 묻어 있죠. 살짝 긁히기만 해도 바이 바이입니다." 그가 제복 주머니에 칼을 넣고 멋쩍은 듯 어깨를 으쓱해 보였다. "당신은 살아서 여길 걸어 나갈 수 있을 뿐만 아니라 지금 모차르트 카페에 가면 당신을 기다리고 있는 누군가를 만날 수 있을 거라고 말하려던 참이었습니다."

그는 혼란스러워하는 내 눈빛이 재미있는 모양이었다. "짐작이 안 가겠죠?" 그가 흐뭇한 표정을 지으며 말했다.

"내 아내? 당신이 아내를 베를린에서 빼냈습니까?"

"코네치노(물론입니다). 아내분이 스스로 빠져 나올 수 있을지 모르겠더군요. 베를린은 우리 탱크들에 포위된 상태니까요."

"키르슈텐이 지금 모차르트 카페에서 기다리고 있다고요?"

그가 손목시계를 보고 고개를 끄덕였다. "벌써 십오 분이나 됐군요. 빈 같은 도시에서 그처럼 매력적인 여성을 이 이상 기다리게 하는 건 좋은 생각이 아니지 않습니까? 요즘은 지나치게 조심해서 나쁠 게 없습니다. 힘든 시기니까요."

"당신은 여러 가지로 사람을 놀라게 하는군요, 대령." 내가 말했다. "오 분 전만 해도 소화불량에 걸릴 것 같다는 이유를 날 죽이려 하더니 지금은 베를린에서 아내를 데려왔다는 말을 하다니. 왜 나에게 이렇게까지 하는 겁니까? 야 네 포니마유(이해가 안 가는데요)."

"공산주의의 덧없는 로맨스의 일면이라고 해 둡시다. 보트 이 브쇼(그게 답니다)." 그가 절도 있는 프로이센 군인처럼 뒤꿈치를 부딪쳤다. "잘 가십시오, 귄터 씨. 누가 압니까? 베를린 사태가 끝나면 다시 만날지."

"안 그러길 바랍니다."

"아쉽군요. 당신처럼 재능이 많은 사람을……," 이내 그는 몸을 돌려 총총히 사라졌다.

나는 나사로[77]처럼 경쾌한 발놀림으로 왕실 납골당을 떠났다. 노이어 시장에서는 여전히 많은 사람이 커피 없는 낯선 작은 카페테라스를 바라보고 있었다. 그리고 나는 카메라와 조명을 보았다. 그와 동시에 지페링 영화 스튜디오의 제작 담당자인 빨간 머리의 키 작은 빌리 라이히만이 눈에 띄었다. 그는 메가폰을 잡고 있는 남자에게 영어로 말을 하고 있었다. 빌리가 말했던 영국 영화를 제작중인 게 분명했다. 시간이 지날수록 보기 드물어지는 빈의 폐허가 전제 조건인 영

---

77. 죽은 지 나흘 만에 예수가 희생시킨 사람.

화. 나에게 충분히 성병을 옮길 만한 자격을 갖춘 여자, 로테 하르트만이 출연하는 영화.

쾨니히의 여자친구를 볼 수 있을까 싶어 잠시 걸음을 멈추고 살펴보았지만 그녀는 없는 것 같았다. 그녀가 첫 영화 배역을 포기하고 쾨니히와 함께 빈을 떠났을 성싶지는 않았다.

내 주위에 있던 구경꾼 중 하나가 말했다. "대체 저 사람들은 뭐 하는 거지?" 그 말에 누군가가 대답했다. "이게 카페인 모양이야. 모차르트 카페." 사람들 사이에서 웃음이 터졌다. "뭐, 이게?" 또 다른 목소리가 말했다. "영국인들은 이런 모습을 좋아하는 모양이군." 네 번째 사람이 말했다. "그들은 이런 걸 시적 허용이라고 부른다지."

메가폰을 쥔 남자가 구경꾼들에게 정숙을 요청했고, 카메라를 움직이라고 명령한 다음 '액션'을 외쳤다. 두 남자가 악수를 하고 테이블들 가운데 하나에 앉았다. 한 남자는 책을 성화聖畵라도 된다는 듯 들고 있었다.

이어질 연기를 기다리는 구경꾼들 틈에서 빠져나와 나는 진짜 모차르트 카페를 향해 남쪽으로 잰걸음을 놀렸다. 거기서 날 기다리고 있는 아내를 만나러.

작가 노트

   미국 방첩 부대의 역사를 엮은 책 『미국 비밀 부대: 방첩 부대에 관한 알려지진 않은 이야기』를 쓴 이언 세이어와 더글러스 보팅은 1988년, 미 정부 수사기관으로부터 1948년 말 하인리히 뮐러를 CIC 고문 자격으로 영입한 것과 관련하여, 베를린 소재 CIC 공작원이 서명한 파일의 진위를 확인해 달라는 요청을 받았다. 그 파일에는 소련 첩보원들이 1945년에 뮐러는 살해되지 않았으며 서방 정보기관에서 활동했을 가능성이 농후하다는 결론을 내렸다고 쓰여 있었다. 세이어와 보팅은 그 파일이 '전문가가 쓴 것처럼 능숙하지만 신분이 상당히 의심스러운 자가 위조한' 파일이라며 그 신빙성을 부정했다. 그 서류가 작성되었을 당시 프랑크푸르트 소재 CIC 책임자였던 E. 브라우닝 대령이 그 결론에 힘을 더했다. 브라우닝은 CIC 고문으로서의 뮐러의 영입 같은 민감한 사안에 관한 발상은 터무니없다고 밝혔다. 두 작가는 다음과 같이 썼다. '유감스럽게도 우리는, 제3제국 게슈타포 수장의 운명은 지금껏 그래 왔듯 억측만 무성할 뿐 미스터리로 남았으며 앞으로도 그럴 것이라고 결론을 내렸다.'

   주요 영국 신문과 미국 뉴스 매거진이 철저한 내막 조사를 시도했지만 지금까지 아무런 성과를 올리지 못했다.

옮긴이 **박진세**

추리소설 애호가로 현재 출판 기획 일을 하고 있다. 옮긴 책으로 에드 맥베인의 『살의의 쐐기』, 『노상강도』, 『마약 밀매인』, 『살인자의 선택』, 아카이 미히로의 『저물어 가는 여름』, 엘러리 퀸의 『탐정, 범죄, 미스터리의 간략한 역사』, 필립 커의 베를린 누아르 3부작인 『3월의 제비꽃』, 『창백한 범죄자』, 『독일 장송곡』이 있다.

* 이 도서의 국립중앙도서관 출판시도서목록(CIP)은 서지정보유통지원시스템 홈페이지(http:// seoji.nl.go.kr)와 국가자료공동목록시스템(http://www.nl.go.kr/kolisnet)에서 이용하실 수 있습니다.(CIP제어번호: CIP2017035899)

Berlin
Noir

A German Requiem

베를린 누아르
—
독일 장송곡

초판 1쇄 발행 2018년 1월 26일

지은이 필립 커
옮긴이 박진세

발행편집인 김홍민·최내현
책임편집 안현아
편집 유온누리
러시아어 감수 이경아
마케팅 홍용준
표지디자인 이혜경디자인
용지 한승
출력 블루엔
인쇄 청아문화사
제본 대신문화사

펴낸곳 도서출판 북스피어
출판등록 2005년 6월 18일 제105-90-91700호
주소 (121-826) 서울특별시 마포구 방울내로 11길 43 101-902
전화 02) 518-0427
팩스 02) 701-0428
홈페이지 www.booksfear.com
전자우편 editor@booksfear.com

ISBN 978-89-98791-73-5 (04840)
      978-89-98791-65-0 (SET)